MARGUERITE DE NAVARRE

JEAN-LUC DÉJEAN

MARGUERITE
DE NAVARRE

FAYARD

C'est le malheur de cette vie humaine!
Car qui plus a, moins a; et qui moins, plus;
Et qui rien (s), tout : c'est chose bien certaine.

MARGUERITE,
Dialogue en forme de vision nocturne

Prologue

Parmi tous les étranges châteaux de la Bavière, il en est un près de Munich qui m'a laissé un souvenir étrange : non pas lié à la majesté même de son architecture, mais à son contenu.

Peut-être a-t-on changé, depuis que je le visitai vers 1965, la disposition ornementale de sa grande galerie, interminable allée dont les murs étaient couverts de grandes toiles de Rubens. Écrasant voyage d'une soixantaine de mètres : le visiteur, fasciné d'abord par l'agressivité de ce génie baroque, va de pas en pas, de visages en croupes, titubant à la fin sous trop de magie, d'art et d'artifices. Les figures et les chairs, les vêtements et les voiles finissent par se brouiller. C'est le « mal des musées », l'égarement par excès de talent entassé.

Au bout de la galerie, sur la gauche, une petite porte s'ouvrait sur une salle plus modeste. Tout de suite, sur le mur de droite, un petit tableau insensé de Fra Solimena. Une sorte de délivrance après les coups répétés, assenés, de la galerie Rubens. Sur cette toile peu connue, on voyait une ronde d'anges s'élever vers le ciel comme un tourbillon de feuilles non pas mortes, mais bien vivantes. Comme ce baroque napolitain rafraîchissait après un trop long chemin sous l'écrasant soleil du grand baroque flamand! Fra Solimena, qui naquit peu après la mort du roi Rubens [1], imaginait-il qu'une de ses naïvetés reposerait quelqu'un des roueries géniales de son grand devancier?

---

1. En 1657; Rubens était mort en 1640.

Cette histoire n'a pas de moralité, telle une fable. Elle est plutôt placée là comme un de ces détours qu'utilisaient les rhétoriqueurs avant d'aborder leur sujet. Le XVIe siècle littéraire français a son auteur prodigieux : Rabelais. Sa poésie, des maîtres et des petits maîtres, composant la très révérée Pléiade. On a mis Ronsard et Du Bellay tout le long de l'avenue de la poésie « nouvelle », qu'il nous faut parcourir avec une révérence indispensable. Que de beautés dans ces forêts, ces sources, ces demoiselles, que d'émotion dans ces Regrets! Au bout de la galerie, une petite porte, une petite pièce, des auteurs non pas méconnus, mais bien oubliés : les Lyonnais et Clément Marot, dont les écoliers apprennent parfois quelques vers; Marguerite de Navarre enfin, réservée à la population universitaire.

C'est précisément par lassitude de la fameuse Brigade que, dès ma jeunesse, je m'intéressai aux poèmes de Marguerite, la sœur de François Ier, la grand-mère d'Henri IV. Sa position quasi royale m'importait peu. Marguerite de Navarre en revanche était à la mode à l'université de Montpellier : Pierre Jourda allait y enseigner bientôt, et en devenir le doyen. Son ouvrage sur la reine de Navarre avait eu, dans les années 1930, un grand retentissement. Il était de bon ton, dix ans plus tard, dans cette province, d'entendre de Marguerite, et d'en parler sans bien la connaître, en l'honneur de son brillant exégète.

Plus tard, je la gardai parmi mes poètes d'élection : non les plus fameux, mais les plus secrets, les moins facilement livrés. Auprès de la poésie-chanson-populaire s'est établi depuis toujours le carmen profond, qui sonne d'abord à l'oreille comme une langue étrangère. J'ai un faible pour celui-là. Tandis que Mallarmé me comblait, que Valéry m'abusait, je gardais une tendresse pour la reine d'antan. Je connaissais d'elle peu de chose, glané dans ces douteux hachis que l'on nomme « morceaux choisis ». Choisis par qui, pour qui? Chacun n'a-t-il le droit d'élire, en poésie, et de choisir l'aile ou la cuisse?

Peu à peu, tandis que Lucien Febvre d'abord, puis Robert Marichal, V.L. Saulnier prenaient la relève d'Abel Lefranc et de Pierre Jourda, un vague désir naquit en moi − qui ne suis ni chargé d'enseigner ni de critiquer ex cathedra − d'écrire un texte modeste qui constituât une approche simple de Marguerite de Navarre. Plus j'allais dans le savant dédale des éditions critiques, qui par chance se multiplient, plus je prenais du goût pour l'auteur et ses textes. Un jour, j'entrepris de prononcer La Navire *en entier, ayant d'abord aimé ses quatre premiers vers. Je sortis de là étourdi, moulu, à la fois contestant et charmé. Cela était trop long, diffus, confus, touffu. Cela manquait de la rigueur des œuvres achevées. Y a-t-il des limites au baroque? me demandais-je. Rabelais, en éclatant de rire, déclare que non, et qu'en faire trop n'est que dérouter les esprits précis. Aux classiques, les esprits précis!*

Le XVIe siècle a engendré trois génies qui ont changé toute la littérature européenne: Rabelais, Shakespeare et Cervantès. Il a enfanté Montaigne après la mort d'Érasme [2]. La Pléiade, qu'il serait absurde de tenir pour mal avenue, y enterre deux siècles de poésie française rhétoricienne, et c'est dommage. Il ne sortira de Ronsard aucune descendance lyrique. Le Roman de la Rose, Machaut, *Chartier et Charles d'Orléans s'inscrivent dans une ligne verbale qui n'a pas tari jusqu'à nos jours, et n'est suspendue que par la mode.*

Marot est un très grand poète, négligé à grand tort. Marguerite de Navarre n'a-t-elle vraiment pas, selon le mot cruel de son admirateur et annaliste Pierre Jourda, « le talent de ses ambitions »?

Ses ambitions sont grandes, quand elle essaie de dire le monologue de la Créature – le Rien *– à son Créateur – le* Tout. *Ses sources sont lisibles, ses emprunts évidents, sa logorrhée vertigineuse. Eût-elle été l'élève d'un savant maître qu'il lui eût dit: « Coupez, faites plus court, serrez! » Mais elle n'avait pas de maître, pas de vrai modèle, sinon les emportements pauliniens et les vaticinations de l'évêque évangéliste Briçonnet, dont elle n'oublia jamais les enseignements.*

Or je la lisais à haute voix, comme il convient, armé de naïveté, mais d'une bonne connaissance de son terrain. J'y trouvais des accents d'une puissance rare, d'une originalité cachée sous les emprunts, les réminiscences, la pratique des textes bibliques. Cette poète m'allait au cœur, m'y va encore, m'a conduit à étudier fil à fil la trame de sa vie et de son environnement. Les devoirs qui lui y incombaient, les pressions qu'elle subissait, la forme de ses engagements et de ses refus m'apparurent peu à peu grâce à de patients érudits.

---

2. Érasme meurt en 1536, Montaigne est né en 1533.

Pourquoi cependant écrire le livre qui suit? Je ne savais à qui l'adresser. Les « seiziémistes »? Ils en savent trop pour trouver pâture dans les réflexions d'un profane. Le public curieux? Mais il était privé de textes, si l'on excepte les rééditions de L'Heptaméron. *Les œuvres poétiques de Marguerite de Navarre ne pouvaient être consultées que dans les bibliothèques des universités ou des grandes villes.*

Enfin, par la grâce des rééditions Slatkine, Les Marguerites de la Marguerite des princesses *furent mises en 1970 à la portée de toutes les curiosités. Déjà, le meilleur des* Dernières Poésies, *et* La Coche, *les* Chansons spirituelles, *les premiers grands poèmes commençaient à faire l'objet de remarquables éditions critiques. Dès 1980, chacun pouvait avoir chez soi la plus grande partie de l'œuvre de Marguerite de Navarre, s'y exalter, et s'y perdre.*

S'y perdre, s'y égarer, du faux sens au contresens, de l'anachronisme à l'anamorphose. Il n'est pas avisé d'aborder ces textes sans les assortir de considérations biographiques, sans les placer dans un éclairage particulier : la mentalité de la génération qui vénéra – ou brûla – Érasme ou Lefèvre d'Étaples. Il n'est pas prudent de voyager avec la reine de Navarre sans cartes théologiques datées.

Je me risquai donc sur un terrain sévèrement quadrillé d'un côté par les philologues, de l'autre par les historiens du christianisme ayant leurs racines à Rome ou à Genève. Ils ont accompli leur tâche à la perfection, sinon pour le principal, oubliant que la poésie est avant toute chose un véhicule sentimental, une exaltation à partager, un jeu fou : d'où qu'elle vienne, où qu'elle aille.

Qu'il soit ici question de Dieu, d'un roi, et d'une femme véhémente qui adora l'un, endura l'autre. Elle en fit de beaux vers qu'on peut encore aimer.

PREMIÈRE PARTIE

CHAPITRE PREMIER

Les enfances

1492

Chaque siècle a ses années-phare. Durant des décennies entières, le temps passe sans rien imprimer de neuf sur l'histoire des événements. Mais soudain voici que surgissent à la même date, plusieurs faits de première importance, sans relation apparente, divers et disséminés. Chacun d'eux conditionne le présent de son époque, à moins qu'il ne lève une hypothèque du passé, ou n'engage à terme l'avenir.

Certains millésimes ressemblent à un nombre gagnant dans la loterie du siècle. Ils sont moins connus, ces carrefours de hasard, que les Marignan – 1515 – ou les 1453 – chute de Constantinople. Ils existent cependant, bizarres coïncidences. Examinons l'année 1492. Nous sommes stupéfaits de voir là un gigantesque précipité de siècles.

1492 purge en Espagne une très ancienne hypothèque : la *Reconquista* est terminée. Quatre siècles plus tôt, presque an pour an, Alphonse VI et son capitaine préféré, surnommé le Cid, se piétaient dans Tolède, leur capitale. Au sud, les moines-soldats mahométans de la seconde vague d'assaut assuraient leur emprise sur les anciennes *taïfas* qui recouvraient d'antiques possessions vandales. En 1492, Ferdinand le Catholique prend Grenade au dernier roi Nasride, Boabdil. L'Espagne entière est espagnole, libre de se dédoubler en Italie, de s'épandre bientôt en Amérique.

Car cette année-là engage le futur comme elle guérit les séquelles du passé. Le 3 août 1492, Christophe Colomb, sur son dérisoire bateau amiral long de vingt-trois mètres, fait voile vers l'ouest avec deux caravelles sœurs. Il découvrira à l'automne San Salvador et Cuba. Il repartira, ouvreur de voies nouvelles, lui à qui l'on prête ce mot, qui dut faire froncer le sourcil de Torquemada : « Le monde n'est pas aussi grand qu'on le croit. »

Coïncidence? En 1492, un savant de Nuremberg, Martin Behaim, modèle la première mappemonde connue. Colomb en démentira par ses voyages le tracé qu'il recherche pourtant obstinément : de l'autre côté de la terre, quoi d'autre que Cathay, la Chine? L'Amérique lui sera donnée comme par surcroît, ainsi qu'à Cabral, Pinzón, Cabot, ainsi qu'à cet Amerigo Vespuci qui lui donnera son prénom, et Magellan, Diaz de Solis, Cartier, Villegaignon. Les navigateurs, dans le premier tiers du XVIe siècle, redessineront la surface du globe de Behaim.

1492, année espagnole. Ferdinand vainqueur donne tout pouvoir au maître de l'Inquisition, Tomas de Torquemada. Un édit portant cette date met hors la loi les juifs « mal convertis ». Les bûchers flambent plus nombreux qu'aux sombres jours du XIIIe siècle. Comment Ferdinand le Catholique ne serait-il pas approuvé par le nouveau pape, espagnol lui aussi?

Car c'est en 1492 qu'Alexandre Borja – Borgia selon l'orthographe italienne – prend possession du trône de saint Pierre. Regardons son profil droit peint par Pinturicchio : il a le physique de son âme. Un homme d'affaires, aspirant à la domination temporelle. Un visage qui porte les stigmates de la débauche. Voici l'un de ces tyrans, de ces jouisseurs qui donneront des armes aux nouveaux chrétiens, les réformés. Cette fabuleuse année-là, le pape rédige la bulle qui va paraître, partageant la terre – ce qu'il reste à découvrir de la terre – entre l'Espagne et le Portugal. Quel formidable aval pour les conquistadores et pour les missionnaires!

L'Italie cependant, déchirée par les guerres entre divers prédateurs dont le pape n'est pas le moindre, vit la dernière époque, la plus accomplie, de l'admirable Quattrocento. Le mécénat y a fait foisonner les artistes de génie et les œuvres majeures. Hélas, Florence! Le protecteur de tes armes et de tes arts, Laurent de Médicis, Laurent le Magnifique, meurt en ... 1492. Dans sa ville, Savonarole élève la voix pour dénoncer la corruption et la simonie de Rome : un nouveau Cyrus, dit-il, conquerra l'Italie et la pacifiera. Passe encore de confondre Cyrus avec Théodoric – qui mourut mille ans plus tôt, à quelques mois près – mais affronter le pape Alexandre! Savonarole sera brûlé en place publique.

Le Cyrus annoncé, le conquérant – unificateur de l'Italie en pièces –, sera-ce le roi de France? Il s'y apprête. Tandis qu'en 1492 Bramante commence à édifier, dans Milan, le chœur de l'église Santa Maria delle Grazie, Charles VIII de France signe un traité avec l'Espagnol Ferdinand. Celui-ci lui assure – le sournois! – mains libres en Italie, en échange de la Cerdagne et du Roussillon. Le nouveau duc de Milan, le condottiere Ludovic Sforza, dit le More, sollicite l'appui de Charles VIII. Dès lors, les trois cousins qui vont se succéder sur le trône de France se lancent dans cette aventure italienne que Louis XI avait évitée avec sagesse. Nous les rencontrerons dans notre promenade littéraire, même si elle est moins coupée de politique que de théologie en transes.

Ai-je tout dit sur cette année 1492? Certes non. Certes rien, pour ceux qui tiennent l'événement en soi pour peu de chose. En 1491 étaient déjà nés deux grands remueurs de destins. D'une part celui qui deviendra Henri VIII d'Angleterre : il entraînera sa nation entière dans un schisme religieux. D'autre part – « par compensation » pourrait-on dire – voit le jour Ignace de Loyola : il fondera la Compagnie de Jésus, fer de lance de la Contre-Réforme catholique.

En 1492 cependant, mentionnons pour finir la venue au monde de la cousine de Charles VIII. Son père est le comte Charles d'Angoulême. Sa mère, la jeune Louise de Savoie. Le nom de baptême de l'enfant est Marguerite. Deux ans plus tard lui naîtra un frère qui, par une série de hasards ou de chances, deviendra roi : François Ier. Quant à Marguerite, duchesse d'Alençon par son premier mariage, reine de Navarre par le second, elle apparaîtra peu à peu comme l'une des figures les plus singulières de la Renaissance française qui va commencer.

La situer d'entrée? Nul ne le peut, s'il n'a pas de parti pris ou, d'aveuglement. Marguerite est sérieuse, cultivée, sinon érudite. Nous la voyons frottée de platonisme revu en Italie. Nous la savons poète, en affirmant qu'on a mésestimé son talent un peu ingrat. Il est démontré que son pouvoir quasi royal protégera les auteurs et les penseurs qui sentent le fagot. Elle rénove l'art français du conte, dans son *Heptaméron*, avec l'air d'imiter Boccace. Par-dessus tout, ses œuvres et ses engagements le prouvent, elle est chrétienne fervente. Mais de quel bord, en ces temps où les bords brûlaient? Assidue à la messe, mais tentée par Luther et longue à se détacher de Calvin. Retirée, après la mort de François Ier, son roi-amour, son frère-élu, dans le château de Nérac, entourée d'hérétiques « fichés ». Marguerite disparue, Nérac deviendra un haut lieu, un château-feu du protestantisme français. Qui oserait pourtant déclarer que Marguerite la « mystique », la pieuse, l'assoiffée d'idées de Réforme, ait jamais quitté le sein de l'Église romaine?

Voici pour dérouter les amateurs de lignes droites. Marguerite de Navarre, dès le premier coup d'œil, nous semble inclassable, irréductible à une moyenne ou à une définition. Réjouissons-nous en commençant que Lucien Febvre, ce grand éclairé découvreur de dénominateurs communs, se soit écrié à son sujet : « Avec tant de traits disparates (et qu'il serait vain de vouloir classer par époques) comment retracer [d'elle] une physionomie vivante et cohérente[1]? »

Puisque l'entreprise semble vaine à un historien des mentalités, un psychologue des « outillages mentaux », puisque par ailleurs Michelet s'y fourvoie avec un immense talent incrédible, puisque les théologiens s'y empêtrent entre la Grâce et la grâce, quoi de plus tentant qu'une approche de curieux prudent, sous le feu croisé de spécialistes déroutés? Du sémillant Marot au capitaine Ronsard, ses roses et ses rhumatismes, la littérature française « renaissante » va son chemin connu, quoique controversé. Marguerite de Navarre, cette étrange enclave, mérite encore le détour.

---

1. Lucien Febvre, *Le Problème de l'incroyance au XVIe siècle. La religion de Rabelais.* L'un des maîtres livres sur l'âme de la première Renaissance française.

Ascendance

En 1498, la lignée royale des Valois bifurque vers une branche cadette. Elle bifurquera encore, contre toute attente, en 1515. Pour mieux comprendre la fortune inespérée des Angoulême, dessinons l'arbre à partir de Charles V, le tronc commun. Les dates, auprès du nom des rois, désignent leur accession au trône, puis leur mort.

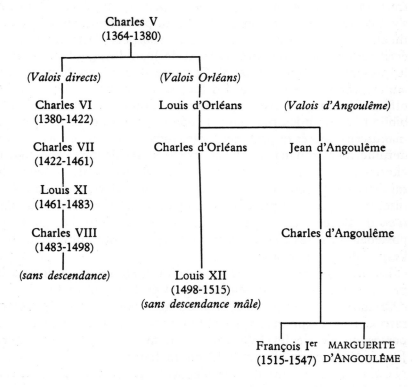

Charles V
(1364-1380)

(Valois directs)   *(Valois Orléans)*

Charles VI   Louis d'Orléans   *(Valois d'Angoulême)*
(1380-1422)

Charles VII   Charles d'Orléans   Jean d'Angoulême
(1422-1461)

Louis XI
(1461-1483)

Charles VIII   Charles d'Angoulême
(1483-1498)

(sans descendance)   Louis XII
                              (1498-1515)
                              (sans descendance mâle)

                                        François Ier   MARGUERITE
                                        (1515-1547)   D'ANGOULÊME

Bien que les « lois » de l'hérédité demeurent encore mystérieuses, il reste la tradition familiale et l'éducation, terrain plus sûr. Examinons donc les goûts des aïeux et des parents de Marguerite et de François. Nous les trouvons, depuis trois générations, tournés vers les meubles de l'esprit plus que vers l'ambition politique.

L'arrière-grand-père, Louis d'Orléans, fut un comploteur ambitieux, finalement assassiné sur l'ordre de Jean sans Peur (1407). Mais sa femme et cousine, Valentine Visconti, était tout imprégnée de l'ardeur intellectuelle et créatrice qui animait l'Italie. Elle avait sa cour de poètes et rimait, dit-on, elle-même.

Leur fils, le comte Jean d'Angoulême (1404-1467), connaît un étrange destin. A l'âge de neuf ans, il est livré aux Anglais par son frère, et restera détenu en Angleterre pendant trente-deux ans. Il s'y fait remarquer par son goût pour la philosophie et surtout la théologie. Son biographe exalté, un peu suspect d'affabulation – il écrit cent ans environ après la mort de Jean d'Angoulême – nous le présente comme un saint. Certaine députation romaine lui aurait proposé d'être pape. En tout cas, il refusa, si cela lui fut offert. Sa rançon payée, il rentre en France, et constitue une bibliothèque imposante pour l'époque : plus de cent soixante manuscrits, sacrés et profanes, entés sans doute sur le fonds de sa défunte mère milanaise. Dévot, exact en ses devoirs religieux, il cherchait pourtant consolation dans les écrits de Boèce, ce ministre de Théodoric qui fut assurément martyr, presque canonisé, mais peut-être pas chrétien. Quoi qu'il en soit, les *Consolations* de Boèce faisaient fureur. Il est sûr que Jean d'Angoulême possédait aussi ses *Commentaires sur Aristote,* qui annoncent déjà l'esprit de l'humanisme.

Le frère de Jean d'Angoulême, celui-là même qui le livra à sa place, le grand-oncle de Marguerite et de François, était Charles d'Orléans. Longtemps méconnu, ou tenu pour auteur de second rayon, il nous apparaît aujourd'hui comme l'un des très grands poètes du XVe siècle (1394-1465). S'il avait « vendu » son frère Jean, c'était avec la certitude de racheter bientôt cet enfant. N'avait-il pas dix-neuf ans, lui, n'était-il pas déjà veuf de la fille de Charles VI ? Quand les Armagnacs prennent le dessus, il épouse Bonne, fille du comte d'Armagnac. Il retrouve sa place à la cour. Il fait broder sur ses habits cette devise : « Madame, je suis le plus joyeux. » Il va pouvoir faire racheter son petit frère. Tout va bien en 1414 pour Orléans et Angoulême.

En 1415, tout bascule. Azincourt. Les arcs à longue portée, les *long bows* du roi anglais Henri V massacrent la chevalerie française aux lourdes armures désuètes. Charles d'Orléans, prisonnier, est emmené en Angleterre à son tour. Il y restera vingt-cinq ans. Sa rançon sera enfin payée par l'entremise du duc de Bourgogne.

Tout lettré qu'il fût, le jeune frère, Jean d'Angoulême, n'avait écrit qu'un ouvrage de préceptes et conseils : *Caton moralisé*. Le manuscrit en fut détruit lors du pillage d'Angoulême par les réformés, en 1562. Au contraire, Charles d'Orléans nous a laissé une œuvre importante en volume et en qualité : ballades, chansons, complaintes, caroles, rondeaux.

De retour en France, il s'essaie d'abord à la politique [2]. Il veut persuader Charles VII de faire la paix avec les Anglais. Le roi, qui reconquiert ses terres par les armes après la mort de Jeanne d'Arc, ne veut pas de traité. Le rapatrié tente alors de faire valoir les droits de sa mère, Valentine Visconti, sur le Milanais. Sourde oreille de Charles VII. Charles d'Orléans se retire en 1450, guéri de la politique, en son château de Blois. De sa troisième femme il aura un fils, Louis, qui sera Louis XII, et reprendra à son compte le rêve de conquêtes italiennes.

Mais une collection d'avanies et d'échecs n'ont tempéré en rien le goût du grand-oncle de Marguerite pour la poésie. Libre ou captif, élevé ou retiré, il a toujours servi sa muse. Sur la pente descendante de la vie, il renonce à son élégance un peu superficielle, héritage de la « fine amour » des troubadours et des trouvères. Il s'établit en ce paisible état de paresse intelligente qu'il baptise le *nonchaloir* [3].

Sa forme poétique est ingénieuse, allègre. Il use – et parfois abuse – de l'allégorie. Établi dans les formes anciennes que les générations suivantes vont combattre, il est plus moderne en ses

2. Durant son exil, son patrimoine fut géré par « le bâtard d'Orléans », Dunois, célèbre compagnon de Jeanne d'Arc. Dunois vécut assez pour voir Charles rentrer en France et recouvrer ses biens.
3. Non-chaloir, du latin *calere* (être chaud). Nous employons encore le verbe chaloir dans l'expression : *peu me chaut*, c'est-à-dire « cela ne m'importe pas ». Le *nonchaloir*, c'est justement cela, que nous pourrions nommer de façon triviale « je-m'en-fichisme ». Non pas le *sustine et abstine* des stoïciens, le « supporte et abstiens-toi », mais un plus tranquille et souriant refus de s'engager, de céder aux soucis.

images et son rythme que certains « réformateurs » du XVIᵉ siècle. Il organise des compétitions poétiques auxquelles participent les lettrés et les poètes familiers de son château de Blois. A partir d'un premier vers, les concurrents devaient écrire une ballade ou un rondeau. Charles concourt lui-même. Vaillant, Martin Le Franc, Blosseville, même le Breton Meschinot s'essaient à l'égaler.

En 1458, 1459 ou 1460, Charles d'Orléans s'avouera-t-il battu dans ce genre de concours? Il l'est pourtant. Le premier vers de l'œuvre proposée doit être : *Je n'ai plus soif, tarie est la fontaine.* Charles en tire sa trente-neuvième ballade, non la meilleure, mais typique. Par souci d'être bien lu, nous rétablirons les textes de cette époque en français moderne, autant que faire se peut. Voici la première strophe du texte de Charles d'Orléans :

> *Je n'ai plus soif, tarie est la fontaine*
> *Bien échauffé, sans le feu amoureux;*
> *Je vois bien clair, y a ne faut qu'on me mène;*
> *Folie et Sens me gouvernent tous deux;*
> *En Nonchaloir m'éveille sommeilleux;*
> *C'est de mon fait une chose mêlée,*
> *Ni bien ni mal, d'aventure menée.*

L'un des concurrents est un vagabond de passage, admis comme tout autre à concourir, ce qui montre l'ouverture d'esprit d'un petit-fils et cousin de rois. Le vagabond s'appelle François Villon. Eut-il le prix du concours de Blois? Il quitte la ville aussitôt après. Première strophe de sa célèbre ballade :

> *Je meurs de soif auprès de la fontaine,*
> *Chaud comme feu, et tremble dent à dent.*
> *En mon pays suis en terre lointaine;*
> *Près d'un brasier frissonne tout ardent;*
> *Nu comme un ver, vêtu en président,*
> *Je ris en pleurs et attends sans espoir;*
> *Confort reprends en triste désespoir;*
> *Je m'éjouis et n'ai plaisir aucun*
> *Puissant je suis sans force et sans pouvoir,*
> *Bien recueilli, débouté de chacun.*

Bien accueilli à Blois, certainement. Débouté (rejeté)? Villon s'en va. En 1461, il sera en prison à Meung.

Nous n'avons pas cette scandaleuse audace des critiques qui donnent des notes aux œuvres et aux auteurs : premier Villon, dix-huit sur vingt, second Charles d'Orléans, quatorze. Disons seulement que Villon reste l'un des plus grands génies poétiques de la France, mais que le grand-oncle de Marguerite de Navarre ne mérite pas, dans les lettres de la pré-Renaissance, la place obscure qu'on lui assigne. Citer sa ballade en balance avec le chef-d'œuvre de Villon est une traîtrise. Donnons, pour l'honorer, le cinquième de ses rondeaux : il ne court pas les recueils de « morceaux choisis » à l'usage des écoliers, et nous dévoile le charme de ce grand seigneur :

Les fourriers [4] *d'Été sont venus*
Pour appareiller son logis,
Et ont fait tendre ses tapis,
De fleurs et verdure tissus.

En étendant tapis velus,
De verte herbe par le pays,
Les fourriers d'Été sont venus.

Cœurs d'ennui piéça [5] *morfondus*
Dieu merci, sont sains et jolis;
Allez-vous-en, prenez pays
Hiver, vous ne demeurez plus,
Les fourriers d'Été sont venus.

Tel fut le grand-oncle de Marguerite, tel de son côté le grand-père Jean : un notable poète, un érudit dévot. C'étaient de beaux exemples, que la petite gardera en mémoire par récits et lectures, avec la fierté d'avoir leur sang dans les veines. Les médecins de cette époque auraient dit : « Leur air dans les artères. »

Venons-en aux géniteurs, Charles de Valois, comte d'Angoulême, et sa femme Louise de Savoie. Marguerite ne connut guère ce

4. Plutôt *fourreurs* que *maréchaux des logis*.
5. *Piéça* : depuis longtemps déjà.

père : il mourut quand elle n'avait pas quatre ans. Cette mère préféra le fils qui lui vint ensuite.

Charles d'Angoulême, né en 1460 de Jean – le presque pape, le presque saint – et de Marguerite de Rohan, est un cadet de famille. Bridé par l'immense réputation paternelle, il se montre très peu Valois d'aspect : menu, petit, falot. Prince certes par le sang, mais loin du trône, et mal argenté. Il se jette d'abord dans les conspirations qui suivent la mort de Louis XI. Celui-ci a laissé le trône à un enfant, mais la régence à sa forte fille, Anne de Beaujeu. Elle règne en roi, disperse les comploteurs, gagne la « guerre Folle » que lui déclare la ligue des princes. En 1487, Charles, qui a pris le mauvais parti, est en disgrâce. En 1488, Anne de Beaujeu le marie avec une fillette pauvre dont elle assurait l'éducation : Louise, fille du duc de Savoie Philippe, dit « sans Terre [6] ». La dot de la petite sera maigre : quelques dizaines de milliers de livres. Au fiancé, le roi donne la seigneurie de Melle qui vaut vingt mille livres. Cela, ajouté à Angoulême, Cognac, Romorantin, ne produira pas de revenus extravagants.

Charles se résigne, sans trop d'aigreur semble-t-il, à devenir un prince campagnard. Petit train de vie pour un personnage de sang royal. Sa femme-enfant le trouve entouré de maîtresses : le fils du saint aime la bagatelle. Fine mouche, Louise accepte les frasques de son époux : mieux, elle les couvre. Antoinette de Polignac, la maîtresse en titre, devient sa dame d'honneur. Jeanne Lecomte (ou Comte), autre concubine, sera suivante de la comtesse à l'esprit large.

Dès lors, Charles d'Angoulême s'épanouit dans son harem. Il mène joyeuse vie au milieu de seigneurs locaux. De Cognac à Melle, d'Angoulême à Romorantin, la joyeuse compagnie festoie, danse, chasse, honore les dames. Ne forçons pas le portrait : Charles n'est pas un de ces nobles voués aux seuls plaisirs sanguins. Il a hérité de son père et de son oncle part ou totalité de la bibliothèque familiale. A ses heures de mélancolie, lui aussi se réfugie dans Boèce et dans ces textes des Pères de l'Église que

---

6. Son comté de Bresse lui fut enlevé par les Suisses. La faveur de Charles VIII embellit pourtant la fin de sa vie.

Jean son père avait fait recopier. Il aime les chansons et les poètes, en digne neveu de Charles d'Orléans. N'exagérons pas dans l'autre sens : un joyeux viveur de santé délicate, avec quelques lumières dans l'esprit. Un médiocre, coincé entre deux générations d'hommes supérieurs, son père et son fils.

Louise de Savoie, son épouse, ne l'a contrarié en rien. Cette femme, destinée à devenir l'une des plus brillantes de son temps, ne fut d'abord qu'une épouse attentive. A treize ans, la voici désespérée par sa « stérilité »! Elle va voir le très sage François de Paule, ce religieux Calabrais que Louis XI avait fait venir à Plessis-lez-Tours pour l'aider à mourir. François de Paule est un saint véritable. Fondateur de l'ordre des minimes, il sera canonisé par l'Église. Il passe pour rendre les épouses fécondes par bénédiction spéciale. A Louise, il prédit la naissance d'un fils qui sera roi [7].

Dès lors, Louise y croit aveuglément. Quand elle se trouve enceinte en 1491, elle exulte. La naissance de Marguerite, au mois d'avril de l'année suivante, est une déception. Il faut noter ce dépit, car il marque sans aucun doute, bien qu'inconsciemment, l'esprit de la mère. Ce bébé qui n'est pas un garçon ne répond pas à la prédiction. On le chérit, mais sans les transports qui accueilleront, deux ans plus tard, la naissance de François : voici l'aigle annoncé par saint François de Paule. Dans le journal qu'elle nous a laissé, Louise de Savoie appelle dès le début son fils « mon César ». Marguerite passe au second plan, et y restera : non qu'elle soit oubliée ni délaissée, mais subordonnée à ce frère qu'elle-même adore.

Louise de Savoie, dont le rôle politique sera plus tard considérable, ne doit pas être frustrée de la première gloire qui lui revient : l'excellente éducation qu'elle a donnée à ses enfants. Elle y eut bien du mérite, au milieu des tracasseries qu'on lui imposa, de l'hostilité à peine dissimulée d'Anne de Bretagne, épouse d'abord de Charles VIII puis de Louis XII. La volonté indomptable de Louise de Savoie sera mieux démontrée par ses actes

7. Louise de Savoie, après la mort de ce saint personnage, le fit retirer de son humble tombe pour lui donner un superbe tombeau. Devenue reine mère, elle mènera et gagnera la campagne pour la canonisation de François de Paule (1519).

publics après 1515, quand son fils François devient roi. Elle fait déjà ses preuves après la mort de son mari.

Nous devons parler d'elle en son temps d'obscurité. Cette veuve de dix-neuf ans, jeune et jolie, est éprise de lecture, et mieux, de découvertes littéraires. Si François Ier devient le mécène éclairé que l'on connaît, s'il est capable d'en remontrer à son bibliothécaire, n'est-ce pas grâce à ce goût des lettres que sa mère lui a d'abord donné et fait donner? De même Marguerite. Sa vocation à écrire et à méditer sera éveillée par les meilleurs maîtres, et confortée par cette femme cultivée dont les vertus d'éducatrice sont trop négligées par la plupart des biographes : sa mère.

Louise de Savoie et sa couvée (1496-1506)

Il nous faudra, dans un rapide coup d'œil sur ces années, tenir Marguerite pour peu de chose. Jusqu'à son premier mariage, qui précédera celui de son frère, elle n'est qu'une ombre derrière sa mère. Durant cette époque angoissante pour elle, Louise de Savoie nous étonne par sa force de caractère. Toute son énergie est tournée vers un seul but : amener au trône son fils François si c'est possible, et en tout cas garder son rang.

Examinons d'abord les conditions dans lesquelles vont vivre les Angoulême après la mort du père. Elles sont étroitement dépendantes des rois régnants : Charles VIII, puis Louis XII. Tous deux feront souvent la guerre en Italie durant cette époque, mais leurs demeures capitales restent sur la Loire : Amboise pour le premier, Blois pour le second.

Le 2 janvier 1496, quand Louise devient veuve, c'est Charles VIII qui règne, marié à Anne de Bretagne. Louis d'Orléans, le cousin, demande la tutelle des enfants : Louise n'est pas majeure. Elle n'entend pas se laisser faire, et déterre une coutume angoumoise autorisant tutelle à partir de quinze ans, au lieu de vingt-cinq, l'âge légal. Le roi accepte de laisser François et Marguerite sous l'autorité de leur mère. Il ne craint encore ni pour sa vie ni pour sa descendance. Anne de Bretagne lui donne quatre enfants. Tous vont mourir en bas âge [8]. Le roi lui-même se tuera accidentellement. Il heurte du front un linteau de porte : commotion cérébrale fatale.

Cousin Louis d'Orléans accède alors au trône, sous le nom de Louis XII. C'est le fils du grand-oncle poète. Il est marié à une infirme, Jeanne, fille de Louis XI. Aussitôt roi, Louis XII demande le divorce. Le pape Alexandre l'accorde, non sans contrepartie : le fils du pape, César Borgia, obtient le duché de Valentinois.

Presque aussitôt, le nouveau roi de France se remarie. Cette fois, avec une jeune femme de caractère : Anne de Bretagne, veuve de Charles VIII, le souverain défunt. Une dame (et un duché) très demandés !

Sitôt fait roi, Louis XII prend très au sérieux sa tutelle honoraire. Il arrache Louise et ses enfants à la vie paisible qu'ils menaient à Cognac, au milieu d'une joyeuse cour. Il les mande à Chinon, les traite avec affection, les conduit à Blois où il va s'établir quand la guerre lui laissera répit. Pour finir, marié avec Anne, il loge les Angoulême à Amboise, dans une belle demeure. C'est pourtant une assignation à résidence. Tout proche, le château royal est alors dans la splendeur où l'a mis Charles VIII. Blois se trouve aux mains des architectes et des maçons. L'heureux mariage du gothique rayonnant français et de l'art italien va créer de merveilleuses demeures dans le pays de Loire.

Louise, Marguerite et François n'en sont pas moins placés sous la surveillance de Pierre de Rohan, sire de Gié, maréchal de France depuis 1475. Une violente inimitié naîtra dans le cœur de Louise contre celui qu'elle considère comme son geôlier. Elle avait tort de le haïr. Gié, tout dévoué à Louis XII, brillant homme de guerre, est Breton d'origine, mais Français de cœur. N'est-il pas de plus le cousin de Louise ? Le grand-père Jean-le-presque-saint avait épousé une Rohan. Gié veut du bien à sa cousine. Certains prétendront même qu'il fut son amant, sans que la chose semble vraisemblable. Quoi qu'il en soit, de 1498 à 1506, ce

---

8. Le portrait du dauphin Charles-Orland (1492-1495) et d'un de ses frères à courte vie nous restent. Ils sont attribués au Maître de Moulins, que la plupart (et moi-même) considèrent comme le plus grand peintre français de cette époque (Louvre).

puissant personnage contrôlera les faits et gestes des Angoulême de très près.

Cette sollicitude se conçoit, même si elle est parfois insupportable. En 1499, Anne de Bretagne a donné à Louis XII une fille, Claude. Par la suite, elle n'accouche que d'enfants non viables. Le maréchal de Gié craint qu'une coalition de seigneurs, pareille à celle de la « guerre Folle », n'écarte le petit François du trône, si le roi meurt sans descendance mâle. Il a obtenu de la bouche de Louis XII, sinon par actes écrits, le gouvernement de la maison d'Angoulême, et prend son rôle tellement au sérieux que Louise étouffe. Une épidémie de peste chasse-t-elle les Angoulême à Romorantin ? Il les fait garder par des archers plus efficaces que courtois.

Plusieurs se sont interrogés sur l'attitude du maréchal de Gié, subrogé tuteur sans délicatesses de cour. Deux mots point incompatibles l'expliquent : honnêteté et maladresse. Gié a reçu de son roi la consigne de veiller avec grand soin sur Louise et ses enfants. Il le fait, et pour cela se méfie des ambitions de la reine Anne. A bon droit sans doute, il la croit exaspérée contre ces petits Angoulême qui régneront, si elle n'a pas de fils. Anne est bretonne comme lui, et sa suzeraine d'origine. Mais le maréchal ne sert qu'un maître, le roi. Il doit prendre soin du premier héritier mâle de la couronne, François, et par-dessus le marché de sa mère et de sa sœur. Maladroit, il braque la mère. Il donne à cette fidélité, qui devrait la rassurer, des airs d'autorité insupportables. Il pense sans cesse à ce qui risquerait de se produire si le roi mourait, et qu'il y eût cabale contre son protégé.

Or le bon Louis XII, que sa vertu d'économie [9] fit nommer en 1506 « le père du peuple », a deux défauts bien graves aux yeux du maréchal. D'abord, il passe la plupart de son temps à guerroyer en Italie. Ensuite, cet ancien athlète réputé n'arrête pas de mourir. Il s'y résoudra pour de bon en 1515 : depuis quinze ans déjà on le croyait perdu !

1501. Le roi se meurt. Gié craint un complot contre François. Il oblige Louise à quitter Amboise, et veut l'emmener à Angers. Elle

9. Certains traits le font passer pour un franc avare, mais enfin, il releva dans les classes populaires ce que nous appelons « le niveau de vie ». Du moins, ses ministres le firent, en calmant les prétentions des nobliaux.

ira à Loches, pour ne lui obéir qu'à moitié. Le maréchal en prend de l'humeur. Cette femme ne comprend-elle pas qu'il agit pour son bien ? Il ne sait pas l'en persuader. Il multiplie les consignes de sévérité. Plus maladroits encore que lui-même, ses lieutenants font du zèle. En 1502, l'un d'eux enfonce une porte et un morceau de cloison : c'était, dit-il, pour assister au lever du prince François. Louise écume de colère, prend le maréchal en horreur. Il n'a pas la manière, ce bon défenseur.

1504. Il est probable, à en croire les médecins, que Louis XII ne passera pas la semaine. Nous voyons alors, par la conduite d'Anne de Bretagne, que Gié avait raison de se méfier d'elle. Elle décide de quitter Blois pour regagner son duché. Elle embarque avec sa fille sur un train de bateaux qui descendra la Loire jusqu'à Nantes. A bord, de la vaisselle précieuse, des bijoux, des tapisseries. La reine, pourrait-on dire irrévérencieusement, déménage à la cloche de bois.

Le maréchal est prévenu. Il fait barrer la Loire à Amboise par plusieurs corps d'archers, arraisonne la flottille, lui fait faire demi-tour. Quand le roi reviendra à la vie, sa femme et sa fille seront rentrées à Blois. Mais désormais Anne de Bretagne haïra le maréchal de Gié plus encore que ne le déteste Louise. Dès ce moment, elle jure de le perdre. Elle en a les moyens.

1505. Nouvelle agonie, dont le roi se remet bientôt. Cette fois, il doute d'avoir jamais un fils pour lui succéder. Il appelle Louise près de lui, la fait figurer au Grand Conseil. Pendant ce temps, Anne lui parle du crime de « lèse-majesté » qu'a commis le maréchal en l'arrêtant sur la Loire. Depuis Louis XI, la personne des rois a gagné en singularité, pris sur le plus haut de leurs sujets une élévation marquée par l'étiquette. Cette dernière n'est pas encore devenue liturgie comme elle le sera sous Louis XIV, ni la cour un théâtre. Il faut pourtant nommer désormais le souverain « Votre Majesté », et le traiter en conséquence. Bonhomme, Louis XII ne veut pas la mort du pécheur, et ne retiendra pas le crime de lèse-majesté contre la personne d'Anne.

Le procès du maréchal de Gié va pourtant être instruit. Dès 1504, il est fait appel à témoignage. Louise de Savoie, ingrate par méconnaissance de la loyauté du personnage, ne le ménage pas. En février 1506, Pierre de Rohan, sire de Gié, est condamné à l'exil dans ses terres. Il part donc pour son délicieux château du Verger, en Anjou.

1506-1508. Débarrassée de son agaçant protecteur, Louise s'épanouit. Le roi lui témoigne de l'affection. La reine elle-même fait visage de bois à cette rivale. Dans les traités signés à Blois après les défaites d'Italie, la reine avait gagné un fiancé de poids pour sa fille Claude : on la donnerait à Charles, petit-fils de l'empereur Maximilien, futur Charles Quint. Anne de Bretagne était comblée. Charles et Claude, ces deux bébés, auraient eu la moitié de l'Europe dans leur corbeille de mariage.

Cela serait aux dépens de l'unité française. Louis XII le sait. Il n'attend qu'un prétexte, le trouve bientôt. Les États généraux, larmes aux yeux, le « supplient » de briser ce projet d'union, de marier Claude de France à François d'Angoulême, pour que la France reste intacte, et resserrés les liens entre Valois.

Louis XII, en 1506, « cède à l'affectueuse pression de ses sujets », pour employer l'un des plus anciens mensonges de la politique. Il annonce les fiançailles de sa fille Claude avec François. Dès le début de 1508, le fils de Louise ira tenir son rang à la cour. Il épousera Claude quand ils seront un peu plus âgés, le 18 mai 1514. Triomphe de Louise.

Mais Marguerite, les prétendants lui manquent-ils ? Au contraire, elle en a trop. A peine âgée de huit ans, on parle pour elle du marquis de Montferrat. Pas assez élevé, selon sa mère. Ensuite le roi Henri VII, pacificateur et unificateur de l'Angleterre, propose le prince de Galles, Arthur. Arthur étant mort, Henri VII fait une autre offre : il épouse lui-même Louise de Savoie, et donnera à Marguerite son fils Henri d'York – le futur Henri VIII – devenu dauphin. Refus encore. Louise ne se remariera pas : elle veut se consacrer à « son César ». Elle refuse aussi Marguerite : Louis XII n'est pas chaud pour cette union. La petite elle-même, bien que personne n'ait demandé son avis, nous fait savoir qu'elle n'aurait pas aimé une vie d'exil. Elle ne sera pas la première femme de Barbe-Bleue.

Henri VII pourtant s'obstine. Cette fois, il a en tête d'épouser lui-même la fillette, malgré leur différence d'âge. Nouveau refus sans appel. Marguerite ne sera pas la belle-mère de Barbe-Bleue.

Le cardinal-légat d'Amboise, par ailleurs, essaie de persuader

Louis XII de la marier au duc de Calabre, fils du roi de Naples.
Cela apporterait la paix avec Ferdinand d'Espagne. Louis XII ne
cède pas. Ses ambitions en Italie s'opposent à ce projet.

En 1506, autre prétendant hors d'âge, Christian de Danemark,
refusé comme les précédents.

La même année cependant, voici donc François promis à la
fille de France. Louise de Savoie, remise des angoisses et des
vexations qu'elle a dû subir depuis la mort de Charles VIII,
commence à espérer en un avenir glorieux. Marguerite a quatorze
ans, son frère douze à peine. Il est temps d'achever leur
éducation.

Fidèle à sa devise « *libris et liberis* », Louise suivra l'heureuse
mode de ce temps, qui est d'orner plus que superficiellement
l'esprit des enfants. Car l'éducation a toujours été, reste toujours
une affaire de *mode*. C'est une assertion qui s'applique à l'ensemble des temps historiques, de l'ancienne Grèce aux temps les plus
modernes. Chaque peuple cultivé, en ses périodes de paix, instruit
les enfants selon certains principes. Ceux-ci seront contestés par
la phase suivante de la civilisation. Les époques dynamiques
proposeront des types souvent révolutionnaires et parfois contradictoires d'enseignement, face aux marécages stagnants des
méthodes fossilisées. Ainsi Rabelais et Montaigne, en deux étapes
de la Renaissance. Ainsi Rousseau au Siècle des lumières. Ainsi
les créateurs de l'école publique au XIXe siècle : mais, en ce
temps-là déjà, l'université avait pris elle-même le flambeau des
réformes, et ne présentait plus les scléroses d'autrefois.

Dès le début du XVe siècle, un mouvement véritablement
européen, l'humanisme, a valorisé l'acquisition des connaissances,
l'éveil des curiosités, le retour aux vraies sources latines et
grecques. L'usure, l'abus ont réduit à un magma douteux le
contenu sémantique du mot « humanisme ». Avant de regarder
comment furent instruits Marguerite et son frère, voyons où en
était avant 1500 cette véritable révolution des projets et méthodes
en matière de connaissances. Ce sera avec un parti pris favorable,
certes, puisque François Ier deviendra le plus éclairé des mécènes,
un guerrier lettré et amateur d'art, tandis que Marguerite, sans
être une grande érudite, ornera son œuvre littéraire de tout ce qui
démontre « une tête bien faite ».

CHAPITRE II

L'éveil

Le terrain

En 1500, Marguerite a huit ans, l'âge des premières acquisitions sérieuses. A cette date, des générations d'humanistes ont gagné leur longue guerre contre l'immobilisme de l'éducation « médiévale ». Les premiers fruits de cette victoire ont déjà été cueillis par l'autorité pédagogique. En 1470, Guillaume Fichet, recteur de l'Université de Paris, fonde à la Sorbonne la première imprimerie parisienne. Il y installe à demeure trois Allemands. En deux ans, ils sortiront de leur presse vingt et un ouvrages, dont le plus important pour les magisters de l'époque est sans doute la *Rhétorique* du même Guillaume Fichet, traitant de l'art de bien dire selon les leçons de maîtres classiques grecs et latins. Les autres volumes consistaient en textes latins, grammaire et ouvrages sur l'éloquence. La même année est imprimé à Paris le premier livre en français, chez le libraire Pasquier Bonhomme : les *Grandes Chroniques de France*.

A la génération de Fichet va succéder celle de Guillaume Budé (1467-1540), qui ne se contentera pas de découvrir les œuvres antiques. Elle mettra en œuvre la critique des textes. Dans la folle expansion de l'imprimerie se distingueront des « libraires » qui poursuivront cette profitable quête : les Estienne à Paris, comme avant eux les Gryphe à Lyon, les Alde à Venise. Érasme publiera en 1508 ses *Adagia*, qui passionnèrent tous les lettrés de l'Europe, chez Aldo Manuce (v. 1449-1515), le premier Alde, dont il était le collaborateur. La publication se fit en latin classique, langue désormais reçue comme espéranto par tous les connaisseurs [1].

Il faut expliquer pourquoi. Tandis que Du Moulin et Rochefort enseignent à la fillette les subtilités de la période cicéronienne, elle continue à chanter à la messe le latin barbarisé qui restera dans l'Église, à peu de chose près, jusqu'en 1962 : celui dont Molière se moquera en exagérant ses ridicules. Les batailles, la guerre du latin classique avaient été gagnées par les humanistes italiens dans les cent cinquante années qui précèdent le XVIᵉ siècle. Ce long combat mérite un détour, qui ne nous éloignera pas de notre sujet.

Pendant quelques périodes brèves et fulgurantes, l'esprit humain souffle sur une ville, y rassemble une cohorte de génies créateurs, y enfante des chefs-d'œuvre singuliers. Ce fut Athènes, au Vᵉ siècle avant notre ère. Ce sera Paris au XVIIᵉ siècle, puis au XVIIIᵉ siècle. Au XVᵉ siècle, c'était Florence, la Florence du Quattrocento, pour compter comme les Italiens. Pourquoi ces lieux et cette date ? Les historiens et les exégètes l'ont expliqué contradictoirement en mille et un volumes. Cela sort de notre étude. Constatons seulement un fait : la Florence des Médicis, du grand-père Cosme à Laurent le Magnifique, reçoit l'héritage de Cimabue et de Giotto, accueille Fra Angelico, engendre Michel-Ange. Sur le plan littéraire, elle développe une *koïné*, une langue populaire que fixeront Dante, Pétrarque, Boccace [2]. Dès 1307, Dante a publié un vibrant plaidoyer pour l'usage littéraire de la « langue vulgaire ». Les humanistes ne l'entendront pas. Les deux poètes, le conteur narquois qui devaient influencer Marguerite écrivain, sont rejetés au second rang pendant près de cent ans par la prééminence, à Florence même, des « cicéroniens ». A peine commencera-t-on à brocarder les ultra-latinistes dans le troisième tiers du XVᵉ siècle : avant la naissance, précisément, de Marguerite.

Cependant, ils ont établi désormais pour longtemps que le latin et le grec classiques sont les langues nobles. Il faut donc les

1. Une autre édition vit le jour à Paris en 1510.
2. Dante (1265-1321). Pétrarque (1304-1374). Boccace (1313-1375).

enseigner à ceux qu'il est nécessaire d'instruire – les enfants des grands – comme à la graine d'érudits qui accédera au savoir par ses propres moyens : la plupart du temps par la cléricature. Rabelais, Érasme apprirent dans les monastères.

Le grand mérite des humanistes italiens, de 1350 à 1450, fut d'ouvrir les greniers des couvents. Là dormaient, pieusement recueillis, généralement oubliés, à moins qu'ils ne fussent grattés et recouverts de palimpsestes, les chefs-d'œuvre de la pensée antique. Le grec? Mais il faut le redécouvrir! Boccace lui-même, ce « vulgaire », n'était-il pas un infatigable helléniste dans la première moitié du Trecento, après 1330? Des décennies plus tard, en 1418, un érudit italien, Giovanni Aurispa, en voyage à Constantinople, vend jusqu'à ses habits pour acheter des manuscrits grecs anciens. Il en ramène plus de deux cent cinquante. Il sera d'Église, bientôt secrétaire de deux papes, dont Nicolas V, humaniste éclairé qui fondera la Bibliothèque vaticane, riche dès le départ de cinq mille volumes.

L'amour du grec, déjà enseigné en Italie, se conforte par le tragique effondrement de Byzance en 1453. Des savants émigrés viennent en Italie. Quand le roi français Charles VIII paraîtra avec son armée, il sera conquis par la magnificence du Quattrocento finissant. Il achète à Florence, outre son butin milanais, pour ce qui équivaut à plusieurs milliards de nos francs. Il ramène à Amboise plus de vingt artistes et savants, dont Jean Lascaris, helléniste réputé. Nous retrouvons Lascaris à Blois où, sous Louis XII, il travaille avec Guillaume Budé à établir la bibliothèque royale. Marguerite, tout enfant, n'a pu tirer profit de quelque rencontre avec ces spécialistes. A vrai dire, on ne lui apprit même pas sérieusement le grec. Cette langue, réservée encore aux érudits, foisonne. Le premier texte grec sera imprimé en français en 1507 [3]. Mais si Budé convainc sans peine François Ier de créer en 1530 le collège des Lecteurs royaux, le futur Collège de France, c'est qu'il était pénétré de révérence envers les classiques anciens, restitués et établis d'après de sérieuses études critiques.

3. Dès 1408, on note le séjour à Paris du célèbre savant byzantin Manuel Chrysoloras (1350-1415). Envoyé en Occident par l'empereur Manuel Paléologue, il enseigne le grec à Florence, Milan, Venise (et Paris?).

En Italie cependant, jusqu'à 1450, les humanistes en ont trop fait. Non pas encore dans le domaine de la contestation religieuse, mais en mettant l'étude des anciens au-dessus de la création moderne, dans la Florence même des Médicis. Le *dolce stil nuovo*, le doux style nouveau italien exalté par Dante et son ami Cavalcanti, mettra du temps à prendre le pas sur les cicéronades. Les deux lettrés Salutati et Bruni manifestent une admiration exclusive pour « les deux humanités », grec et latin. Il en vint des générations de philologues, mais aussi des légions de cuistres que l'on appela enfin, par dérision, les « cicéronés ».

Leone-Battista Alberti (1404-1472), architecte et théoricien célèbre – Génois il est vrai –, exalte les grandeurs de la langue de Dante. Les deux secrétaires du pape Léon X, les cardinaux, Pietro Bembo et Jacopo Sadoleto, vont enfin dans le même sens. Le second écrit un *Traité d'éducation des enfants* : mais Marguerite a déjà trente ans. Le premier déclare Pétrarque au-dessus des autres poètes, et codifie dans un livre l'italien courant, la *volgar lingua.* Marguerite a trente-deux ans : elle en tirera profit et réflexion.

Nous voyons, à travers la position superbement intenable des érudits italiens, avant 1450, l'un des pièges qui guettaient les humanistes : un passéisme proclamé. N'était-ce pas ce qui était arrivé à la scolastique en son âge d'or, lorsque de haute lutte Albert le Grand et Thomas d'Aquin arrachèrent Aristote à Avicenne et Averroès pour l'assimiler au dogme chrétien? En ce qui concerne la théologie, nous verrons au XVIe siècle l'humanisme prendre le chemin inverse. Réveillant la réflexion person- nelle, il suscita dans l'Église des contestataires. Dans le domaine de l'érudition, il imposa le latin classique, le grec oublié. Il en nourrit des lettrés, mais ne put rien contre la Renaissance, c'est-à-dire la singularité des créateurs. Il n'y eut pas de vrai combat, mais il faut, à l'inverse des idées reçues, penser le courant de l'humanisme puriste et grammairien différent de la re- naissance des lettres italiennes, puis françaises. Différent, même si la langue nouvelle se réclame de ces travaux [4].

Vers 1500, les deux tendances sont délimitées. Il sera séant que

---

4. Ronsard le déclarera en vers : son poème ne sera qu'un poids mort pour ceux qui ignorent le latin et le grec.

des enfants, surtout de très haut rang, reçoivent une éducation poussée. Leur génération bénéficie certes des premières victoires de l'humanisme contre l'enlisement médiéval, mais ne rêvons pas : l'Université de Paris reste un monolithe de la scolastique. Ses « dix-fois-docteurs » jugent en droit de l'hérésie littéraire et scolaire. En 1530 seulement, François Ier suivra Guillaume Budé dans sa réforme et créera, contre la Sorbonne rétrograde, les Lecteurs royaux : ils enseigneront le latin, le grec, l'hébreu, de façon moderne, éclairante : en 1530! Marguerite a trente-huit ans.

Cela doit nous rendre prudents quant au contenu des leçons reçues, de 1495 à 1505, par François et Marguerite. Y mit-on de l'audace ? La personnalité des maîtres nous fait croire qu'on sut accomplir la tâche essentielle de toute éducation : éveiller la curiosité, encourager les questions. Une solide tradition d'érudition chez les Angoulême, l'entourage de Louise, le choc du « miracle italien » appuyèrent les leçons données. Le problème de l'éducation des enfants se posait de façon brûlante. La solution attendra Rabelais, attendra Montaigne. Elle attendra Rousseau. Elle attend encore... Nous pouvons en tout cas affirmer que le terrain était solide et bien avisés les maîtres.

« Mes enfants et mes livres »

Que ceux qui n'acceptent pas sans sourciller la notion de mode en matière d'enseignement se reportent au traité de Fénelon sur l'éducation des filles (1693). Certes, deux cents ans après l'enfance de Marguerite, la mentalité de la noblesse a évolué, mais régressivement. Les filles sont élevées dans les couvents où on leur montre l'ABC, un peu de calcul et beaucoup de catéchisme. Des prodigieux progrès de la connaissance littéraire et scientifique que l'humanisme d'une part, l'esprit individualiste de la Renaissance de l'autre ont forgés, rien n'en paraît dans les leçons données aux demoiselles de haut rang, à l'aube du XVIIIe siècle.

De même, nous ne devons pas nous fourvoyer dans de hasardeuses spéculations concernant la « nouveauté » des leçons données en 1500. Les trésors et les leçons du Quattrocento ne commencent à entrer en France qu'après 1495. Le rôle éminent des artistes, leur singularité dans le corps social ne sont pas établis, en Italie même, avant la génération de Michel-Ange. Léonard de Vinci mourant dans les bras de François Ier, Charles Quint se baissant pour ramasser le pinceau du Titien, ce sont des légendes illustrant l'état d'esprit de la génération même de Marguerite, non de celle qui la précède. Les meilleurs de ses maîtres ne devaient pas mettre Jean Fouquet au rang du dernier gentilhomme. A Amboise, les sculptures sont l'œuvre de Flamands bien payés par Charles VIII : Pierre Minart par exemple, ou Cosin d'Utrecht. Mais le maître des chantiers nouveaux, Raymond de Dezest, est un ancien tailleur devenu valet de chambre du roi. Il touche vingt livres par mois. Il est vrai que le souverain, content de ce qu'il voit, lui accorde en 1493 une prime de deux mille pièces d'or. Quant à son traitement, il n'est que doublé : quatre cent quatre-vingts livres pour l'année 1496.

L'esprit de l'humanisme littéral, philologique, évolue cependant, notamment en France, avec la génération de Guillaume Budé, vers une radicale reconsidération des textes anciens. Marguerite et François arrivent assez tard pour profiter de ce nouvel éclairage plus nuancé, éveillant l'intelligence. Pour dire les choses crûment, ils n'apprendront pas le latin pour le savoir, mais pour y découvrir des beautés et des leçons morales enrichissantes. Selon la très séduisante formule de Durkheim, la Renaissance, même à ses débuts, remplacera le formalisme logique par le formalisme littéraire. Les érudits n'entreront plus dans Aristote pour s'en emparer au nom du Christ et tremper d'eau bénite l'Organon. Ils s'imprégneront de la suavité des périodes cicéroniennes, de la senteur des embruns virgiliens.

Nous savons le nom des maîtres à lire, écrire et penser que Louise de Savoie donna à ses enfants. La « maîtresse de mœurs » de Marguerite fut Blanche de Tournon, Madame de Châtillon. Elle était jeune et jolie, paraît-il. Cela ne gâte pas la morale en l'identifiant à quelque laideur pieuse. Ayant reçu elle-même une bonne instruction, Louise parlait l'italien – cela allait de soi pour une fille de Savoie – mais aussi l'espagnol. Un professeur d'italien est en outre nommé.

Les trois précepteurs les plus intéressants à mentionner sont François Du Moulin, François de Rochefort et Robert Hurault [5]. Le premier écrit spécialement pour ces élèves-là un traité des « choses à connaître », illustré de miniatures. Il entrecoupe de citations latines (Cicéron, Juvénal) des leçons un peu pompeuses mais captivantes. S'il met par-dessus tout l'exercice exact de la religion, il cite Virgile comme *princeps poetarum*, le premier parmi les poètes. François de Rochefort, qui fut abbé, est un latiniste réputé. Robert Hurault, lui, enseignera les rudiments de philosophie. Il fut connu un peu plus tard pour faire partie de la frange contestataire de l'Église, qui apportait de l'eau au moulin de la jeune Réforme. Qu'il ait donné à Marguerite l'idée de ne pas accepter tout précepte sans réfléchir n'est qu'une thèse aventurée. Évitons-la, mais sachons que l'intégrisme de l'intelligent pédagogue Demoulin ne pouvait qu'être tempéré par l'individualisme d'Hurault, sans que le plus sévère inquisiteur pût en être choqué. Jamais en effet Louise de Savoie ne pencha contre Rome, dans le temps où elle eut en main la régence du royaume, ou sa part de la paix des Dames (1529).

En plus des précepteurs, l'attitude éducatrice de la mère joue un rôle prépondérant. « *Libris et liberis* », telle est, rappelons-le, la devise de Louise. Elle vivra par ses livres et par ses enfants, pour les uns et les autres. Même si Marguerite reste l'éternelle seconde derrière « César », elle bénéficiera du penchant marqué de sa mère pour les trésors cachés dans les bibliothèques. Au « petit paradis » de Cognac, il y a plus de deux cents volumes sur les rayons de la librairie. Le fonds sera plus tard, à l'âge où Marguerite formera son goût, transféré à Blois. Blois où figurent le millier de livres ramenés d'Italie par Charles VIII, et d'autres que Louis XII acquiert, merveilles de la poésie et de la sagesse ancienne, mais aussi témoins du génie du Quattrocento : Dante en italien et en français [6], Pétrarque, Boccace sont là. Une bibliothèque unique en France, ordonnée par Guillaume Budé, et

5. Pour le détail de cette éducation, on peut consulter avec précaution le livre de Maulde La Clavière : *Louise de Savoie et François Ier, trente ans de jeunesse (1485-1515)*, Perrin, 1895.
6. Son chef-d'œuvre s'appelait *La Comédie*. Elle ne fut qualifiée de *Divine* qu'à partir de l'édition de 1555. Une version imprimée fut diffusée en France après 1470.

Lascaris qui avait déjà monté celle de Lorenzo de Médicis lui-même. On y trouve aussi le riche fonds poétique et romanesque des xive et xve siècles français.

Cette fois, nous n'avons plus à nous mouvoir dans les suppositions. Nous sommes assurés que cette petite fille, cette adolescente à qui des ancêtres, des parents épris de connaissances littéraires avaient donné le goût de la lecture, que des maîtres intelligents assureront dans cette voie, aura sous la main tout ce que la fin de ce siècle pouvait offrir en matière de lectures. Grâce à sa mère, à travers ses précepteurs, au moyen de ce trésor immense de textes, elle sent naître et se développer son amour des belles-lettres.

Ne disons pas qu'elle fut forcée. Quand elle se maria, à dix-sept ans, son éducation était terminée. Elle aurait pu garder un bon vernis et mener sa vie de duchesse, puis de reine, en lisant ou se faisant lire des œuvres de choix, en protégeant les arts, en rimaillant un peu. Ainsi fit son frère François, nourri aux mêmes rayons.

Deviendra-t-elle au contraire une femme savante, une Bélise avant la lettre? Non pas : une femme cultivée. Cela n'était pas rare. Cent ans avant Marguerite, Christine de Pisan, qui gagne sa vie avec sa plume, nous montre un esprit bien rempli. Instruire sérieusement les filles comme les garçons reste de règle en 1500 chez les princes et même les bourgeois. La brillante école lyonnaise nous en fournira la preuve un peu plus tard. La Contre-Réforme seule changera tout cela. « Donnez un livre de poésie aux filles, dira un jésuite, elles feront l'amour. Donnez-leur un livre de prose, elles contesteront le credo. » Par bonheur, Marguerite adolescente n'en est pas là. La bibliothèque entière lui est ouverte : textes latins et traduits du grec, ouvrages de piété, poésie française ancienne, poésie italienne nouvelle. Lisait-elle beaucoup? Nous n'en savons rien. C'était une enfant rieuse et joyeuse, nous dit-on. Les enfants en bonne santé, même destinés à devenir lettrés, n'ont pas coutume de préférer l'étude aux distractions de leur âge.

Marguerite en sa maturité, lorsqu'elle écrit l'*Heptaméron*, nous montre qu'elle a beaucoup lu, réfléchi, beaucoup osé dans l'espace de l'esprit. De Marguerite enfant, nous sommes en train de tracer, dans la bibliothèque et même la salle de jeux, un portrait inexact, ou du moins incomplet. Dans le bien-être de Cognac, dans la retraite morose d'Amboise, dans l'espoir qui s'y installe ensuite, Marguerite reste toujours – par obligation, mais de tout son cœur – la seconde. Son éducation sérieuse n'est due qu'au souci, chez Louise, d'élever l'intelligence de François. La sœur de César profite de tous les avantages donnés à son frère : sa vigilante mère y veille.

Louise et Marguerite sont toutes deux les admiratrices, les « béates » de François. Or c'est un sanguin, un musculaire avant d'être un écolier attentif. Celui qui deviendra le « roi-chevalier », et pourra montrer aux muguets de la cour comment on cabosse son armure à la guerre, n'est pas un enfant timide. Studieux à l'occasion, mais hardi et joyeux. Secouons la poussière qui couvre le portrait de Marguerite : est-elle cette mièvre rimeuse, cette princesse de cabinet qu'on décrit souvent ? Le cliché est sous-exposé. Toute sa vie, Marguerite gardera la force d'âme, le tonus physique, le courage et même l'audace qui lui étaient nécessaires dès l'enfance pour garder l'estime d'un frère aimé. Un frère qui chérira les femmes à la folie, mais tiendra pour rien les femmelettes.

Louise était d'un naturel gai, malgré son enfance de parente pauvre et assujettie. A Cognac d'abord, puis à Amboise après l'exil du maréchal de Gié, elle réunit autour d'elle une cour de lettrés mondains. Pieuse, élevant ses enfants dans les formes exactes de la religion, elle ne cède pas moins à la mode des faiseurs d'horoscopes. L'astrologue de Louise de Savoie était le fameux touche-à-tout Cornelius Agrippa. Pour les amateurs, voici cependant l'horoscope de Marguerite :

> *Née sous le 10ᵉ degré d'Aquarius, lorsque Saturne se séparait de Vénus par quaterne aspect, le 10 d'avril 1492, à vingt heures* [7].

Bientôt, le « César » François cesse d'être un gros garçonnet pour devenir un adolescent athlétique. Ses compagnons de jeux, nous les retrouverons dans l'Histoire de France : Anne de

---

7. Cité par Brantôme avec son ascendant.

Montmorency deviendra connétable, Bonnivet amiral, Fleuranges duc de Bouillon, maréchal de France. Le cheval et la chasse les passionnent d'abord. Louise et Marguerite tremblent devant de folles équipées. L'une d'elles, en 1501, manque de coûter la vie au César de ces dames.

Des jeux à la mode italienne passionnent les garçons : la balle à *l'escaigne*, sorte de hockey sur gazon où la crosse est un escabeau lesté ; d'autres fois, une sorte de handball, où la main est protégée par un gant à poignée. Ne craignons pas d'employer des mots d'aujourd'hui pour marquer des similitudes. Les *déports* où brille François nous reviendront d'Angleterre sous le nom tronqué de « sports ». Le lanceur, au jeu de paume, se nomme *tenetz* (« tenez ! ») dont les Anglais feront « tennis ».

Marguerite va voir son frère et ses amis jouer à la paume. Ce jeu a déjà deux mille ans au moins. Nausicaa-aux-bras-blancs le pratiquait avec ses suivantes, quand Ulysse sortit tout nu de la mer : *Epaïdzon sphaïrè*, elles jouaient à la paume, écrit Homère[8]. Depuis le XIVe siècle, ce déport use de raquettes. Il fait fureur dans les châteaux. A Amboise, Charles VIII a fait aménager un terrain de paume dans un fossé asséché. Trois galeries le surmontent. C'est en frappant du front le linteau d'une de leurs portes – les vestiaires de son tennis – que le roi mourra.

Même dans les moments les plus sombres de l'anxiété, François et ses camarades égaient par leurs jeux vigoureux Marguerite et Louise. La petite aime déjà son frère plus qu'il n'est commun d'aimer fraternellement. Le César de la mère est l'archange de la sœur. Amour doux et fou que nous verrons s'épanouir.

Piété, fortes études, vaste bibliothèque, jeux et rires, amour familial. Dans les contes de *l'Heptaméron* sont cachées les clés de cette jeunesse, peut-être d'amourettes naïves (Bonnivet ?), de cette ardeur à vivre qui animera Marguerite durant ses plus angoissantes années.

En 1509, la petite va se marier. Elle a dix-sept ans et demi. Est-elle heureuse de cet établissement ? Personne ne lui demande son avis : ce n'est pas l'usage. Est-elle très instruite ? Pas plus qu'on ne peut l'être à cet âge, même avec les meilleurs livres et

8. *Odyssée*, chant VI, v. 100.

l'accès à la meilleure bibliothèque. La voici simplement préparée à approfondir ses connaissances, son goût de lire. D'écrire ? Nous n'en savons rien, pas plus que de ses premiers exercices. Elle a bien étudié, s'est bien divertie avec son frère et ses amis. Louise n'a pas manqué de lui donner le goût des ouvrages féminins : la broderie, qu'elle pratiquera toute sa vie. A-t-elle été atteinte de variole, comme on l'a prétendu ? Cela ne paraît pas dans les rares portraits que nous avons d'elle. A-t-elle aimé déjà, en toute chasteté ? Cela semble aller de soi, mais qui ? Aucune réponse convaincante.

Son frère, fiancé à Claude de France, est duc de Valois par décision du roi. Marguerite va devenir duchesse d'Alençon pour régler un vieux contentieux. Tout ce que nous savons précisément d'elle en 1509, c'est qu'on la dit studieuse, plaisante, réservée, et qu'elle aime son frère plus qu'elle n'aimera son mari.

Duchesse Marguerite et François, roi

Rien de romanesque dans le mariage de Marguerite. Un long procès opposait les maisons d'Angoulême et d'Alençon à propos de la succession d'Armagnac. L'union des deux branches éteindrait la querelle. Quoi de plus noble que les Alençon ? Certes, le prétendant n'a pas les espérances d'un dauphin d'Angleterre ou de Naples. La volonté du roi apparaît dans ce choix, conforme à la politique des Valois et à leur devise : « Je suis France. » Le duché d'Alençon, donné à son frère par Philippe le Bel, fut élevé à la pairie en 1414. Charles d'Alençon est un cousin pas si lointain des Valois. Le marier à la sœur de l'héritier présomptif du trône, c'est se garder d'alliances étrangères qui risquent de créer plus tard des revendications territoriales. Le roi en sait quelque chose, lui qui se bat en Italie au nom de l'héritage de sa grand-mère Visconti. Il a, pour la France, épousé la Bretagne.

Que dire du fiancé ? Par sa mère Marguerite de Lorraine, Charles d'Alençon a été élevé en soldat, non en lettré. Il a dix-neuf ans l'année de son mariage, et s'est taillé une réputation de brave capitaine à Agnadel, quelques mois plus tôt. Devant ce village lombard, Louis XII a battu les Vénitiens. Charles d'Alençon y a pris sa part de gloire. Peut-être la main de Marguerite lui fut-elle donnée en partie pour cela.

Les chroniqueurs nous parlent des fastes du mariage, qui fut célébré le 2 décembre 1509. Le roi assiste à la cérémonie. La reine préside le festin, en ayant soin – étiquette ou perfidie ? – de placer la mariée assez loin d'elle. Louise de Savoie remarque bien cette « attention ». Anne de Bretagne, qui est allée bouder dans ses terres après les fiançailles de sa fille et de François, veut signifier qu'elle n'a pas renoncé à donner au trône un héritier direct. Deux fois reine, si souvent enceinte, elle n'a que trente-deux ans en 1509. Par manière de compensation, Marguerite a droit, pour ce repas fastueux, à de la vaisselle d'or. Le peuple reçoit des poignées de monnaie jetées par les fenêtres. Suivent des jeux et des tournois, l'audition de ménestrels et d'un poète, nommé Fonteny. Il avait rimé des vers de circonstance, d'une consternante platitude.

Plus sérieuses sont les dispositions financières prises en faveur des jeunes époux. Marguerite renonce à ses droits sur le comté d'Angoulême, mais son mari lui garantit, sur ses biens, une rente de six mille livres annuelles. La belle-mère, par contrat de mariage, donne à Marguerite la moitié de ses meubles, vaisselle de prix, tapisseries. En retour, cette dernière apporte une dot de soixante mille livres payable en dix échéances. Le roi ajoute, pour Charles d'Alençon, le droit de percevoir les taxes sur de nombreux greniers à sel. Les jeunes époux seront très à l'aise financièrement.

Est-elle heureuse ? Nous n'en savons rien directement, car elle ne parlera pas de Charles d'Alençon dans ses lettres, ou si peu que rien. Imaginons seulement son dépaysement. Charles l'emmène vivre dans un énorme château-fort vieux de deux siècles, mieux fait pour tenir garnison que pour se divertir. La duchesse mère, femme de devoir, a passé son veuvage à éteindre les dettes de son mari. C'est une dévote assidue. Le pays, boisé, sombre, piqueté de collines grises, semble bien triste auprès des bords de Loire. Six suivantes forment la « maison » de Marguerite, mais elles sont du pays. Personne ne l'a suivie, de ses compagnes et amies. Au château d'Alençon, sur les bords de la Briante, pas de poètes, de lettrés, de bibliothèque profane. Un mari certainement borné, probablement jaloux, entouré d'hommes de guerre et de moines.

Nous savons que Marguerite s'adonna, faute de mieux et probablement aussi par inclination, à des lectures bibliques. Nous savons aussi qu'elle fit des voyages, entre 1509 et 1515. A Amboise, où elle s'épanouit. A Paris, où Louis XII la reçoit au château des Tournelles avec affection.

Tout ce que nous pouvons imaginer de la vie de Marguerite au château d'Alençon n'est qu'hypothèse. Formulons des possibilités en opposant ses deux modes de vie successifs.

Marguerite vivait auprès d'une mère et d'un frère très aimé, dans une demeure riante, à deux pas des fastes de la cour. La voici enfermée dans un sombre château médiéval, entre une belle-mère très pieuse et un mari illettré, d'esprit militaire.

Marguerite s'épanouissait auprès des admirateurs de sa mère et des compagnons de son frère : les premiers pleins d'esprit, de savoir, de belles manières. Les autres un peu tout-fous, mais chaleureux. La voici réduite à six suivantes *gentiz-femmes* qu'elle ne connaît pas, et à la société des officiers de son mari. Tous ne sont pas infréquentables, puisqu'elle en gardera deux auprès d'elle plus tard. Mais cette timide – tous les masques qui la cachent en son œuvre, et même certaines fausses audaces de *l'Heptaméron* montrent qu'elle est foncièrement timide – doit s'adapter à ce nouveau milieu, sur lequel elle règne sans le connaître.

Marguerite, dans l'état de mariage (qui lui plaît ou non), dans ce nouvel habitat (qui lui plaît ou non), continue à partager les angoisses de sa mère au sujet de François. En 1510, la reine Anne de Bretagne va accoucher. Si c'est un garçon, « César » ne régnera pas. Par chance, c'est une fille, Renée, qui deviendra l'une des meilleures amies de Marguerite. En 1511, nouvelle grossesse de la reine, nouvelles alarmes : fausse couche et soupir de soulagement. Marguerite et Louise se trouvaient près d'Anne « pour l'assister ». Cette nouvelle fausse alerte les délivre de leurs craintes.

S'ennuie-t-elle, lit-elle, écrit-elle ? Le romancier seul a beau jeu ici. De 1509 à 1520, presque rien ne transparaît des sentiments de Marguerite d'Alençon, de son cheminement intellectuel et spirituel. Les fréquents séjours de sa mère chez elle, ses voyages, nous en sommes informés. Par ailleurs les ragots de la cour à propos des grossesses d'Anne nous assurent qu'elle vit dans l'espoir, sans cesse contrarié, de voir son cher François devenir héritier du trône à part entière.

En l'automne de 1513, Marguerite emmène son mari à Amboise, puis à Cognac, où le digne homme se casse le bras. Péripétie vite oubliée lorsque survient la nouvelle, au début de l'année suivante, de la mort d'Anne de Bretagne. Marguerite a donc passé deux mois dans « le petit paradis ». François y est arrivé lui-même le 4 janvier 1514. Le 10, un courrier annonce que le roi est veuf, que la route du trône est ouverte. Louise et François, nous disent des témoins, manifestent une satisfaction un peu indécente. Pas un mot sur l'attitude de Marguerite : réservée.

A peine Anne est-elle mise en terre que le suspens rebondit : d'abord en faveur d'Angoulême, ensuite contre les certitudes enfin données à Louise.

Pour : le roi mène d'abord grand deuil, exigeant que chacun en fasse autant. Le deuil levé en mai, François épouse en grande pompe, le 18 de ce mois, Claude de France, l'héritière. Le trône est en vue!

Contre : le pape Léon X décide de resserrer les liens entre l'Angleterre et la France. Il veut faire pièce à la coalition Espagne-Autriche qui le menace. Il pousse Louis XII à une entente avec les Anglais. Une entente si cordiale qu'il suggère au roi de France : « Pourquoi ne pas vous remarier avec Marie d'York, sœur du jeune Henri VIII? » Contre toute attente, Louis XII accepte. Il épousera Marie, un tendron de seize ans d'une beauté renommée.

La nouvelle éclate à l'improviste. La joie des Angoulême – et des Alençon – disparaît à ce coup. Pourtant, cette union n'est pas impensable : Louis XII, ce moribond professionnel, n'a pas cessé de guerroyer en Italie depuis sa première « agonie ». Il peut bien, à cinquante-deux ans, épouser une jeunesse pour réchauffer ses os. Mais si Marie lui fait un enfant, qu'en sera-t-il de François?

Le roi n'a pas l'air de comprendre le désespoir de sa famille. Il est heureux. Qui envoie-t-il à la rencontre de sa fiancée, sinon les

deux princes de sa proche parenté ? François et Charles d'Alençon. François est ébloui par Marie. Il papillonne autour d'elle. Il
faut la grosse voix de ses conseillers pour l'empêcher de trop
pousser ses avantages. Le vieil amoureux s'avance cependant vers
sa belle avec toute la cour. Le 9 octobre 1514, il l'épouse. Les fêtes
du couronnement, préparées par François lui-même, seront
splendides. Marguerite y assistera, superbement logée à Paris avec
son époux. Louise de Savoie est effondrée. Le roi, ce vieux sot,
mourra vite à coup sûr, de trop aimer sa belle. Mais s'il lui fait un
dauphin avant de trépasser ? Le trône est perdu !

Le suspens devient si haletant que la légende l'embellit. De fait,
Louis XII meurt au bout de quelques mois d'extase. Le conte
affirme que Marie, jeune veuve, fait durer les inquiétudes
d'Angoulême, se prétend enceinte, se barde d'un coussin pour le
faire croire. Brantôme accréditera cette histoire.

Balivernes. Louis XII meurt le 31 décembre 1514. En un rien
de temps, sa belle veuve tombe amoureuse d'un homme superbe,
le duc de Suffolk. François monte sur le trône de France. Le
triomphe de sa mère et de sa sœur, après tant de patience, se perd
dans un immense cri de joie : l'avènement de François Ier est reçu,
par le peuple aussi bien que par la noblesse, avec enthousiasme. Il
est si jeune, si fort, si beau ! Seuls les mauvais coucheurs du
Parlement trouvèrent bientôt à redire : le nouveau roi avantageait
sa sœur de façon si outrée qu'on pouvait la dire préjudiciable aux
finances de l'État. Marguerite a vingt-trois ans.

CHAPITRE III

Itinéraire

La chimère italienne (1495-1515)

Après 1515, Marguerite va suivre son frère sur le devant de la scène : sinon à la guerre, du moins dans les fêtes et cérémonies publiques. La reine Claude ? Cette excellente personne, très effacée, souvent « fort enceinte », donnera son nom à une prune : cela va bien avec sa nature poussinière.

Marguerite donc parade près du roi. Avec son mari, elle reçoit quantité d'honneurs et de bénéfices. Naguère, elle avait été l'ombre du prétendant. Jusqu'à Pavie, elle deviendra ostensiblement le reflet du roi. Ainsi passe-t-elle de l'obscurité à une évidence qui ne dévoile que ses robes, ses bijoux, ses participations de première figurante aux cérémonies. Une sorte d'image se dessine, non pas fausse, mais superficielle : la sœur soudain comblée. La personnalité de Marguerite, qui se forge en ces années fastes, se dissimule sous son identité. Soudain, après 1520, la voici découverte, à nouveau singulière, tout armée pour écrire avec talent et ne pas penser comme tout le monde.

Il est peut-être ambitieux de lever ce masque d'apparat, de chercher la femme sous l'épouse honorée, la princesse en représentation. Presque rien, nous l'avons dit, ne transparaît alors de son cheminement intérieur. Nous devons éviter le piège de la facilité, l'image dans le miroir des apparences. Dans le « presque rien » que nous livrent les textes, nous chercherons des signes et des pistes.

Pour l'instant, il nous faut d'abord la quitter pour son frère, et dire comment François Ier devint tout de suite un roi puissant et populaire. Marguerite y met du sien, mais le mérite – assorti de chance – revient au jeune souverain de la France, devenu César comme le souhaitait sa mère. La fortune de sa sœur va de pair avec cette élévation : dans cette fortune, nous devrons la singulariser avec difficulté.

Dès l'avènement, il y a certainement « coup de cœur » entre les Français et leur nouveau roi. Charles VIII ? De l'avis général, ce fut un excellent homme : mais on le vit si peu de temps! Louis XII ? Le surnom de « père du peuple » montre qu'il fut aimé : pourtant, c'est le cardinal Georges d'Amboise, son ministre, qui mena sa politique « paternelle ». Le roi se partageait entre les guerres italiennes et son épisodique lit de mourant ou d'amant.

François Ier est jeune, hardi, séduisant. Il aime les femmes et la chasse. Aux grands, il montre de la hauteur, et de la bonhomie au peuple. Il a le don de charmer et la volonté déclarée de régner absolument. La France l'accueille avec transport. Même les louanges officielles, plates ou boursouflées, ont un air de sincérité quand il paraît. Il ne lui manque que la gloire. Après six mois de règne, François Ier ira la chercher dans le guêpier italien où ses prédécesseurs se sont fourvoyés. Charles VIII et Louis XII y ont perdu leurs armées, leur or, y ont perdu la face. Il est vrai qu'ils ont ramené de ces coûteuses promenades militaires non pas seulement du butin, mais l'émerveillement du Quattrocento, le goût des chefs-d'œuvre, l'ambition du mécénat.

Jusqu'à présent, nous avons montré Marguerite dans son nid familial, comme absente des grandes affaires de la France. Cela allait de soi tant qu'elle restait pauvre cousine du souverain. Après 1515, sur le premier degré du trône, elle ne peut rien ignorer des options politiques de son frère. Puisqu'il prend en marche le train des guerres italiennes, nous devons revenir en arrière, et raconter rapidement leur développement sous ses prédécesseurs. Aperçu rapide, donc sans nuances : aperçu exact, si nous voulons comprendre l'enchaînement des aventures européennes où Marguerite sera mêlée.

Dès qu'il fut roi, Charles VIII s'était mis en tête de conquérir le royaume de Naples. Par testament, le « bon roi René », duc d'Anjou, en avait légué les droits à Louis XI. Ce dernier n'avait cure de les faire valoir. A quoi bon Naples, si loin de la Loire, et d'ailleurs saisie par un autre prétendant ?

Son fils Charles VIII pense autrement. Il trouve des raisons pour partir en expédition. D'abord l'usurpateur milanais, Ludovic Sforza, sollicite son aide. De même les contestataires de toute l'Italie : Savonarole à Florence, espérant son « Cyrus ». Ensuite les nobles napolitains, dépités par leur prédateur espagnol. Enfin, les cardinaux romains qui haïssent le pape Borgia. N'est-ce pas assez pour se mettre en campagne ?

Non, il y a plus et mieux. Un grand rêve avoué pousse de plus Charles VIII vers Naples. Ce royaume, il l'aura. Par cette conquête, il s'appuiera sur la Méditerranée orientale. Ainsi pourra-t-il reconquérir Constantinople, prise par les Turcs trente ans plus tôt; devenir empereur d'Orient; reprendre Jérusalem et le tombeau du Christ : c'est la sainte folie de croisade, vieille de quatre siècles !

Pour assurer ses arrières, le roi de France paie très cher la neutralité de l'empereur d'Autriche Maximilien, du roi d'Angleterre Henri VII, de Ferdinand le Catholique. Il leur donne ainsi les éléments d'un durable chantage.

Charles VIII et sa forte armée passent les Alpes. Ils traversent l'Italie sous les acclamations des contestataires et l'apparente indifférence des princes en place. Le 22 février 1495, le roi de France entre dans Naples couronne en tête.

En mai, il ne lui reste qu'à déguerpir. Il laisse garnison dans la ville, sous Charles de Montpensier, et reprend le chemin de la France. Son ambassadeur à Venise, le chroniqueur Philippe de Commynes, lui apprend que Maximilien, Henri VII, Ferdinand et le pape se sont coalisés contre lui. Adieu la couronne d'Orient. Charles VIII et le gros de ses troupes s'en retournent. A Fornoue (6 juillet 1495), la *furia francese* disperse l'armée qui leur barrait la route. La guerre civile s'installe en Italie. Charles VIII rentre chez lui, et bientôt meurt (7 avril 1498). Fin du premier épisode de l'aventure italienne.

Louis XII monte sur le trône, et le voici décidé à reprendre la route. Lui aussi contracte des assurances futiles. Par le traité de Grenade (1500), il partagera avec Ferdinand, en bonne amitié, le royaume de Naples. La France n'y est plus, la garnison de Montpensier a fondu, mais enfin Ferdinand jure et signe : le parjure lui est familier.

C'est à Milan que Louis XII s'en prend d'abord. Sa grand-mère Visconti lui a légué des droits sur le duché. En deux coups de main, le roi s'empare du Milanais (1499-1500), battant à Novare les Suisses de Ludovic le More [1], faisant ce dernier prisonnier : il l'enfermera dans Loches jusqu'à sa mort (1508). La France met un gouverneur à Milan : le cardinal d'Amboise y légifère.

Fort du serment de Grenade, Louis XII part ensuite pour Naples. Hélas! En 1502, Ferdinand déchire le traité. En 1503 succède à Borgia sur le trône pontifical le terrible pape-soldat Jules II, rude protecteur de Michel-Ange. Il ne veut pas de Barbares en Italie. Ancien évêque d'Avignon, légat pontifical puis exilé politique en France, il met pourtant les Français au rang des Barbares, et le fait savoir.

En 1504, après des heurs et des malheurs, le général Gonzalve de Cordoue chasse d'Italie les troupes de Louis XII. Celui-ci, menacé de toutes parts, abandonne Naples par les traités de Blois, cette même année. Fin du second épisode.

Il y en aura d'autres. En 1508, le terrible Jules forme une coalition contre Venise. C'est la ligue de Cambrai. Le naïf Louis XII s'y engage avec ceux qui l'ont déjà trahi. Mieux, c'est l'armée française qui va accrocher en Lombardie, à Agnadel, l'armée vénitienne qu'elle bat (14 mai 1509). Aussitôt, la République de Venise signe avec Jules II un traité honorable. La France n'aura rien. Louis XII, scandalisé, trame contre le pape. Il n'est pas de force. En 1511, l'intraitable pontife forme une nouvelle coalition, la Sainte Ligue. Maximilien, Ferdinand, le jeune Henri VIII d'Angleterre en font partie. Guerre à la France!

D'abord, tout va bien en Italie pour nos armes. Gaston de Foix, neveu du roi, est un grand capitaine. Il remporte des victoires

---

1. En fait, deux armées de mercenaires suisses se trouvèrent face à face, et se vendirent au plus offrant, toutes passions éteintes par l'or de Louis XII.

avant d'être tué sous Ravenne (1512). Dès lors, non seulement Louis XII doit renoncer à l'Italie, mais défendre son propre sol.

1513. Jules II meurt. Léon X, un Médicis, le remplace [2]. Il est pacifique, lui, mais la Sainte Ligue continue. Les Anglais envahissent le nord de la France, les Suisses menacent à l'est. A Guinegatte (août 1513) les soldats d'Henri VIII, les mercenaires de Maximilien triomphent des Français.

Le traité de Dijon et une forte somme renvoient les Suisses chez eux. Il faudra aussi beaucoup d'or pour qu'Henri VIII renonce. De plus, Louis XII épousera la sœur du roi d'Angleterre, au désespoir des Angoulême.

Telle est la situation quand François Ier monte sur le trône. Quinze ans de duperies, de promenades militaires meurtrières, pas un arpent de terre gagné, une fortune engloutie, voilà le bilan des guerres d'Italie. Milan est revenu au fils du More, Maximilien Sforza. L'Espagne tient Naples et la gardera. Que fera le nouveau roi, superbe et ruiné dès le départ ?

Contre ce qui semble être raisonnable, il va se remettre en campagne. Frapper fort. Remporter une seule victoire, mais l'exploiter à fond : Marignan.

Pour commencer, le chancelier Duprat, sage conseiller de Louise de Savoie, fait argent de tout, fond la vaisselle d'or de la famille royale. Une fois de plus, on achète la neutralité d'Henri VIII. Une armée de mercenaires allemands est levée. Ensuite – oublié Agnadel! – le roi s'allie à Venise, qui contiendra les troupes hispano-autrichiennes, laissant ouvert le champ milanais.

François Ier franchit les Alpes, marche sur Milan. A Melegnano, il affronte les Suisses du cardinal Schinner, et les bat à plate couture. L'aile droite française est commandée par Charles de Bourbon, l'aile gauche par Charles d'Alençon, mari de Marguerite. La victoire de Melegnano – en français, Marignan – doit beaucoup à l'artillerie de Jacques Galiot de Genouillac, éminent tacticien. Le second jour du combat, un corps de Vénitiens survient, et emporte la décision [3]. La chevalerie fran-

---

2. Oublions Pie III, qui ne fut pape que vingt-six jours.
3. Il est plaisant de noter que leur chef était le même condottiere Alviano que Louis XII avait battu à Agnadel.

çaise, qui jouait avec le roi lui-même le rôle de « milieu de terrain », triomphe, non sans grosses pertes. Elle est composée des fameuses « compagnies d'ordonnance », cavalerie lourde, armée de métier dont tous les chefs de lance [4] sont nobles. Elle fera honneur à François, et réciproquement.

Marignan! La France explose de joie. Clément Jannequin en fera une chanson qui courra partout. Pourquoi cette célébrité de « Marignan-1515 », qui se perpétua dans les écoles tant qu'on y enseigna l'Histoire? En 1515, d'autres faits sont importants, dans la saga de l'humanité : mort d'Aldo Manuce à Venise, naissance de Jean Goujon, découverte en Amérique du Sud du Rio de la Plata...

Mais Marignan restera, au milieu des flottantes incertitudes de la guerre française en Italie, une date clé. Cette réelle victoire militaire fut non pas une péripétie de plus, mais le préalable de conventions diplomatiques durables. Ni Charles VIII après Fornoue ni Louis XII après Agnadel n'avaient pu, n'avaient su tirer parti de succès ponctuels. François Ier, son chancelier Duprat, ses légistes exploiteront Marignan.

Par ailleurs, ce beau coup d'entrée fait du jeune roi un chevalier de légende. Il le sait, il pousse dans ce sens. Bayard lui explique que le roi n'a pas à recevoir les éperons d'or et l'accolade pour entrer en chevalerie : c'est le roi qui arme ses meilleurs hommes. François insiste pour que l'acte théâtral ait lieu, sur le front des troupes, et que bientôt l'Europe le répète. Autopublicité! Bien conseillé, François est aussi malin qu'intelligent. Il le prouvera souvent, quand la suffisance ou la maladie n'obscurciront pas ce qu'il a de malice.

En 1525, Pavie n'effacera pas Marignan, bien que cette défaite ait un poids plus lourd que la victoire de 1515. Les deux journées de Marignan restent la dernière féria de la chevalerie. Le vieux Trivulce, dans son récit de témoin, parle encore de « combat de géants ».

---

4. Au temps des croisades, les « lances » des *castellani* comportaient des archers et des piétons. Au XVIe siècle, la « lance », outre le gentilhomme à la lourde armure, n'est composée que de deux ou trois archers à cheval. Les fantassins (piquiers, lansquenets, arbalétriers) étaient tous mercenaires, loués sur des marchés européens spécialisés.

Signe des temps : ce n'est pas une chanson épique, une geste qu'on en tire, mais une *canso,* une chansonnette à reprendre en chœur.

Les biens et les honneurs

Aimé par son peuple avant Marignan, François Ier en est adoré ensuite. Le héros, l'idole; jusqu'à son nom où chacun se reconnaît : français s'écrit *françois* en ce temps-là. Après la victoire, il semble flâner quelques mois en Italie, comme il flânera en France, de ville en ville, jusqu'en 1518. Il faut méditer sur ces flâneries-là. Ponctuées de fêtes, de festins, d' « entrées » triomphales, elles cachent une intense activité diplomatique en Italie, un souci de popularité en France : non pas seulement vaine gloire, mais rassemblement de la fragile juxtaposition des provinces. Le roi veut que l'on soit français à Marseille comme à Nantes.

Conséquences directes de Marignan : Maximilien Sforza quitte Milan avec une pension. Gênes s'allie à la France, qui récupère aussi Plaisance et Parme, ouvrant ainsi le Milanais. Conséquences des flâneries : trois traités et une ligue (1516).

La ligue, établie par le pape Léon X, réunit cette fois autour de lui Florence, le duc d'Urbin et la France, considérée désormais comme puissance en Italie. Léon X et François Ier, la même année, s'entendent pour abolir la convention établie entre Rome et la France en 1438 : la Pragmatique Sanction. Un concordat va être signé. Il rendra François Ier et ses successeurs maîtres de leur haut clergé. Il constituera, nous le verrons, un ferment nouveau de révolte contre l'Église.

Toujours en 1516, une « paix perpétuelle » sera instituée avec les cantons suisses. Elle coûtera cher, mais c'est le seul traité jamais remis en cause par la suite. Il n'en sera pas de même du *traité de Noyon* (août 1516), confirmé l'année suivante par le *traité de Cambrai.* Ferdinand le Catholique est mort. Son héritier Charles de Habsbourg ramassera toutes les mises, en Espagne et en Autriche. S'allier à lui est acte de bon sens. A Noyon, puis à Cambrai, c'est chose faite. Mais le jeune héritier, trois ans plus tard, ravira la couronne d'empereur à François Ier : il sera Charles Quint, dès lors ennemi de la France.

Au cours des plaisantes flâneries italiennes qui suivent Marignan, le roi négocie donc en Italie, stable sur sa position de force. Où va-t-il ensuite ? En Provence, à Marseille. Promenade ? Certes, et festivités. Prise de possession aussi : François paraît dans une province dont sa couronne vient tout juste d'hériter. Il la séduit. Puis il se rend à Lyon : c'est dire près de la Suisse avec laquelle on fait pacte de non-agression.

Dès l'annonce de Marignan, Marguerite s'apprête à rejoindre son frère. Elle s'attarde en Provence, rencontre à Arles sa mère et la reine qui vont au-devant du roi. La réunion a lieu à Sisteron. Marseille, puis Lyon verront les princesses entourer leur César.

Bien voyageur en ces années 1516 à 1518, le roi de France. Si l'on admet le caractère démonstratif – certains diront démagogique – de ses « entrées » dans les grandes villes, leur volonté de faire l'unanimité du royaume autour de sa personne, on comprend mieux cette longue errance. A vrai dire, elle était dans la nature de François, même quand il eut bâti et orné Fontainebleau. Il épuise en voyages ses ministres et ses ambassadeurs. Est-ce pour cela que son exil en Espagne, plus tard, lui pèsera moins ?

Marguerite suit donc la pompe royale itinérante. C'est son époque mondaine. Chacun l'honore à mesure de l'affection que lui témoigne son frère. A peine est-il sur le trône qu'il couvre de bienfaits sa sœur et son beau-frère.

Dès le 15 janvier, Charles d'Alençon, pair de France, reçoit le titre de « seconde personne de France ». Cela implique de gros bénéfices, en permettant au duc de vendre des offices.

Peu après, le roi cède à Alençon les droits à la succession d'Armagnac, objet du procès clos par le mariage de Marguerite. Cela éliminait, non sans bien des rancœurs, d'autres prétendants à l'héritage convoité et considérable. Le comté de Rodez est aux Alençon. Quand le roi fera son entrée à Argentan en 1517, il confirmera à ses hôtes – Marguerite et son époux – le don du duché de Berry [5]. Le Parlement, qui a déjà protesté à propos du

5. Ce dernier avait d'abord été promis en dot à Renée, sœur de la reine Claude, quand il fut question (1515) qu'elle épousât Henri VIII. Les revenus du

legs d'Armagnac, s'élève contre cette extravagante générosité.
« – Cela fait tort au pauvre peuple! ose déclarer en substance
l'avocat Lizet.

– L'argent est tout aussi bien à moi quand c'est Marguerite qui
l'a! », répond à peu près François.

Entre 1515 et 1518, les cadeaux royaux continuent à pleuvoir
sur Marguerite, entre un bal, une fête, une « entrée » dans
quelque ville. Le roi l'emmène partout : à Angers, à Nantes, à
Paris. Il lui attribue une rente annuelle et personnelle de vingt
mille livres. Elle remplace la reine en couches, reçoit l'ambassadeur de Venise, assiste à l'entrevue du roi et des ambassadeurs
d'Angleterre. Le roi lui donne pour valet de chambre, c'est-à-dire
attaché personnel, le fils de son Jean Marot, poète de cour
mineur [6]. Le fils, Clément Marot, qui fait mieux les vers que son
père, est fin lettré. Il attache sa fortune à celle de Marguerite, et
ne le regrettera pas : elle le sauvera plus tard du bûcher. En
attendant, il met dans un de ses lais à la sœur du roi ce vers
souvent hâtivement interprété :

> *Corps féminin, cœur d'homme, tête d'ange.*

Ne disputons pas sur le corps. Mais quoi de plus honorablement
féminin que le cœur ferme de la princesse [7]? Angélique, le
contenu de sa tête? Pour la vertu, certes. Mais pour l'orthodoxie?
La Sorbonne, bientôt, contestera la trompette de cet ange-là.

En 1519, Marguerite tombe malade : trop de voyages, de poudre
aux yeux, de bals et de banquets. Elle se remet vite. En juin 1520,
avant la fameuse entrevue du Camp du drap d'or, la famille royale
française tout entière traite à table Henri VIII et ses proches.
Marguerite rencontre le très intelligent, le très équivoque cardinal
Wolsey, qui va avoir une si grande place dans la Réforme anglaise,
et le traite en « père adoptif ». N'y voyons rien de plus qu'eau
bénite de cour.

---

duché furent alors promis à Marguerite en attendant. Le projet de fiançailles
rompu, les Alençon héritent du duché lui-même. Il sera donné par la suite à la
fille cadette de François Iᵉʳ, nommé elle aussi Marguerite.

6. Pseudonyme : le vrai nom des Marot est Demaretz, ou Des Marets.

7. Nous l'appelons par commodité « princesse », titre qu'elle ne portait pas,
pour ne pas écrire tour à tour *Angoulême, Valois, Alençon, Navarre.* Quand elle
sera *Navarre,* nous dirons : la reine.

Après ces tourbillonnantes années, Marguerite et son mari restent un peu chez eux, et mettent de l'ordre dans leurs affaires. Lui fait mettre noir sur blanc toutes les donations qu'ils ont reçues. Elle règle le solde de sa dot. Ensemble, ils apurent les comptes de succession de la duchesse mère, Madame d'Alençon, qui décide d'entrer au couvent. Une grande affection était née entre Marguerite et sa belle-mère. Celle-ci lui lègue, résignant par ailleurs ses biens en faveur de son fils, sept mille livres de pension. Cette somme sera annuellement versée à des fondations pieuses, écrit en retour Marguerite.

Telle nous apparaît, rapidement évoquée, la « période mondaine » de Marguerite d'Alençon. En l'examinant de près, nous voyons qu'elle s'inscrit sans contradictions entre une enfance, une adolescence bridées, un début de mariage austère et une maturité plus calme. Marguerite enfant aimait jouer. Elle a été privée de bals et de fêtes en son jeune temps. Elle se rattrape. Puisque François a décidé qu'il faut briller, banqueter, danser, présider, elle le fait pour lui plaire, mais aussi par goût. Où prend-on qu'elle doit s'efforcer à la gaieté, et porter avec résignation drap d'or, soie et bijoux ? Elle est femme, elle est vengée de la longue période sombre des Angoulême, elle triomphe auprès de César triomphateur. Elle reçoit une fortune considérable, un rang au-dessus de toute noblesse, en jouit, s'en réjouit.

En 1520 survient une crise, un retrait. Le sublime Michelet, quand il découvre ce hiatus, y trouve une cause bien « sexiste » : le roi François, cette année-là, aurait décidé de coucher avec sa sœur, qui en fit une dépression nerveuse. Les historiens, depuis lors, ont rejeté cette hypothèse. L'un de leurs arguments – le moindre – m'enchante par son naïf cynisme : pourquoi l'inceste aurait-il tant attendu, alors qu'il pouvait être consommé des années plus tôt ? Pourquoi, en effet ?

Les causes du retrait soudain de Marguerite, de sa crise intérieure, doivent être recherchées dans le domaine de l'esprit, non du corps. Une fatigue physique, un sentiment de vanité, une lassitude après tant de fêtes et de futilités. Le poids surtout de questions qui s'accumulent dans une âme plus tout à fait sereine. Le premier roi de Marguerite, qui aime par-dessus toute créature son frère François, c'est Dieu. Or, en 1520, il y a grand brouhaha, controverses et mésententes entre les serviteurs de Dieu, à propos de la façon – traditionnelle ou révolutionnaire – dont il convient de Le servir, de Le prier, de Le recevoir.

« Devotio moderna »

La duchesse Marguerite, après le sacre de son frère, va donc d'honneurs en bénéfices, de fêtes en voyages. François l'aime, chacun le sait et dès lors l'entoure, la flatte, fait tout pour être en faveur auprès d'elle. Cela, nous en sommes sûrs par maint placet, pièce de vers à sa louange assortie de quelque requête.

Cependant, durant ces années de parades, nous voyons apparaître çà et là les signes de son mûrissement intérieur, la couleur de sa foi chrétienne.

Notons d'abord, lors de la retraite au château des Alençon, de 1509 à 1514, l'amitié qui peu à peu se développe entre la duchesse mère et sa bien jeune belle-fille. La duchesse douairière met au-dessus de tout l'exercice de la piété : prière, visite des pauvres, bonnes œuvres, saintes lectures. Que Marguerite lui ait plu, cela devient évident quand la vieille dame décide d'entrer en religion et partage son douaire. Rien de plus affectueux, de plus large que la façon de traiter sa bru. Certes, nous avons noté que les jeunes époux voyagent beaucoup, mais enfin Marguerite reste souvent cloîtrée au château d'Alençon, réduite à la société et aux livres de sa belle-mère. S'est-elle jamais plainte ? Les ouvrages pieux lui ont-ils jamais déplu ?

Il semble au contraire que les séjours qu'elle fait à Amboise ou à Blois, à l'âge où son esprit se forme, lui donnent matière à comparer les vieilles formes de la religion avec cette nouvelle façon de prier, cette *devotio moderna* qui est le premier pas vers la contestation. Il est certain en tout cas qu'elle rencontre à cette époque Lefèvre d'Étaples, dont l'influence sur son esprit sera forte et durable. Un réformiste ? Sûrement, si nous posons tout de suite la différence essentielle entre réformiste et réformé.

Le réformisme est, dans les textes, l'un des moteurs permanents de l'Église, qui a le devoir de – dirions-nous – se recycler de façon continuelle. En fait, il n'en est rien. L'esprit sclérosé d'une scolastique figée marque aussi bien les pratiques de la foi, la façon de prier et d'être chrétien, que l'enseignement des universités. Un double mouvement convergent pour la modernisation de l'acte de foi et de l'acquisition des connaissances a commencé vers 1480 dans l'Europe entière. Il culmine précisément entre 1515 et 1520, années novatrices par excellence.

Renouveler les formes de la religion ! L'idée est dans l'Église même depuis l'essor des premiers humanistes. La personnalité des papes successifs s'y oppose : libertins ou délicats mécènes, banquiers ou généraux, les pontifs oublient le nécessaire rajeunissement des textes et des méthodes. Il faudra pour y parvenir attendre le concile de Trente, en 1545. Il sera trop tard. La réforme des réformistes, qui était souhaitée à l'intérieur de l'Église, s'est déjà faite au-dehors par les protestants, les réformés. Trente n'imposera dès lors qu'une contre-réforme, l'Église ayant perdu nombre de ses fidèles.

Le concordat de 1516 apportait de l'eau au moulin des contestants. Que dit-il en effet ? Évêques et abbés désormais seront nommés par le roi de France, avec un aval pontifical difficile à refuser [8]. Dès lors, les bénéfices ecclésiastiques deviennent sujet de scandale. Évêque, abbé ? Cela veut dire gros rentier, non pas chef spirituel. Pendant ce temps, la vie monastique, en bien des couvents, prête aux grosses plaisanteries vieilles comme le Xe siècle : moines fornicateurs, abbés accapareurs, religieuses galantes. N'oublions pas que Luther commence par tonner contre ces abus, avant de songer à des réformes en profondeur contre une Église qui tarde à se réformer elle-même.

Nous avons parlé de pistes menant à la spiritualité de Marguerite, qui nous est enfin dévoilée, après 1520, dans sa correspondance avec l'évêque de Meaux, Briçonnet (1521-1524). L'amitié de la pieuse duchesse mère d'Alençon, la fréquentation des « modernes » présents sur la Loire ne sont que le terrain où se meut Marguerite. Suivons, durant le temps des fêtes, ses exercices de piété. Nous verrons que les œuvres, réprouvées par Luther, accompagnent sa foi.

---

8. Cet aval n'est même pas nécessaire pour les princes de premier rang.

Après Marignan, en attendant François, pèlerinage avec les reines à la Sainte-Baume. Pendant les fêtes de Marseille, dévotions à Notre-Dame-de-la-Garde. Ensuite, Marguerite accomplit son premier acte personnel en dehors des cérémonies prévues. Près de Tarascon, au monastère de Saint-Honorat, elle va visiter Claude de Bectoz, en religion sœur Scolastique, qui écrit en latin très pur des textes très orthodoxes. Une latiniste dévote, bel exemple rare.

En 1515 encore, elle écrit au Parlement de Paris pour que soit mis fin au désordre du couvent d'Hyères. En 1517, c'est à Léon X qu'elle s'adresse : le couvent féminin d'Almenesches, sur ses terres, voit d'étranges spectacles. Le pape y mettra bon ordre par une bulle.

Cependant c'est Marguerite, ou sa mère, ou les deux – à en croire des témoignages fluctuants – qui interrogent Lefèvre d'Étaples sur la question des « Maries et des Madeleines ». La Sainte-Baume les avait troublées : combien, d'après l'Écriture, y a-t-il de Madeleines et de Maries ? S'interroge-t-on sur le dogme ? La réponse de Lefèvre fâchera la Sorbonne. Il en verra d'autres.

En 1518, voici Marguerite qui recommande aux chanoines de Bourges de prendre pour archevêque Guillaume Petit, confesseur du roi, ami de Budé, esprit ouvert. Les chanoines berrichons refusent d'écouter leur duchesse. De quoi se mêle-t-elle ? Plus heureuse, elle obtient du pape, en 1519, l'autorisation de fonder et d'organiser un monastère de religieuses, « pour le salut de son âme et la rémission de ses péchés ». C'est chose faite en 1520.

1520. L'année de la crise spirituelle qui secoue Marguerite et se prolongera, s'adoucira, sans que jamais ce cœur n'acquière la pleine sérénité. Le mal est dans l'âme. Marguerite a suivi durant des années les représentations du grand cirque royal, épuisé les joies de la fête, les satisfactions d'amour-propre. Elle s'interroge désormais, à la lumière des éclairs qui dérangent le conformisme, sur les vrais chemins de la dévotion.

Après cette date, la correspondance avec Briçonnet nous donne une sorte d'inventaire de ses espoirs, de ses craintes et de ses certitudes. Certitudes ? Elle est fille de France, donc fidèle à Rome, sauf scandale déclaré. La sœur de la reine Claude, Renée, osera prendre parti pour la Réforme, mais en son duché de Ferrare. La sœur du roi ne veut, ne peut aller si loin. Beaucoup de questions l'assaillent pourtant qui, dans ces années, perturbent les croyants les plus sereins.

Marguerite s'apprête à accepter la *devotio moderna* sans se laisser déraciner. Comme le Cénacle de Meaux – Briçonnet, Arande, Roussel –, elle appartiendra bientôt à ces Girondins de la Réforme, condamnés par les extrémistes des deux camps, les traditionalistes et les révolutionnaires. Elle restera prise entre l'arbre de l'obéissance et l'écorce de l'intolérance.

A aucun moment de ce bilan du cœur, dans les années 1515-1520, nous n'avons parlé de son mari. Fut-il exact dans ses devoirs d'époux? Marguerite n'a pas d'enfants, et le déplore. Elle fondera un asile pour les orphelins. Fut-il amant? Ni lettres ni poèmes n'en témoigneront, dans cette œuvre littéraire qui va voir le jour. Tout dénonce le mariage de convenances.

Après 1520, l'horizon français s'assombrit. Marguerite aura désormais à accomplir des tâches politiques. Spirituellement acquise au groupe de Meaux, la sœur du roi choisit peu à peu son chemin de foi. Elle ne se décide ni pour le blanc ni pour le noir, ni pour le droit ni pour le simple. *Non inferiora secutus* : ne jamais suivre les facilités mineures. C'est la devise de Marguerite. Pour la vie.

CHAPITRE IV

L'engagement spirituel

Un drap d'or tissu de malice

Les jansénistes de l'Histoire ont tort d'abolir les historiettes, les zwinglistes d'en briser les statues de plâtre. Il faut laisser vivre le merveilleux et la légende d'autant plus que l'on pénètre, par des méthodes rigoureuses, dans un passé mieux éclairé. Comme il est triste d'avoir à montrer la doublure mitée de ce fameux drap d'or dont on fit un camp royal en 1520!

Il n'est pas faux que devant Calais, toujours tête de pont anglaise en Europe, François Ier fit édifier en hâte un village de tentes d'une prodigieuse richesse. Non seulement le drap d'or, mais d'argent, le velours, les étoffes brochées donnaient à cet établissement provisoire un air de *Mille et Une Nuits*. Au milieu trônait le superbe établissement royal, semblable à un chapiteau de cirque dont les lions eussent été François et ses courtisans, vêtus à miracle dans le goût florentin.

En face, les Anglais avaient construit un décor de théâtre qui ne cédait en rien à la splendeur française. Ils l'établirent sur un socle, ce qui le rendait plus solide. Car – adieu splendeur de la légende – le drap d'or de François fut emporté par la tempête, abattu, souillé : il fallut le « retaper » en hâte durant les fastes mêmes de l'entrevue.

Laissons à regret le légendaire pour revenir à la réalité. La tempête elle-même y compte peu, et le croc-en-jambe que

François Ier donna ou non à Henri VIII dans un assaut de lutte.

L'entrevue du Camp du drap d'or eut lieu au mois de juin 1520. Certes, les souverains y rivalisèrent de faste et, après quinze jours de fêtes splendides, signèrent le traité d'Ardres. Pourquoi cette réunion de luxe? Parce que la France avait besoin de l'alliance anglaise. Depuis un an exactement, un formidable adversaire s'était levé : l'empereur, qui réunissait dans sa mouvance toutes les forces, tous les pays, toutes les ambitions européennes anti-françaises. Tous et tout cela, sauf l'Angleterre. Voilà pourquoi François Ier tente de jeter de la poudre dans les gros yeux d'Henri VIII, et par maladresse insigne de le snober, comme on ne disait pas encore outre-Manche.

Henri VIII est vexé, mais non pas contrit comme dit l'histo-riette. En son for intérieur, il se réjouit. Car sa décision est prise. Le nouvel empereur pèse plus que François : c'est à lui – au plus fort – que vont les préférences de l'Anglais.

Charles Quint, en effet, a remporté l'année précédente non une guerre, mais une élection rendant la guerre inévitable. Les grands électeurs qui désignaient les successeurs de Charlemagne au trône du Saint Empire l'ont choisi lui, Habsbourg d'Autriche. François, des Valois de France, était aussi candidat au trône impérial, avec de bonnes chances. Charles d'Autriche le battit. Pourquoi? Par ce qui détermina bien souvent au cours des siècles la partialité électorale : l'or. Le roi de France avait pour lui le pape et l'électeur de Trèves. Avant même la mort de l'empereur Maxi-milien (janvier 1519), le margrave de Brandebourg lui proposait sa voix contre un petit cadeau.

« Petit cadeau » est la litote de ce début de siècle. Certains électeurs se vendirent deux fois. Charles devint Quint, Michelet déjà le montre clairement, parce que le centre de la richesse, la montagne d'or s'est déplacée vers les banquiers d'Augsbourg, les Fugger.

Les Fugger, grâce à l'Autriche, font la loi sur le marché de la banque. Ils supplantent Venise, comme Venise avait digéré la Gênes des premières croisades. Comme après la Hollande l'An-gleterre supplantera l'Autriche et l'Espagne, soudain enrichies à miracle par l'or du Nouveau Monde. En 1519, le conquistador

Fernando Cortez débarque à Veracruz. Il marche vers Mexico avec quinze cavaliers, dix canons et de la piétaille. L'or mexicain, quand il commencera à affluer, servira à rembourser aux Fugger le trône de Charlemagne. Pour être élu, François Ier gaspilla plus de deux tonnes d'or monnayé en pots-de-vin perdus. Charles, par ses banquiers, en donna le double, et rafla la mise.

Nous comprenons dès lors pourquoi, l'année suivante, le roi de France, sa mère et sa sœur paradent pour éblouir le roi anglais et son rusé chancelier Wolsey. Nous avons dit que Marignan avait été la dernière féria de la chevalerie à la mode du « Moyen Âge ». Le Camp du drap d'or en fut le dernier festival, avec profusion d'étoffes précieuses, d'armures damasquinées, de tournois et d'exploits personnels. Un mois plus tard, Charles Quint se rend à Calais en petit équipage. Meilleur psychologue que François, il flatte la paranoïa d'Henri VIII au lieu de la mettre au défi. Accompagné seulement de son coriace ministre Gattinara, il fait déchirer le traité d'Ardres signé au Drap d'or, le remplace par celui de Calais, qui renverse l'alliance. Même si Henri VIII ne se déclare ouvertement pour Charles Quint qu'un an et demi plus tard, il est lié au nouvel empereur dès ce 14 juillet 1520. L'honnête artilleur de Marignan, Jacques Galiot de Genouillac, a construit le Camp du drap d'or pour rien [1], sinon pour le dernier triomphe mondain de Marguerite.

Comme il est prudent d'aller vers le plus fort, le pape Léon X à son tour « lâche » François Ier. Il se range du côté de l'empereur Charles.

Inéluctablement, la France va être acculée à la guerre. Le jeune successeur de Charlemagne non seulement l'environne de toutes parts, mais encore convoite, par prétentions héréditaires discutables, une partie du territoire rassemblé par Louis XI et ses successeurs. La guerre ? Il lui cherche déjà des prétextes.

Considérons en effet ce jeune homme blond et musculeux, Charles, fils de Philippe le Beau et de Jeanne la Folle, petit-fils de Maximilien, quand il débarque en Espagne sans savoir encore un mot d'espagnol. De son grand-père, il tient l'archiduché d'Autri-

---

1. Il convient de noter que la femme – provisoire – d'Henri VIII était alors Catherine d'Aragon, tante de Charles Quint. Cela, outre la prudence, créait un lien entre Henri et Charles.

che et les morceaux épars de l'héritage de Charles le Téméraire, dont les Pays-Bas. Ses grands-parents maternels lui ont légué les trois Espagnes – la péninsule Ibérique réunifiée (Aragon, Castille), le sud de l'Italie (royaumes de Sicile et de Naples, Sardaigne), et l'empire que se taillent déjà en Amérique les conquistadores. Il sera le souverain « sur les terres duquel le soleil ne se couche jamais ».

Ah, si la légende avait dit vrai, lorsqu'elle fiançait Marguerite enfant à l'enfant Charles Quint! Quel beau rêve d'États-Unis d'Europe... Mais les historiens ont fait justice de cette erreur. Il ne fut, il ne put jamais être question de Marguerite comme épouse pour Charles.

La quitterons-nous, lorsque nous suivrons, de 1521 à 1524, les tribulations du roi de France menacé par un voisin puissant et avide? Non certes, car elle reste liée au destin contrarié de son frère : l'accompagnant, le soutenant de son amour, tandis que la reine lui fait des enfants et que Madame sa mère l'aide de ses conseils, mais le dessert par ses affaires personnelles. Après le Camp du drap d'or, François Iᵉʳ va fonder le port du Havre, le Havre-de-Grâce. Marguerite et son époux retournent dans leurs terres.

C'est là, à l'automne de 1520, que la sœur du roi subit la crise intérieure qui la marquera pour la vie. Elle en écrit à François en ces termes sibyllins qui sont à la mode : reproches, semble-t-il, et prise de distance. D'autres ont déjà fait justice de l'accusation simplette d'un inceste rejeté. Il s'agit d'une *catharsis,* une purge mentale, diraient les apothicaires d'avant-hier et les psychonomes d'aujourd'hui.

Faut-il s'étonner de cette illumination, cette prise de conscience par une âme de ce qu'elle veut, par un esprit de ce qu'il peut? L'histoire de l'intelligence « fourmille de ces coups de foudre », si nous pouvons nous permettre cette juxtaposition, très XVIᵉ siècle, d'images incohérentes. Comme Luther dans la fameuse « nuit de la tour [2] », Marguerite d'Alençon choisit en un douloureux orage personnel sa voie et son camp dans une autre

_____

2. Il y découvrit en une veille, selon l'Histoire ou la légende, son engagement total.

guerre qui se prépare : celle de l'obéissance à la lettre et à l'esprit de la religion catholique.

Le 26 mai 1521, la diète de Worms, réunie par Charles Quint, met Luther au ban de l'Empire. Le même mois, à quelques jours près, Marguerite écrit la première de ses lettres à Briçonnet, qui vient de réunir à Meaux, dont il est l'évêque, un cénacle non de réformés, mais de réformistes. Non d'opposants à l'Église, mais de contestants envers les moins défendables – selon la *devotio moderna* – de ses traditions.

De 1521 à 1524, François Ier va subir les événements plus qu'il ne les dirige : débuts de la longue guerre, défection de Bourbon, préparation de la désastreuse campagne de Pavie. Marguerite pour sa part lutte sur deux fronts en apparence inconciliables : l'aide au roi toujours aussi tendrement aimé, le soutien actif aux évangélistes de Meaux.

Inconciliables, cet amour et cet engagement ? Oui, en apparence. La Sorbonne et le Parlement français, que le roi rudoie ou ménage selon les aléas de la politique, ne font guère de différence entre révoltés exclus par Rome et critiques essayant de repousser les limites de l'orthodoxie [3].

De 1521 à 1524, Marguerite, en soutenant François de tout son pouvoir, cherche à gagner sa protection envers ses amis de Meaux. Qui étaient-ils, que voulaient-ils, que purent-ils ? Il est intéressant de se le demander avant de les voir perdre la partie et ne gagner que Marguerite.

Le Cénacle de Meaux

Lorsque Justinien, en 529, ferme l'école philosophique d'Athènes sous la pression de son clergé, il agit contre la liberté de l'intelligence, mais en faveur de l'Église, déjà divisée par les hérésies : après l'arianisme, le monophysisme [4] tentait les

---

3. Les évangélistes sont nommés par eux avec dérision : les « bêlitriens ».
4. Condamné par le concile de Nicée en 325, l'arianisme se développa pourtant durant les deux siècles suivants (le Fils de Dieu, disait-il, n'est pas l'égal du Père, qui l'a créé). Les monophysites pour leur part, actifs au VIe siècle (Jésus n'est que Dieu et jamais vraiment homme), ont influencé une branche du christianisme qui perdura en Abyssinie.

croyants, et jusqu'à la jeune impératrice Théodora. Qu'eût-ce été si l'on avait laissé les intellectuels restaurer le sophisme antique, encore si proche ?

Après le XIIᵉ siècle, la doctrine théologique chrétienne s'installe dans la scolastique, qui enseigne – selon les textes sacrés et la logique d'Aristote récupérée – comment faire aller de pair raison et révélation divine. Thomas d'Aquin, en une durable synthèse, avait réuni au Christ le Stagirite. Il fallait s'en accommoder ou être condamné par l'Université, c'est-à-dire par l'Église. Les bûchers allaient mieux, vers 1480, qu'aux temps les plus noirs du catharisme.

Nous avons noté plus haut que la poussée de l'humanisme en Europe devait être complètement distinguée de l'originalité littéraire. Certes, à établir les textes antiques dans leur exactitude, on gagnait le goût des splendeurs passées de la Grèce et de l'Italie : cela conduisait à mépriser d'autant plus les œuvres des différentes langues « vulgaires ». Pétrarque, de son vivant, reçut pour l'un de ses poèmes les honneurs du triomphe au Capitole de Rome (1341). Il s'agissait d'une épopée consacrée aux guerres Puniques, pas de ses sonnets qu'aimera Marguerite. L'humanisme philologique exalte les curiosités, mais n'aime que l'antique. Il veut en deux siècles, au fil des décennies, rapprocher des Anciens les esprits modernes. Établir les textes et, dans un second temps, les traduire du grec en latin, du latin en toute *koïnè* européenne. Cela vaut également pour l'hébreu : Johannes Reuchlin, savant allemand (1455-1516), étudie la Kabbale, affirme que l'étude de Talmud est excellente pour l'érudition chrétienne. L'inquisition de Mayence le condamne en 1516. Au nombre de ses défenseurs, qui lui sauvèrent la vie, nous trouvons Lefèvre d'Étaples, le penseur du Cénacle de Meaux.

La même année 1516, Érasme, frère augustin dispensé de ses vœux par Jules II, donne la première édition grecque du Nouveau Testament, et sa traduction latine. L'escalade des traductions de textes sacrés va se poursuivre : des textes « déscolastisés », « déthomisés ». A travers l'Europe entière, les universités et l'Église profèrent leurs menaces. Dès 1500, le formidable essor de l'imprimerie dans toutes les villes d'importance va mettre ces livres, enfin accessibles, dans les mains de qui les veut, pour un prix abordable. Tel manuscrit valait deux cents pièces d'or : son intégrale imprimée, on l'aura pour une seule de ces pièces-là.

Le pouvoir spirituel, Église et enseignement confondus, ne pouvait, ne voulait se laisser frustrer de son monopole. La Vérité était immuablement écrite depuis des siècles dans les gloses autorisées et les postilles approuvées. Tout au plus permettait-on bénignement de supputer le nombre d'anges qui pussent tenir sur la pointe d'une aiguille. Décaper la Bible, les Évangiles, les Pères, c'était hérésie pure : et pourquoi pas la messe en français ? Satan, derrière ces bradeurs, paraissait évident.

Le succès des humanistes courageux qui tentèrent de rendre accessible à tous les Écritures et même les textes hébraïques fut compromis par l'asservissement séculaire des fidèles au clergé. Rome, ses clercs et ses professeurs tenaient les clés du Paradis. Aller contre eux, c'était damnation éternelle. La dépendance non seulement en matière de foi, mais de pratiques ressassées restait complète. Lucrèce Borgia par exemple, dont les mœurs ne passent pas pour exemplaires, finit dans la peau d'une tertiaire, et fut ensevelie sous l'habit monacal.

Pécher soit, selon l'ordonnance des péchés capitaux. Se confesser ensuite. Mais mettre en doute le monopole de la Foi et de la Raison mariées une fois pour toutes à l'Église ? Hérésie, condamnation, bûcher.

Les patients découvreurs de mots, les grammairiens appliqués, les amoureux des textes voulurent partager leur joie. L'imprimerie aidant, et cette flamme de toute Renaissance qui s'appelle curiosité, ils firent traînée de poudre. Sitôt qu'ils vulgarisèrent les intouchables livres saints, ils tracèrent une voie à la réflexion, la discussion, l'interprétation. Chez eux comme chez leurs lecteurs, la porte de la Réforme était ouverte.

La curiosité rejeta les livres autorisés que l'on devait accepter mot à mot sans les comprendre. Elle déborda vers les sciences, domaine interdit, puisque là encore Aristote – le très christianisé Aristote – avait tout dit. Passant outre les défenses, il vint en Italie une boulimie de connaissances de toutes sortes. Pic de La Mirandole, Jérôme Cardan, Léonard de Vinci [5] laissèrent aller

5. Sans oublier Pacioli, Tartaglia, Ferrari et en Allemagne Purbach, Regiomontanus, Werner, Stiffel.

leur génie jusqu'aux limites marquées par la prudence. De la synthèse artificielle de Thomas d'Aquin, on tend déjà vers un syncrétisme d'où surgiront au XVIIe siècle les nouveaux philosophes. Par-delà cette cosmologie aristotélicienne protégée par les bûchers se dessine une cosmogonie à cent visages, qui restera folklorique jusqu'à Descartes. Pauvre Galilée!

Dans cette courageuse mêlée se distinguent deux figures éminentes, les premiers penseurs modernes : Érasme et Lefèvre d'Étaples.

Desideratus Geert, dit Erasmus (1469-1536) est né à Rotterdam : il est donc sujet de l'Empire. Érudit libéral, d'esprit cosmopolite, il manifeste une tolérance remarquable en son temps. Il se rend d'abord célèbre par son *Éloge de la Folie* (1501). Ce livre s'inscrit, après *La Nef des Fous* [6] de Sébastien Brandt (1494), avant l'*Utopie* [7] de Thomas More (1516), dans la lignée des soi-disant farces qui, mieux que des pamphlets, stigmatisent à la fois la folie et la sottise humaines. Sous couvert de plaisanterie, ils vont plus loin et plus profond que les éclats de la colère [8].

Nous avons parlé du tumulte causé vers 1510 par les *Adagia* d'Érasme : toute la sagesse antique révélée par de courtes phrases, des aphorismes, des citations. Viennent ensuite les traductions de textes sacrés, qui portent la popularité d'Érasme à son comble chez les intellectuels d'Europe, mais l'exposent. Aussi devient-il prudemment, après 1520, conseiller de Charles Quint. Retiré pour finir à Bâle, il demeure l'homme de référence, le sage à l'esprit large, en une cité suisse ouverte aux courants de la curiosité.

Érasme connaît Marguerite. Mieux : il essaie de nouer par deux fois le dialogue avec elle [9]. En vain les spécialistes ont-ils cherché les réponses de la princesse; ils ont fini par reconnaître qu'elle n'a pas répondu. Les explications données à ce silence sont nombreuses et compliquées, alors qu'il n'y a, selon moi, pas de mystère. Certes, Marguerite admirait Érasme, ce grand esprit libre. Mais il

6. Jérôme Bosch en reprit le thème dans un tableau célèbre. Le thème de la folie l'inspire, ainsi que Brueghel.
7. *De optimo reipublicae statu deque nova insula Utopia*. Thomas More devint chancelier d'Angleterre, resta catholique malgré Henri VIII qui le fit exécuter. Il fut canonisé par l'Église en 1935, pour le 400e anniversaire de sa mort.
8. Rabelais déclarera qu'il est « le fils en esprit » d'Érasme. Lui aussi choisit l'arme de la dérision.
9. Le 28 septembre 1525 et le 13 août 1527.

était le conseiller de l'empereur, ennemi déclaré de François Ier. Entretenir avec lui des liens d'affection spirituelle n'était-ce point, pour la Marguerite de son frère, une manière de trahir?

L'autre grand humaniste chrétien, non réformé mais bien persécuté au début du XVIe siècle, est Jacques Lefèvre, dit d'Étaples, car il naquit en cette ville (1450). Il mourut auprès de Marguerite, en sa retraite de Nérac (1536).

Lefèvre, *Faber Stapulensis*, est un humaniste, un exégète, un philosophe. En 1475, à Paris, il apprend le grec avec un réfugié de Constantinople, Hermonyme de Sparte. Il passe ensuite en Italie et y prend le goût des textes d'Aristote; il en traduira la plupart, parfois aidé par le théologien flamand Josse van Clichtove.

Lefèvre est prodigieusement érudit et profondément chrétien. Il applique la philologie à l'étude des textes, de la Bible et des Pères de l'Église. S'il reste moins connu qu'Érasme, c'est que toute son œuvre consiste en travaux scripturaires qui devaient aboutir à ses *Commentaires sur les Épîtres de saint Paul*, ses *Commentaires sur les Évangiles*, puis sa *Bible*. Marguerite lui sauvera la mise et peut-être la vie à mainte occasion. En 1526, après un second procès et une fuite à Strasbourg – la Sorbonne avait profité de l'exil de François Ier pour attaquer à nouveau Lefèvre – le voici précepteur des enfants royaux. Marguerite, là encore, a bien joué son rôle de protectrice. Après 1530, il se retire à Nérac chez elle.

Pourquoi la sœur du roi protégeait-elle ce doux mais ferme explorateur des Écritures? Parce qu'il était le maître à penser de Briçonnet. Devenu évêque de Meaux, Guillaume Briçonnet prend Lefèvre pour grand vicaire, et constitue autour de lui le Cénacle, où Marguerite cherchera son équilibre religieux. Le mouvement qui en viendra, le fabrisme, se répandra en Europe aussi fort et loin que l'érasmisme. Ni Lefèvre ni Érasme n'appartiendront aux Églises réformées : la Réforme pourtant se trouve déjà lancée par ces sages sans parti pris.

En 1521 donc, le Cénacle de Meaux est constitué. Ses membres? Le chef d'abord : Briçonnet, fils de cardinal [10], frère et

10. Après avoir accédé aux plus hautes dignités du royaume le père de Guillaume, devenu veuf, s'était fait d'Église et obtint le chapeau. La chose n'était pas rare.

cousin d'évêque. En 1514, jeune mitré de Lodève, il s'était illustré par une *Harangue au pape sur la fidélité des Français* : texte nécessaire, après les tentatives de Louis XII contre Jules II. En récompense de ce succès, il obtient la riche abbaye de Saint-Germain-des-Prés. En 1516, il devient évêque de Meaux, après avoir participé aux travaux du concordat. Ayant donné la preuve éclatante de son orthodoxie, il s'applique à la nuancer dans les accords France-Rome, puis en recrutant autour de Lefèvre en 1521.

Quels étaient les militants de Meaux auprès de l'évêque et de son mentor savantissime ? Citons des prédicateurs tels que Pierre Caroli, Martial Mazurier, Guillaume Farel, Gérard Roussel, le grand hébraïsant François Vatable, le zélé Michel d'Arande, qui jouera pour sa part, de 1521 à 1524, le rôle d'agent de liaison avec Marguerite.

Qu'avaient en commun ces hommes, ces clercs ? D'abord une foi profonde, renouvelée par la lecture des textes saints retrouvés. Ensuite, un désir commun d'apporter aux foules l'Évangile intégral, dépouillé des gloses scolastiques. Ils se nommaient entre eux – et voulaient qu'on les tînt pour tels – les évangélistes. Leur maître à penser, Lefèvre d'Étaples, sent déjà le fagot. Ses *Commentaires sur les Évangiles* (1522) seront sauvés de l'interdit par l'entremise de Marguerite. Après ses *Épîtres et Évangiles des cinquante-deux dimanches* (1525), il doit fuir à Strasbourg. Quand paraît sa *Bible* (1530), il disparaît à Nérac. Sa doctrine ? Le chrétien, selon lui, se justifie surtout par sa foi, les œuvres pieuses comptant peu. En cela, il influencera Luther, qui ira plus loin, prêchant bientôt pour la foi seule, et contre « cette maudite putain, la raison ».

Par ailleurs, les évangélistes, s'ils se divisent sur la question du libre arbitre – cela agace Marguerite [11] – sont d'accord sur la limitation nécessaire du culte des saints et même de la Vierge. Il ne s'agit pas de jeter bas « les idoles », mais d'établir la distance énorme qui existe entre Dieu et son meilleur serviteur, fût-il canonisé.

Chacun, selon Meaux, doit avoir libre accès aux livres sacrés de

11. Cf. le *Dialogue en forme de vision nocturne*, 1524.

façon personnelle et intelligible. Non discuter les préceptes de la religion, mais les comprendre.

Enfin nous voyons, dans cette réunion d'hommes pieux, une révolte contre l'abus des bénéfices ecclésiastiques distribués par faveur aux laïcs. Briçonnet, qui a travaillé de 1516 à 1517 sur le texte du concordat, en connaît les avantages pour le roi, mais aussi les failles. Chaque évêque, chaque abbé pourra se contenter de toucher les revenus de sa charge, laissant les réalités de celle-ci à des substituts, pressurant les fermiers et paramonaires. Cela encore, notons-le, et certaine réticence envers le commerce des indulgences, n'est pas très éloigné de Luther première manière.

Ce qui sépare des réformés les assidus du Cénacle de Meaux, c'est la certitude que toute réforme ne peut avoir lieu qu'à l'intérieur de l'Église. Ils essaient d'aller aussi loin qu'ils le peuvent dans la novation, mais se soumettent presque tous, quand l'autorité universitaire ou parlementaire les attaque de front. Tour à tour Michel d'Arande et Briçonnet lui-même baissent les bras. En 1525, ce dernier dissout même le Cénacle et renie ses propos non orthodoxes.

Sont-ils lâches? Certes non. Persuadés seulement que – comme le dira Bernanos – « l'Église n'a pas besoin de révolutionnaires, mais de saints ». En 1536, Gérard Roussel accepte l'évêché d'Oloron. Marguerite n'est pas loin. Vatable, nommé lecteur royal en 1530, enseignera l'hébreu jusqu'à sa mort, malgré les hurlements poussés par la Sorbonne pour ses commentaires sur la Bible de Robert Estienne (1545). Par ailleurs, en Hollande, Josse van Clichtove choisissait l'orthodoxie contre la Réforme. De même en 1527, Érasme attaquait Luther, le taxant d'intolérance à rebours.

A Meaux, seul Guillaume Farel (1489-1565) choisit la rupture, tranche tout lien avec Rome. Étrange destin que celui de cet homme, qui refusa Luther d'abord, et devint par la suite le fer de lance de Calvin. Il quitte le Cénacle non pour se soumettre au pape, mais pour le combattre. Ce noble du Dauphiné, originaire de Gap, est conquis par la Réforme. Dès 1523, il se réfugie à Bâle, puis à Metz et à Strasbourg. Il publie la première liturgie en français et renie la messe, c'est-à-dire la transsubstantiation du pain et du vin dans le corps du Christ (1530). Installé à Neuchâtel puis à Genève, il est devenu disciple de Zwingli. Il gagne les Genevois à la Réforme (1535) et retient dans cette ville Calvin (1536), dont il partage le triomphe et les ennuis. Il passe à Neuchâtel la fin de sa vie de combat.

Tel est donc, pour finir, le destin de ces « modérés » réunis par Briçonnet autour de Lefèvre. Ce dernier, comme Érasme et les grands redécouvreurs de textes sacrés, les avait placés dans une alternative sans échappatoire. Il fallait, contre toute évidence critique, rester fidèle à la lettre de la liturgie romaine, en espérant que l'Église se réformât de l'intérieur. Ou bien, rejetant le fardeau de la scolastique, rompre avec le pape, contester jusqu'au dogme, au nom des Écritures seules.

A Meaux, Briçonnet louvoie le plus longtemps possible entre la soumission et l'interprétation. Les travaux de Lefèvre l'ont persuadé que cette seconde attitude est nécessaire, que la scolastique est morte [12]. Les études enfin renouvelées de philosophie péripatéticienne, si elles rendent à cette dernière sa valeur originale, « désaristotélisent » la théologie chrétienne. Cela, à cette époque, dans la mentalié des sorbonicoles, est proprement inconcevable, et tout à fait hérétique même à imaginer théoriquement.

Briçonnet est un personnage pathétique. Il croit d'abord à Dieu et au Christ avec une foi profonde. Nulle part, dans la Réforme ni le réformisme, la foi n'est remise en cause. Bien plus, elle s'exalte dans ces dangereux conflits. Tout en sachant désormais ce que valent les comparaisons entre époques différentes, il n'est pas absurde de regarder varier les constantes.

En 1095, le pape Urbain II fait à Clermont un petit discours si peu attendu que le texte exact n'en est pas noté. Dans les mois qui suivent, le thème en est repris dans toutes les églises de la Chrétienté : la foi est en péril, son plus haut symbole, le tombeau du Christ, demeure aux mains des Infidèles. Alors, des armées immenses de chevaliers, mais d'abord de pouilleux, de femmes et

---

12. Lefèvre d'Étaples écrit à propos d'Aristote : « Il faut dédaigner ces complications [interpolées] qui nous font perdre des années en discussions pénibles et sans résultat [...]. Jusqu'à présent, les livres de logique étaient pleins d'erreurs et de fautes [...]. Il serait impardonnable de retomber dans ces frivolités après avoir recouvré les vrais moyens de s'instruire. » Les enseignements de la scolastique traités de « frivolités » !

d'enfants font route vers Jérusalem. Ils quittent ce qu'ils ont, peu de choses, pour aller mourir par milliers au nom de ce rêve sublime : la foi.

Dans les années qui suivent 1515, ce n'est pas la foi qui est remise en question, mais sa pratique. Les analyses des exégètes, la traduction de la Bible et des Évangiles lancent de nouvelles croisades pour la délivrance de la foi. Elles aboutiront à des déchirements, à des martyres, bientôt à des massacres, au réajustement de l'Église catholique, en un mot au rajeunissement d'une foi vivifiée par la contestation. La religion chrétienne – même romaine – sortira victorieuse de ces affrontements.

Pourtant en chemin, de l'excommunication de Luther (1520) à Trente (1545), il aura fallu choisir : soumission ou révolte ouverte. De 1521 à 1524, le Cénacle de Meaux essaiera d'établir un détour, un compromis. Briçonnet a des atouts : son équipe de prêcheurs ardents, d'abord. Ensuite et surtout sa disciple, nous allions dire son otage : Marguerite, la puissante sœur du roi de France.

En 1525, fin du compromis. Tout Meaux, sauf Farel qui est loin, se soumet à Rome. Avec quelles restrictions mentales, on le devine. « Et pourtant la terre tourne », murmurera Galilée le siècle suivant, en déclarant à genoux, pour sauver sa vie, qu'elle ne tourne pas.

Meaux donc cessera son activité militante, par contrainte et force. Mais le fabrisme, tandis que son père Lefèvre d'Étaples gagne une retraite sûre, devient l'enseignement de base de nombreuses universités réformées : fortement coupé et radicalisé, il est vrai, par les thèses de Philippe Mélanchthon, sage disciple de Luther.

En 1530, Lefèvre publie sa *Bible,* et sans attendre de prévisibles persécutions se retire à Nérac chez sa protectrice Marguerite. La même année la Confession d'Augsbourg est déclarée profession de foi du luthéranisme. Toute conciliation devient impossible entre les catholiques et ceux que, dès 1529, on appelle « les protestants [13] ».

---

13. Plusieurs grands seigneurs et quatorze villes avaient *protesté* contre un édit impérial acceptant le luthéranisme où il était implanté, mais lui faisant défense de s'étendre ailleurs.

François, Marguerite et le Cénacle

1521-1524. La fête est finie. Charles Quint prend ses marques. François Iᵉʳ voyage désormais par nécessité politique, non par plaisir ni recherche de popularité.

Durant ces quatre années, Marguerite, « convertie » à Meaux, échange avec l'évêque Briçonnet cent vingt-trois lettres. Les événements diplomatiques et militaires, le jeu fluctuant des rapports avec le Saint-Siège conditionnent l'abondance et le contenu de cette correspondance. A l'inverse, les lettres de Meaux poussent Marguerite à influencer catégoriquement le roi, dont elle a plus que jamais l'oreille, en faveur des évangélistes. Voyons cela année par année.

1521. La guerre, encore réduite à des coups de main, s'engage déjà à l'est et au nord, couve en Italie et en Navarre. Le duc de Bouillon fournit un bon prétexte à Charles Quint : il renie son vassalage à l'Empire, s'allie à la France, fait mouvement en Luxembourg. Son fils, « le jeune adventureux » Fleuranges, n'est-il pas ancien compagnon de jeux de Marguerite et de François ? Charles Quint envoie Nassau châtier Bouillon, et met le siège devant Mézières, que délivrera Bayard. Les impériaux avancent. Le roi leur envoie une armée, que dirige Alençon, nommé au lieu du connétable de Bourbon.

La maîtresse de François Iᵉʳ, Françoise de Châteaubriant, est fort belle. Par malheur elle a des frères plus courtisans que chefs de guerre. Or l'un d'eux, Lautrec, gouverne à Milan depuis 1516. L'autre, Lesparre, commande dans les Pyrénées. L'un et l'autre commencent à montrer leur incapacité. Cela est grave, car l'empereur veut réunifier à son profit les deux Navarres, espagnole et française. Lesparre saura-t-il l'en empêcher ? En Italie, le pape Léon X s'agite, désormais hostile à François Iᵉʳ [14]. Au sud, ses troupes guerroient contre les Français. Le Saint-Père va jus-

---

14. Les représailles de François consistèrent surtout, en ces années, à interrompre – ou menacer d'interrompre – l'exportation de lingots d'or vers Rome.

qu'à menacer le roi de France d'excommunication. Après quoi, il meurt. Bonne affaire? Non. Son successeur désigné est Adrien d'Utrecht, ancien précepteur de Charles Quint, et par conséquent son fidèle. François Iᵉʳ fait paraître une grande colère, refusant même d'avaliser cette nomination.

Par contrecoup, 1521 devient une bonne année pour Meaux. A travers Marguerite, le Cénacle peut exploiter l'inimitié entre le Saint-Siège et la France. Mais en novembre, la Sorbonne et son syndic, Noël Bédier, condamnent l'ouvrage de Lefèvre d'Étaples sur les *Trois Maries*. Ils demandent au Parlement de déclarer son auteur hérétique. Une sèche intervention du roi ordonne qu'il n'y ait pas de suite à cette affaire.

Sur cette lancée, Marguerite va plus loin. François fâché avec Rome, recherchant partout l'alliance des réformés hostiles à l'empereur (les princes allemands, les Este de Ferrare en Italie), sa sœur bien conseillée lui propose de mettre de l'ordre dans l'Église de France, de publier les Évangiles en français à l'usage de chaque fidèle. Lefèvre d'Étaples justement y met la dernière main. La mort de Léon X, l'accession d'Adrien VI, la situation en Italie du Nord empêchent l'entreprise réformiste d'aboutir.

1522. Printemps sombre pour nos armes. Le dernier Sforza se jette dans Milan et s'en déclare duc. Le bouillant Lautrec lance ses troupes contre lui. Hélas! ses mercenaires ont un fort arriéré de solde : « Argent ou bataille! », clament-ils. L'argent n'est pas là. Bataille, soit, mais à l'improvisée, sur un mauvais terrain. Lautrec sera écrasé à La Bicoque. Milan est bien perdu, Gênes tombera ensuite. Marignan est effacé.

Là, Briçonnet accuse le coup. Le bouc émissaire de la défaite va être celui que François Iᵉʳ a placé au-dessus des autres généraux des finances, Jacques de Beaune, seigneur de Semblançay. Ce brillant manieur d'argent eut par ailleurs le démérite de mettre en déficit les affaires de Madame Louise. La vigilance de ses ennemis aidant, il sera pendu à Montfaucon cinq ans plus tard. Or Semblançay se trouve être l'oncle de Briçonnet!

La sœur du roi pourtant démontre, s'il en était besoin, qu'on la tient pour esprit sérieux et conseillère écoutée de François. Le pape Adrien VI lui écrit à Lyon. Elle y a suivi son frère qui prépare la reconquête du Milanais. Le souverain pontife lui demande d'être sa médiatrice en faveur de la paix.

Geste intéressé. Non seulement François Ier a cessé d'exporter de l'or vers Rome, mais il rameute les évêques de France « pour réformer l'Église, et pour ôter beaucoup d'abus, et pour pourvoir que vacants bénéfices n'allassent plus hors du royaume ». Bref, interpréter le concordat à la française par une sorte de gallicanisme.

Marguerite ne tombe pas dans le piège de la vanité. Le pape certes lui donne là une haute marque d'estime, mais pour la première fois François a parlé de réformer l'Église. Dans ce cas, Meaux triompherait. La princesse répond à Adrien VI avec dignité et quelque malice : son frère a dépensé pour la paix beaucoup d'or, employé désormais contre lui. La paix ? Il n'a cessé de la rechercher, mais dans l'honneur.

Par malheur, les évêques français ne suivent pas le roi. L'opération « concile » est manquée. L'Église de France n'ose pas se fâcher avec Rome.

Durant l'été, toute la famille royale est malade. Il semble que Marguerite, pour sa part, ait eu un espoir de maternité vite déçu.

A l'automne, voulant battre un fer qui n'est pas chaud, le Cénacle milite pour cette réforme que fuit l'épiscopat. Michel d'Arande la prêche si haut que le dominicain Guillaume Petit, confesseur du roi, obligé de Marguerite, s'en inquiète. La Sorbonne va intervenir. Il faut étouffer l'affaire.

Tentative de Meaux sur un autre front. Briçonnet envoie au roi, avec une lettre, *Les Commentaires sur les quatre Évangiles*, texte en français, rédigé et publié par Lefèvre d'Étaples. C'est un coup de poker. Si le roi répond favorablement, il fait un pas vers la liturgie « en langue vulgaire ».

Or le roi ne répond pas. Le fretin populaire et estudiantin, à ce moment, frétille beaucoup dans la théologie. Il est pour la messe, la tradition, la Sorbonne. Des bruits d'hérésie courent, visant Marguerite et même sa mère. Une sotie, *Les Trois Pèlerins et Malice*, semble les viser. Le roi, non soutenu par les évêques, hésite. Alors, Briçonnet recule : « Il faut couvrir le feu pendant quelque temps », écrit-il à la princesse. Le feu, soit. Mais la fumée ? Dès ce moment, Marguerite sera toujours plus ou moins suspectée d'hérésie. Elle ne fera rien pour se disculper : son frère s'en chargera, qui la tirera de toute mauvaise affaire, et sauvera ses protégés quand il le pourra.

1523. Année noire. Charles de Bourbon, connétable de France, et donc chef des armées, passe à l'ennemi. Trahison d'un sujet, ou renversement d'alliance d'un grand vassal, selon le droit du Moyen Age ? Quoi qu'il en soit, Bourbon se met au service de Charles Quint qui lui donne une armée.

Cependant, les relations entre Adrien VI et François Ier sont au plus mal. Le premier reparle d'excommunication. Le second fait allusion à Boniface VIII [15]. Hostilité réciproque. La Sorbonne, maladroitement, choisit ce moment pour frapper. Elle interdit la traduction des textes sacrés en français : ce serait vouer au feu les *Épîtres et Évangiles* de Lefèvre d'Étaples, la *Bible* qu'il prépare, et peut-être lui-même. Outre Lefèvre est mis en cause Louis de Berquin, contestant notoire. Dans sa rage contre le Saint-Siège, le roi ordonne d'interrompre les poursuites. Berquin persistera : il ira au bûcher en 1529. En attendant, le Conseil du roi éteint toute action judiciaire.

Briçonnet et le Cénacle vont-ils triompher ? Pas longtemps. En septembre, après la trahison de Bourbon, une armée anglo-bourguignonne descend vers Paris. Ses éclaireurs atteignent Compiègne. D'autres troupes menacent Mézières et Langres. Paris brûlera-t-il ? Déjà ses habitants renforcent les défenses de la ville.

Soudain, toutes les données changent. L'armée d'invasion, s'arrête, recule. Charles Quint, harcelé sur ses arrières par les Turcs, ne veut pas de ce front. Une épidémie et quelques cadeaux à Henri VIII accélèrent la retraite.

De plus, le pape meurt. Son successeur est un Médicis, Clément VII, qui parle tout de suite de son amitié pour la France. Dès lors, la Réforme mais surtout le réformisme perdent le terrain gagné. Madame Louise écrit à la Sorbonne contre les luthériens. Briçonnet interdit les livres de Luther dans son diocèse, rompt avec ses prédicateurs les plus « avancés », exclut Farel du Cénacle.

15. Le pape Boniface VIII fut assassiné à Agnani (1303). Nogaret, qui participa à l'attentat, était le chancelier du roi de France Philippe le Bel.

En jouant ainsi la prudence, en se démarquant de l'hérésie excommuniée, les évangélistes croient gagner des points. En fait, ils ne font que gagner du temps.

1524. Le roi, débarrassé de ses craintes au nord, prépare de plus belle une campagne en Italie. Bourbon envahit la Provence. Il met pour finir le siège devant Marseille, que les Marseillais et les Marseillaises sauveront.

Le pape nouveau? Alliance déclarée. Il est déjà question de fiancer le futur Henri II à la nièce de Clément VII, Catherine de Médicis, pour lors âgée de quatre ans.

Les évangélistes redoublent de précautions. Briçonnet persuade Marguerite de ne pas intervenir à Bourges, où l'archevêque interdit les prêches de Michel d'Arande.

Cela ne suffit pas. François Ier descend vers Marseille qui vient de chasser Bourbon. En octobre, il entre en vainqueur dans Milan. Le 12 décembre est annoncée cette paix entre la France et le Saint-Siège, si longtemps repoussée : le cardinal Ghiberti la préparait depuis le mois précédent. Elle sera confirmée le 5 janvier 1525.

Alors, tous les espoirs du Cénacle de Meaux sont anéantis. Le roi en campagne tient plus au soutien du pape qu'aux douteux amis de sa sœur. Le nonce Aléandre condamne en bloc réformés et réformistes.

Briçonnet pourra-t-il faire le gros dos une fois de plus? Non, car ses fidèles le dépassent. A Meaux, le peuple déchire une bulle papale, la remplace par des affiches séditieuses qui traitent le pape d'Antéchrist. Ailleurs, dans les mêmes circonstances, Luther s'était mis au ban de l'Église.

Briçonnet refuse. Il est allé aussi loin qu'il l'a pu sans encourir les foudres pontificales. Pris à la gorge, sommé de choisir, il choisit la religion catholique qu'il voulait aménager, non détruire. Le Cénacle est dissous. Lefèvre, lui, étranger aux contingences, couvert par l'évêque, continue ses travaux sur la Bible.

Briçonnet s'agenouille, en chemise, la corde au cou, en plein mois de décembre, sur le parvis d'une cathédrale, symboliquement fouetté de verges. C'est la terrible cérémonie de l'amende honorable. Il est peu probable que cette reddition ait renversé ses profondes croyances, que vingt ans plus tard l'Église condamnera moins durement au concile de Trente, en modelant la Contre-Réforme. Mais en 1534, Briçonnet mourra.

Marguerite et lui-même avaient-ils continué à s'écrire ? Nous n'en avons pas la preuve. En tout cas, le grain du réformisme, de l'évangélisme a été semé chez la princesse. Toute sa vie spirituelle restera marquée par l'enthousiasme de Meaux, dont elle demeure, avec des nuances, la dernière fidèle : *non inferiora secutus!*

La correspondance avec Briçonnet (1521-1524)

La correspondance échangée entre l'évêque Briçonnet et Marguerite dans ces années 1521-1524 nous reste à peu près intégralement. Sa très sérieuse réédition récente [16] devrait nous éclairer tout à fait sur les rapports entre le guide spirituel et celle qui signe parfois « la riche aveugle ». En fait, cette quasi-intégrale nous plonge d'abord dans une manière de stupeur. Sans doute le babil amphigourique du prélat mérite-t-il, pour le romantique Michelet, la qualification de « sublime ». D'autres diraient : « extravagant » à l'œil du lecteur de notre temps.

Ces textes sont importants à plus d'un titre. Ils confirment les thèses non conformistes des Meldiens. Ils nous assurent que Marguerite recevait avec grand soif cet enseignement détesté en Sorbonne, et qu'elle intervint effectivement en faveur de Meaux. Pour nous en assurer, il faut d'abord effectuer un véritable décryptage. Le style de Briçonnet est une forêt vierge où l'intelligible gît enveloppé sous un monceau de lianes fleuries. La rhétorique et son arme de choc, la métaphore, ligotent bientôt le lecteur. L'incohérence des images l'aveugle. Les jeux de mots – les jeux avec les mots –, le plaisir de la sonorité redondante, du brouillage des phrases par anacoluthes, la préférence du sens anagogique au sens ordinaire des termes, cent autres subtilités ampoulées font de chaque phrase un casse-tête. Le lecteur – j'allais dire le mineur – doit s'armer d'une bonne pioche, de patience, d'inlassable curiosité. Entre le ton prophétique et la

16. Voir bibliographie.

cacophonie, il doit entendre les citations bibliques, patristiques, évangéliques, mêlées d'un peu de Platon vu à travers Nicolas de Cuse, d'Aristote reconquis par Lefèvre d'Étaples et de références au pseudo-Denys l'Aréopagite.

Exemple au hasard : lettre 6. Thème : « il faut ouvrir ses yeux à la Vérité, sans se laisser aveugler par une tradition obsolète ». Extrait en français moderne :

« La supercéleste infinie, douce, débonnaire, vraie et seule lumière, aveuglant et illuminant toute créature capable de la recevoir et qui, en la recevant, la dignifie de l'adoption filiale de Dieu, veuille Madame, par son excessif et insupérable amour vous aveugler et illuminer, à ce que soyez en cécité voyante et voyante aveugle, pour parvenir au chemin sans chemin de voir sans voir, connaître sans connaître les ténèbres dans lesquelles la divine lumière est cachée et fait sa demeurance. »

Tout est de cette encre. Cela entraîne deux conséquences. La première, c'est que Marguerite prend goût à l'amphigouri, et en mettra dans ses écrits de jeunesse. La grande fête des mots, contre-mots, inversions, surcharges, assonances, avait déjà envahi la poésie. Nous voyons ce méli-mélo paraître dans chaque poète – grand ou petit selon les professeurs – au début du XVIᵉ siècle : Guillaume Crétin et Jean Bouchet, mais aussi Marot et les marotiques. La découverte du puissant langage des prophètes bibliques, traduits en respectant leurs obscurités authentifiantes, n'était pas faite pour élaguer la mode du langage métaphorique et hyperbolique. Marguerite subira les atteintes de cette épidémie.

Seconde conséquence de l'assaut permanent de ce baroque éclaté : en ses moments de crise morale – besoin humblement proclamé de conseils simples – Marguerite « baisse les bras ». Elle écrit à Briçonnet d'être quand même un peu plus clair : « Démétaphorisez-vous! », dit-elle. Il ne le peut. C'est un lyrique obnubilé par les prophètes, du moins quand il prend la plume.

Pour qui se meut – quelque peu hébété – à travers leurs vagations et divagations, quelques importantes évidences viennent au jour à propos de Briçonnet et son ouaille.

D'abord, entre deux vaticinations sur le troupeau et le feu, l'évêque n'oublie pas de demander l'appui de la princesse. Le roi lit ses lettres avec son œil de roi, et voit dans cet exalté un bon support de ses velléités gallicanes, quand il est fâché avec le pape. Mais prudence. Tout doit être suggéré à demi-mot. Marguerite au contraire, toute conquise à la prédication nouvelle, désireuse de plaire au Cénacle, met dans ses réponses – que le roi ne lit pas! – un peu moins de secret.

« Exercez votre foi sur le roi et sa mère », disait l'évêque (lettre 11). Sainte parole, si l'exercice demandé ne va pas contre l'orthodoxie. Les censeurs ne pourraient rien reprendre à ces propos. Mais quand Léon X meurt et qu'une créature de l'empereur va le remplacer, Marguerite plaide pour ses amis. « Tous vos pieux désirs de réformation de l'Église, écrit-elle, où le roi et Madame sont affectionnés »... (lettre 17). Un peu plus tôt, ceci encore (lettre 15 a) : « Vous assurant que le roi et Madame ont bien délibéré de donner à connaître que la vérité de Dieu n'est point hérésie... »

Alors, Briçonnet sent le fruit mûrir. La princesse est une bonne pénitente, une amie fidèle, mais elle doit combattre plus fermement pour le Cénacle : « Dégantez-vouz, Madame! », s'écrie-t-il (lettre 21).

Ainsi va la correspondance entre le chef des réformistes et la déjà « réformisée ». Nous y lisons les péripéties du tango France-Rome : un pas en avant, deux pas en arrière, de 1521 où tout est possible à 1524 où tout est perdu. Après l'envoi au roi des *Évangiles* de Lefèvre, long silence : il faut couvrir le feu de cendre pour garder sa braise, selon le conseil de Briçonnet.

L'imagerie métaphorique accompagne d'incessantes demandes de secours spirituels de la princesse. Fidèle à sa promesse – « Je suivrai dans cette cour toute affaire où vous voudrez bien m'engager » (lettre 5) – Marguerite utilise chaque circonstance favorable pour aider son directeur de conscience. « Que cette grâce en nous ne soit pas stérile », écrit-elle (lettre 59). Il répond en parlant de l'annonce faite à Marie (lettre 60) : pas d'hérésie antimariale!

Cet exemple précis nous fait souvenir que Briçonnet, par formation, est d'abord un diplomate, présent sur le terrain depuis le concile de Pise jusqu'au concordat. Il joue son atout Marguerite pour avoir l'oreille du roi. Il la laisse parfois sur sa faim

spirituelle – les réponses angoissées de la princesse en font
foi – pour mieux la tenir en haleine, et répond à côté des
questions.

Cela serait choquant s'il n'y avait dans ces rapports que bonne
foi chez la princesse, calcul chez le prélat. Mais tandis que le
temps passe et que les lettres vont, un climat d'affection et de
confiance réciproque se développe. Les dernières épîtres, en 1524,
le démontrent s'il en était besoin. Éprouvée par des deuils cruels
et successifs – elle va en connaître d'autres –, Marguerite reçoit
des consolations chaleureuses, bien que toujours inextricables. Les
méditations sur la Genèse et la création de l'homme et de la
femme (112, 114 à 116) sont d'une complexe élévation. La
consolation pour la mort de Charlotte de France [17] (118) vient du
cœur, non du formalisme.

La correspondance va finir – pour ce que nous en savons –
quand le roi entre en Italie, et se trouve aux portes de Milan. Rien
n'assure que ce pont entre Meaux et la cour se soit effondré après
le reniement forcé, l'amende honorable de l'évêque.

Après 1525, Briçonnet, même pardonné, reste un suspect.
L'exactitude avec laquelle Marguerite reprend ses thèses dans sa
première œuvre importante (*Dialogue en forme de vision nocturne*)
montre pourtant la profondeur de son adhésion, de sa fidélité au
réformisme et au réformateur manqué.

Comment douter de sa fidélité de cœur ? Cette timide, cette
inquiète signait ses premières lettres « Marguerite » ou « votre
bonne fille », et en ses mauvais jours « la pauvre indigne de nul
bien », doutant même qu'elle eût mérité son nom (lettre 39) [18].
Plus tard, Briçonnet lui laissera entendre amphigouriquement
qu'étant si près du trône elle n'est pas sa fille, mais sa mère. Cela
amuse la princesse. « Votre inutile mère », met-elle en 1524 à la
fin des lettres.

Histoire d'une conversion, d'une réforme manquée mais désormais toujours présente dans le cœur de Marguerite, voilà ce que
révèle cette correspondance difficilement abordable, et pour finir
touchante. Marguerite « la seconde », la mal mariée, la mal

17. 1516-1524. Seconde fille de François Ier.
18. Marguerite, en grec et en latin, veut dire « perle ».

catholique, a trouvé un chemin spirituel et un ami pour l'y conduire. L'influence de Meaux persistera jusque dans ses derniers écrits.

« Je désire mourir en votre bande [19] », écrivait-elle. Sans doute y mourut-elle en effet, seule entre tous les partis pris par les réformés.

19. *Bannière*, mot goth repris en italien *banda* : pour finir, « ceux qui marchent sous la même bannière ».

CHAPITRE V

Le temps du *Dialogue*

Les appuis

Ce que nous connaissons des premières tentatives poétiques de Marguerite n'a valeur que de curiosité littéraire. Avant l'âge de trente-deux ans, bien peu de chose : deux pièces de vers courtes et banales, une poignée de rondeaux sans originalité, des épîtres.

Qu'elle eût rimé, nous en serions persuadés même sans pièces justificatives. La parenté de Charles d'Orléans, à la seconde génération, s'en pique. Le père de Marguerite s'y est essayé. Sa mère persistera longtemps. Son frère ? Champollion-Figeac publia, en 1847, un recueil titré *Poésies du roi François Ier*. Peu de ce qu'il contient a été écrit, réellement écrit par le souverain, mais enfin il rima, toute sa vie durant.

Avant la trentaine donc, Marguerite semble suivre simplement l'exemple familial, qui est de mode à la cour. On ne discerne pas vraiment chez elle de « fureur poétique », comme elle appellera plus tard le penchant pour les vers. L'inspiration lui vient en 1524. Son ferment, nous le connaissons : la correspondance avec Briçonnet le révèle. Un combat intérieur, une exaltation spirituelle. Cette élévation au-dessus de la brillante vie de cour trouve son exutoire dans la poésie. Soudain la princesse découvre le cri qui la délivre. La poésie brûlant d'amour, mais d'amour divin. Jusqu'à sa mort, la presque totalité de ses œuvres lyriques ressortira à ce genre.

Sans doute, malgré des recherches qui n'ont jamais cessé depuis plus de cent ans, l'attribution précise à Marguerite de telle ou telle œuvre mineure reste encore pendante. La chasse est toujours ouverte aux nouveaux documents. Il s'en découvre sans cesse tandis que, de Paris à Genève et à Helsinki, Marguerite revient à la mode chez les néo-humanistes.

A la lumière du *Dialogue,* des *Oraisons,* du *Discord* et autres poèmes de jeunesse attestés après 1524, nous restons assurés d'une évidence : si la princesse rimait en ses tendres années, c'était d'une plume assez maladroite. Les œuvres précitées montrent encore bien des redites ou emprunts, plus de fougue que d'originalité, d'enthousiasme que de métier.

Que rimait-on chez les Angoulême ? Des rondeaux, disions-nous : la forme la moins difficile de la « poésie rhétorique ». Le lai, le virelai, le chant royal et même la ballade sont introuvables chez ces grands frottés de poésie, protecteurs de poètes. Cette forme, cette façon proprement médiévale de composer les pièces de vers, cédait aux coups d'un pétrarquisme déjà décadent.

Sur quoi rimaient les gens de cour ? L'amour, bien entendu, les beaux sentiments, l'affliction, la mort même. Sans originalité, reprenant les thèmes d'un Trecento italien dévalué par des générations d'imitateurs, et selon les formes déjà désuètes des rhétoriqueurs.

La poésie officielle tenait pour peu de chose ce que nous pourrions appeler « la gouaille », et qui, des troubadours à Rutebeuf, puis à Villon, avait tiré des chefs-d'œuvre de l'inspiration quotidienne, du sarcasme, parfois de l'obscénité. Il y avait pourtant des « gouailleurs » près de François et de Marguerite, et non des moindres : les Marot père et fils, sans parler du petit-fils Michel, piètre poète.

Jean Marot, amusant rimeur trop éclipsé par son héritier Clément, montrait ses talents médiocres de chantre appointé par le roi, mais s'entendait aussi à la gaudriole. Les Valois n'étaient pas bégueules. Il écrit par exemple :

Fermes sommes et le serons
Tétons avons. Elles, tétasses

> *Pendant comme vieilles besaces*
> *Dessus leurs jambes de hérons.*

Clément Marot, le fils (1496-1544), héritera de cette verve. Elle servira souvent d'assise à son très grand talent. Ses *Épigrammes* mordent :

> *J'entends l'évêque en son sermon*
> *Et frère Jean en propre nom*
> *Qui mourut en 1520*
> *D'une vérole qui lui vint.*

Marguerite avait de l'amitié et de l'indulgence envers ce Marot-là. Plus tard, ils échangèrent des dizains [1]. Préférons la réponse de Clément à l'envoi un peu balourd de la princesse :

> *Mes créanciers, qui de dizains n'ont cure*
> *Ont lu le vôtre, et sur ce leur ai dit :*
> *« Sire Michel, sire Bonaventure*
> *La sœur du roi a pour moi fait ce dit. »*
> *Lors eux, cuydant que fusse en grand crédit*
> *M'ont appelé « Monsieur » à cri, à cor,*
> *Et m'a valu votre écrit autant qu'or*
> *Car promis ont non seulement d'attendre*
> *Mais d'en prêter (foi de marchand) encor,*
> *Et j'ai promis (foi de Clément) d'en prendre.*

Marguerite savait rire, non écrire pour faire rire. Pourtant, l'esprit et la malice sont bien présents dans ses œuvres en prose.

A part Marot, bientôt flanqué des « marotiques », sur quels modèles vivants pouvait s'appuyer la princesse en 1524 ? Personne de réellement éminent, parmi les poètes : Crétin, Bouchet, c'est-à-dire plus de clinquant que de diamants. Passons sur Saint-Gelais dont le père (ou oncle) avait été évêque d'Angoulême, protégé par Madame Louise en sa petite cour de Cognac. Le fils (ou neveu) ne put que, sur le tard, s'attirer les foudres méritées de la Pléiade (1491-1558).

Ceux-là appartiennent à la famille de la « poésie rhétorique ». L'un de leurs flambeaux était Jean Meschinot, qui mourut un an

---

1. Orthographe moderne : en ce temps, on disait *dixains*.

avant la naissance de Marguerite : Meschinot, qui restait célèbre par son recueil *Les Lunettes des princes*. On citait avec émerveillement son *Oraison* de huit vers, qui pouvait se lire de trente-deux manières différentes, « en y trouvant toujours sens et rimes [2] ».

Le procureur Jean Bouchet est pire. En 1522, il va dédier à Marguerite l'une de ses innombrables œuvres ampoulées, mais de « style pédestre [3] ». Certes, il prit avant tous le parti de faire alterner rimes masculines et féminines. *Requiescat!*

Guillaume Crétin, pour sa part, est chroniqueur officiel du roi [4]. Un rhétoriqueur accompli. Le plus adroit peut-être des emmêleurs de mots, de sonorités et de rimes. Cette rhétorique aux métaphores inextricables, aux hyperboles ahurissantes, nous en avons trouvé avec Briçonnet un fervent adepte. Crétin, sans gongoriser positivement, rhétorise jusqu'à l'absurde, cédant tout au son, à l'appareillage rimant et assonant :

> Pour vivre en Paix et Concorde, qu'on corde
> Guerre, et le chant d'accord d'elle cordelle [5].

En un mot, le triomphe absolu du sonore, du parler-pour-rien de fière consonance. Cette rhétorique glissa-t-elle sur les plumes de Marguerite sans les pénétrer ? Hélas! La bouillie verbale de Briçonnet en est trop imprégnée pour qu'elle y échappe, se passionnant pour l'évêque. En 1524, la princesse reste fascinée par les incartades du langage fou, et dépendante de la mode qui les assure. Même plus tard, les fleurs de rhétorique, tout artificielles, dépareront les plus frais de ses bouquets.

Dans l'héritage à portée de main ne se trouvent pas que les rhétoriqueurs. Nous ne devons pas oublier la faveur constante de certains textes médiévaux qui nourrissaient l'imagerie poétique. Le XVIᵉ siècle commençant, s'il abuse de l'allégorie, ne doit ce travers ni à l'*Iliade* ni à l'*Énéide,* ni à Dante même : à Guillaume de Lorris plutôt.

---

2. Certains admirent encore le grinçant Jean Molinet (1435-1505), trop truculent pour Marguerite.
3. Le mot est de Robert Marichal (édition critique de *La Navire*).
4. Il mourra en 1526.
5. *Cordeler*, de cordelle (cordelette, lien) : tenir lié.

Le *Roman de la Rose*, en effet, reste au goût du jour. Ce chef-d'œuvre composé près de trois cents ans plus tôt par Lorris et Jean de Meun [6] dure plus par ses procédés que par ses qualités propres. La personnification des sentiments, des vices et des vertus y paraissait : elle irritait vers 1440 chez Charles d'Orléans. En 1520, elle alourdit encore la poésie de sa petite-nièce Marguerite.

Ainsi encombrée d'un fatras, la princesse écrit à partir de 1524 ses premières œuvres, datées ou non par l'histoire des événements. Toutes seront d'inspiration religieuse : *Oraisons, Dialogue, Discord*. Les circonstances qui les inspirent (deuils, tristesse, solitude) ne suffisent pas à expliquer cet élan vers le ciel. Le militantisme de la princesse à l'égard du Cénacle non plus. L'examen de ces textes nous montre d'ailleurs que, le Cénacle abattu par ses ennemis, Marguerite s'est beaucoup informée de Luther en 1524. Cette année-là, Antoine Papillon lui dédie sa traduction du *De votis monasticis* (de Luther), et Claude Chansonnette lui envoie de Bâle, avec une épître dédicatoire, *La Façon de soi confesser* d'Érasme.

Trouble intérieur, troubles de l'orthodoxie, voici les appuis personnels de Marguerite quand elle se met à versifier. Est-ce passager ? Nous devons anticiper pour être sûrs du contraire. Marguerite connaît bien les choses de la terre et les aventures du péché : l'*Heptaméron* nous le prouvera, s'il en était besoin. Pourtant, durant sa vie entière, c'est au Ciel qu'elle demandera l'inspiration de ses poèmes. Un Ciel où se trouve le « seul nécessaire », selon le mot de Briçonnet, le seul Amour, le seul Inspirateur. Par teinture du temps, 1524 à 1549, ses poèmes resteront farcis d'allégories, habités par les dieux et les demi-dieux de l'Olympe devenus héros mortels ou créatures légendaires.

Donc, entourée de rhétoriqueurs, férue de Pétrarque mais aussi de ses descendants dégénérés, assez cultivée pour citer, démarquer ou dépendre, mais pas assez pour transcender le fouillis de ses lectures, Marguerite en appelle à Dieu dès le *Dialogue en forme de vision nocturne* (1524). Elle cherchera le même recours pour l'écriture des *Prisons* (1547) vingt ans plus tard, moins sujette à des

6. Cette orthographe est désormais préférée à *Meung*.

assauts littéraires et religieux contradictoires, mais toujours vouant sa poésie aux élans spirituels.

Anticipons, car dans *Les Prisons* justement figurera le secret de sa « fureur poétique », présent dans son œuvre depuis le *Dialogue*, informulé jusqu'alors sans qu'elle y ait jamais été infidèle :

> *Lors, je connus que les poètes tous*
> *Ont très bien dit de dire « Dieu en nous »*
> *Car Dieu en eux leur a fait souvent dire*
> *Ce que jamais par ouïr ni par lire*
> *N'avaient connu. O pouvoir authentique*
> *Qui les (a faits) par fureur poétique*
> *Le temps futur prédire clairement*
> *Et le passé montrer couvertement* [7]
> *Sans fiction la vérité rendue*
> *Qui n'était pas de leurs sens entendue* [8].

Comme l'indiquent ces deux derniers vers, la poésie a été pour elle une sorte d'extase de la connaissance, de vérité divine trouvée hors du monde sensible.

En 1524, nous pouvons *cuyder* qu'elle aurait mis une majuscule au mot Vérité. La surcharge rhétorique, comme son trop-reçu d'opinions religieuses divergentes, l'encombrera jusqu'en ses dernières œuvres lyriques.

N'anticipons plus. Mais si nous devions nous munir, avant d'aborder ses premiers poèmes, d'une phrase éclairante en tous lieux, en tout temps de sa vie, ce serait le titre intégral du *Discord* : Discord étant en l'homme par l'antagonisme [9] de l'Esprit et de la Chair, et paix par vie spirituelle.

Marguerite en 1524

Nous interroger sur Marguerite telle qu'elle fut en cette année 1524 sera profitable pour la lire, si nous ne cédons pas à une triple

---

7. De façon complète.
8. *Les Prisons*, livre III, v. 849 et *sqq.*
9. Le mot exact du texte, disparu en français moderne, est : « contrariété » (« contraireté »).

tentation : oublier sa position sociale, en faire une femme de parti, la juger selon les idées reçues au cours des siècles suivants. Ces trois erreurs, commises tour à tour ou simultanément, ont souvent faussé son image.

Parlons d'abord de son apparence physique, telle qu'elle nous apparaît dans son portrait au petit chien, attribué à Clouet le père, ou à son école [10]. La sévère robe noire, à peine égayée de dentelle au col et aux poignets, ne révèle que le visage et assez de cou pour deviner la forme de la tête. Celle-ci est couverte d'une coiffe également noire. Un trait de fourrure beige mousseuse enlève toute sévérité excessive à cet habillement strict.

Le visage présente une ressemblance évidente avec celui de François Ier : front large, arcature sourcilière bien ouverte et non proéminente, nez fort et busqué. Les yeux sont écartés, fendus, de cette couleur trouble où se mêlent le marron et le vert. Mâchoires assurées, menton solide, marqué d'une légère fossette. La bouche s'étire en un demi-sourire qui en relève un peu les coins. Il y a de la malice dans le pincement des lèvres, un air de bonté dans l'expression. La mèche de cheveux qui dépasse de la coiffe est rousse. Cela ne surprend pas lorsqu'on examine l'ensemble de l'appareil oculaire, les sourcils et ce qui paraît être, sur le front et les tempes en particulier, des taches de rousseur. Marguerite était-elle rousse? Voilà qui intéressera, outre les physiognomonistes hors de mode et les morphopsychologues dans le vent, les curieux.

Tel qu'il est peint, ce visage calme, au regard posé loin, n'indique pas grand-chose à qui le scrute, sinon une sérénité peut-être feinte, peut-être de commande, peut-être enfin de complaisance par la volonté du peintre. Je ne crois pas beaucoup à la complaisance des Clouet, à la fois minutieux et adroits dans leur façon de saisir « un air » sans tricher avec le modèle.

La Marguerite au petit chien doit avoir environ trente-cinq ans. Est-elle belle ou jolie? Chaque époque a sa réponse, aussi bien en ce qui concerne l'assiette des nez que celle des hanches. Les poètes de cour semblent parfois se forcer quand ils chantent non

10. Peut-être à « *Polet* » *Clouet,* frère de Jean, que Marguerite attache à sa maison. Il sera même surnommé « *Clouet de Navarre* ».

les vertus mais les grâces de la princesse. Ils le font pourtant, et cela nous amène à une première remarque importante : Marguerite est une haute, intouchable princesse du sang.

Jamais nous ne devons oublier, considérant les actes de la poète, ses engagements, son influence, sa bonne ou mauvaise réputation auprès du peuple ou de la Sorbonne, sa place, son rang en France. Elle est la sœur aimée du roi tout-puissant. Seconde derrière lui, première partout ailleurs, même devant Alençon, premier pair du royaume. Cette position quasi royale entre la falote reine et Madame la soustrait-elle aux critiques ? Certes non. Dès que le populaire fervent de la messe la soupçonnera d'hérésie, elle subira le poids de son hostilité (soties, chansons). La Sorbonne à plusieurs reprises essaiera ses griffes contre elle, et les cassera sur la volonté du roi : « la mignonne » est sacrée. Cette impunité exalte la jalousie et la haine des extrémistes romains. Par ailleurs, elle force un peu la main de la princesse dans les protections qu'elle accorde. Tolérante, on l'accusera de tous les « excès hérétiques » de ses protégés. Catholique réformiste, elle sera proclamée luthérienne par les luthériens, calviniste par les calvinistes qu'elle défend, accueille, soustrait même à la Justice parce qu'elle n'admet pas les persécutions. Haute personnalité intouchable tant que son frère y veille, Marguerite, dès 1524, connaît le brillant de cette médaille et son inévitable revers. Que sera-ce lorsque ensuite ses opinions se coloreront de réformisme !

Second écueil à éviter quand nous considérons Marguerite : l'annexion. Nous l'avons vue suivre les réformistes et le fabrisme. La doctrine de Lefèvre d'Étaples, coupée de Mélanchthon, est bientôt assimilée par le protestantisme. Mais soyons assurés qu'en 1524, toute vouée à Briçonnet et à sa doctrine, lisant des textes de Luther et d'Érasme, elle reste officiellement assujettie aux devoirs des fidèles catholiques. Ce qu'elle désire et désirera, ce n'est pas quitter l'Église, mais que l'Église change : utopie, ne disait-on pas encore en français.

Marguerite tourne vers Dieu tous ses espoirs. Tous ses désespoirs aussi. L'année 1524 est terrible pour elle. Sa jeune tante et chère amie, Philiberte de Savoie, meurt le 4 avril. Le 26 juillet, c'est au tour de Claude, reine de France, épuisée à vingt-cinq ans par sept maternités rapprochées. François vient de partir, en route déjà pour l'Italie. Mais Madame sa mère, nommée régente du royaume, tombe malade. Durant l'été 1524, voici Marguerite seule à représenter la famille royale. Bientôt, de plus, sa nièce Charlotte, seconde fille du roi, âgée de huit ans, est atteinte de la rougeole. Tante Marguerite – elle le dit dans ses lettres – ne quitte pas son chevet. La petite mourra le 8 septembre. C'est avec l'âme de cette enfant que va être engagé le *Dialogue en forme de vision nocturne.*

Donc, les penchants mystiques de Marguerite sont accentués à cette date par l'ampleur de ses chagrins. Douleur, don de la douleur à Dieu, consolation en Dieu, épanouissement de la consolation en poésie : tel est le cheminement du poème.

Nouvel obstacle que nous avons déjà signalé devant les portes de Marguerite : l'assimilation de ses sentiments et de leur expression aux nôtres. La simple érosion sémantique du langage nous fait souvent employer un mot pour son ombre. Mystique. Nous connaissons les imprécations de Péguy contre la mystique dévalorisée, réduite au sens d' « enthousiasme » et même d' « esprit corporatif sectaire ». Il faut critiquer aussi ceux qui font de « mystique », adjectif ou substantif, un mot de passe qui dispense de toute analyse, et pour finir de toute synthèse. Marguerite est tournée de tout son être vers les mystères de la foi. Mystère et mysticisme proviennent du même tronc étymologique : le *mustès,* en grec, c'est l'initié au *mustérion,* le mystère. L'attitude de tout croyant chrétien, même en période aiguë de contestation, reste la fidélité aux mystères révélés. Seuls les grands extatiques soulèvent le voile, et méritent d'être appelés mystiques : ainsi Catherine de Sienne, que Marguerite admirera.

Les uns l'entachent donc de mysticisme global et nébuleux. D'autres, même aujourd'hui, s'appliquent à la faire adhérer à telle ou telle confession particulière. D'autres encore se contentent de la déclarer « mystérieuse », à cause de sa réserve, de la pudeur de ses sentiments. Cela n'est pas inexact, mais assez vague pour cacher Marguerite vivante, ou plus exactement la garder cachée.

A propos de « mystique », notons clairement que la foi en Dieu n'est pas seulement une composante de sa vie. Elle en constitue, dès 1524, l'essentiel. Marguerite princesse intouchable, Marguerite fabriste, Marguerite écrivain reste en tous ses états, en tous ses choix, absolument dépendante de la formule : « Dieu premier servi. »

A propos de « mystère », évitons deux positions également irrecevables chez ceux qui veulent approcher la princesse avec honnêteté. La première consiste à dire : « Elle est mystérieuse par volonté délibérée. N'essayons pas de percer une obscurité si soigneusement entretenue. » Cela porte à l'abstraction, qui se satisfait de commentaires lyriques ou philologiques, suivant la personnalité des explorateurs. Cela conduit à de bonnes analyses de détail ou à des fantaisies subjectives, rien de plus.

Seconde attitude : « Elle se dissimule par modestie, prudence et certaine mode du secret. Notre devoir est de la découvrir en tout. » Cela est fort honnête tant que les chercheurs ne truquent pas, comme il était d'usage chez les biographes de naguère. Chaque obscurité se trouve palliée par une anecdote, une comparaison, une extrapolation qui attirent la mystérieuse sous les projecteurs préalablement choisis.

Ne tirons pas Marguerite vers notre temps. En 1517, le pape traitait Luther de garnement. Il l'excommunie certes en 1520. Luther, de son côté, l'appelle Antéchrist. Mais il avait déclaré l'année précédente (janvier 1519) : « Je ne mets rien au-dessus de l'Église romaine au ciel et sur la terre. » Cela lui passe vite. Essayons pourtant de comprendre que l'Histoire est une évidence progressive. Plus nous sommes près des faits, même s'ils nous passionnent ou nous offensent, moins nous les comprenons clairement. En 1524, Marguerite reçoit une traduction de Luther qui fulmine contre les moines. Ses contes nous montreront que la princesse ne les juge guère mieux. Elle lit aussi l'envoi de Chansonnette le Genevois. Elle apprécie cet Érasme qu'elle n'aime pas.

Influencée ? C'est évident par les textes que nous allons lire. Mais influencée passagèrement, par le Luther militant d'avant la Confession d'Augbourg. Érasme ? Ce savant homme sert l'empereur. Cela interdit tous rapports amicaux. En son temps, Érasme reste une île. La princesse, si elle est folle de Dieu, est aussi fille de France, toujours férue de François. Si elle était cynique comme son petit-fils Henri IV le sera, nous pourrions faire dire à

Marguerite en 1524 ce que sa vie entière a démontré tout du long : « François vaut bien une messe. »

Dialogue en forme de vision nocturne [11]

Le *Dialogue,* comme tous les textes de Marguerite, est fait pour être lu à haute voix. Il semblerait, à toute autre époque que la nôtre, absurde de rappeler que la poésie est un genre vocal. Guillaume de Machaut qui est tenu par les musiciens pour l'un des leurs, par les poètes pour un poète, réalisait l'idéal en l'effet recherché : créer à la fois les vers et la musique qui les embellit.

Certes, la lecture des vers a toujours donné une bonne idée de leur texture et de leur facture. Comment, sans les lire tout haut, comprendre ce que le poète a voulu y mettre d'incantation ? L'essentiel est là, chez les plus profonds, chez les plus adroits. Les désolantes vacuités lamartiniennes prennent, à être lues, de la noblesse. « Je tire un fil dans ma tête, écrit Paul Valéry. C'est tantôt le son, et c'est tantôt le sens. »

Sommes-nous loin de Marguerite ? Bien au contraire. A cette époque, il était d'usage d'accompagner de musique les récitations poétiques. Madame ne manquait pas à cet usage, dans sa petite cour raffinée de Cognac, avant 1509. Les vers de Marguerite, surtout ceux du début, sont tout hérissés de théologie, embarrassés de réminiscences, englués même de prosaïsme... si on ne les lit à haute voix. Dès ce moment, la musique du décasyllabe à césure variable enveloppe les pauvretés, et dégage les richesses. Le chant d'inspiration religieuse, rythmé et balancé, prend sa valeur de *carmen.*

Deux raisons précises m'assurent dans cette exhortation à prononcer toute poésie, et celle-là en particulier. La première, c'est que la lecture parlée met en valeur le rythme choisi. Quand il s'agit, comme dans le *Dialogue,* de la rime tierce, la *terza rima,*

11. Sans aucun doute écrit après le 8 septembre 1524 : peu après. Il ne fut publié qu'en 1533, avec la seconde édition du *Miroir de l'âme pécheresse.* Pierre Jourda en découvrit le manuscrit en 1930.

abandonnée après 1550 par les poètes français, s'habituer à sa rythmique, c'est se préparer à goûter dans le texte Dante, qui choisit cette forme, Pétrarque qui l'y suivit souvent.

Seconde raison de dire ces vers : Marguerite ne procédait pas autrement. Nous savons qu'elle dictait ses poèmes à des scribes, assurant ainsi le sens par la mélopée, les rendant indissociables, poussant au contresens ceux qui ne les appréhendent que par les yeux.

Le *Dialogue en forme de vision nocturne* comprend 1 260 vers. L'âme de Charlotte converse avec sa tante éplorée. L'enfant vient de mourir, ou plutôt de passer de la vie au « doux dormir ». Certaine nuit, nous apprend le prologue, elle apparaît à Marguerite qui, sans la voir ni l'entendre « physiquement », jouit de sa présence. Dans le prologue, la tante prie la nièce de se manifester. Cette vision la remplit de grande réjouissance :

> *Qui me contraint vous supplier bien fort* (v. 43)
> *Que cœur à cœur veuilliez à moi parler*
> *Donnant d'esprit à esprit réconfort.*

La vision accepte, le dialogue s'engage. Il n'y faut pas chercher de plan arrêté d'avance. De ce point de vue, le *Dialogue* est exemplaire des créations poétiques de Marguerite : des thèmes sont tour à tour développés de façon foisonnante. Ici, la forme dialoguée – courante dans les chants religieux et profanes du temps, et la poésie antique ou médiévale [12] – sert à renvoyer la balle de plus en plus haut dans une méditation sur la mort. Au début, la tante déplore le décès de Charlotte. Peu à peu, celle-ci la convainc que le Paradis, je veux dire la présence divine dans le temps sans durée, vaut mieux que la vie terrestre.

En fait, l'état de tristesse dure peu, naïvement montré :

Madame la duchesse :

> *O nature où est votre défense ?* (70)
> *Las ! Médecins vous avez bien failli*
> *D'ainsi laisser cette perle de France !*

---

12. Cf. par exemple *La Belle Dame sans merci*, d'Alain Chartier, très « chantée » encore par les diseurs de cette génération. Nous trouverons révérence à Chartier dans les poésies profanes de Marguerite : *La coche* (1540-1541).

Charlotte la reprend. La volonté de Dieu est parfaite :

> *Tante, tante, de ceci vous faut taire* (76)
> *Car nature, là où Dieu met la main*
> *Ni médecins n'y peuvent au contraire.*

Nous sommes déjà, dans cet exposé linéaire, au vers 78. L'exposition dure. Le poème entier traîne les pieds. C'est l'une des maladresses des œuvres de jeunesse de Marguerite, qu'elle ne corrigera jamais tout à fait : elle se laisse emporter dans l'expression longue et confuse d'idées simples. Plus tard, et même parfois dans le *Dialogue,* elle tranchera avec le bavardage, le ronron, par des formules fortes et frappantes.

La suite du texte n'est pas un lamento, puisque « Madame la Duchesse » admet le point de vue de la jeune morte : le « doux dormir » est préférable à la vie terrestre. Nous suivons donc une escalade de propos théologiques. Il sera question de l'accession au salut éternel par la perfection chrétienne. Charlotte sait, puisqu'elle est arrivée :

> *Élevez donc votre esprit, et au rang* (52)
> *Des bienheureux vous me verrez assise*
> *Devant mon Dieu, dessus le dextre banc.*

Le rôle de la tante devient donc celui de questionneuse. Elle est dans le monde d'en bas, en proie aux doutes, à la peur, saisie par les différents prêcheurs de vérité qui s'affrontent. A-t-on du mal à se séparer de son corps ?

Charlotte :

> *Je vous promets, ma tante, sans mentir* (169)
> *Que quand le corps, par douleur affaibli*
> *S'appesantit jusqu'à terre sentir,*
>
> *Et l'esprit* [13]*, par l'amour ennobli*
> *Tire tout droit au ciel par tel désir*
> *Que l'âme met tout son corps en oubli.*

13. *Esperit,* trois syllabes.

Ensuite, et c'est là l'intérêt principal de ce poème, sont traités les modes et façon de « soi sauver ». C'est l'occasion pour Marguerite de proclamer les leçons reçues de Briçonnet, et aussi les lumières qu'elle a vues dans les premiers textes de Luther. *Sur les vœux monastiques*, mais aussi *La Liberté chrétienne*, parue en 1520, qui l'influencera de plus en plus.

Briçonnet, nous le voyons paraître dans la reprise presque textuelle de certains passages tirés de ses lettres de consolation. Certaines de ses métaphores préférées sont là.

Madame la Duchesse :

> *Bien que soyez triomphante arrivée*
> *Où sans cesser buvez à la fontaine*
> *De Charité, aux élus dérivée...* (28-30)

Ses croyances aussi paraissent, qui feront dresser les oreilles de la Sorbonne et du Parlement. La foi, non les œuvres :

Charlotte :

> *Ne faites pas comme infidèles font*
> *Qui estiment par œuvre méritoire*
> *Que paradis justement gagné ont* (958)

La foi sauve, non le recours machinal aux saints du paradis :

> *Si de la foi ne vous voulez parer*
> *Et Dieu vous a en indignation*
> *Courir aux saints serait trop s'égarer* (397).

Le libre arbitre ? Question posée depuis plus d'un millénaire. L'homme a-t-il libre choix ou non ? Au IVe siècle, saint Augustin répondait à Pélage et à Caelestius : « Nous sommes libres par la grâce », et les pélagiens étaient mis hors d'Église. Au XIIIe siècle, même conflit entre Thomas d'Aquin, le père de la scolastique, et Duns Scot. Sujet épuisé ? Bien au contraire. Tandis que Marguerite écrit son *Dialogue*, le *Serf arbitre* de Luther va répondre (1525) au *Libre arbitre* (1524) d'Érasme.

Alors, pour la première fois, non la dernière, nous voyons paraître l'originalité de Marguerite prise entre des leçons opposées. Le libre arbitre? Laissons cela aux docteurs sans nous en mêler! Or c'est l'âme sauvée qui dit cela, non la tante :

Charlotte :

> *Je vous prie que ces fâcheux débats* (925)
> *D'arbitre franc et liberté laissés*
> *Aux grands docteurs qui l'ayant ne l'ont pas.*
>
> *D'inventions ont leurs cœurs si pressés*
> *Que vérité n'y peut trouver sa place*
> *Tant que soient leurs plaidoiries cessées.*
>
> *Mais quant à vous, quoi qu'on vous dise ou fasse*
> *Soyez sûre qu'en liberté vous êtes*
> *Si vous avez de Dieu l'amour et grâce.*

C'est donc pour finir la théorie orthodoxe augustinienne qui prévaut dans l'enseignement de l'âme délivrée.

Auprès du mot « grâce », objet de théologie, nous trouvons le mot « amour », et dans tout le *Dialogue* cet amour chantera [14]. Marguerite n'est pas une érudite. Sa foi partagée entre tradition et *devotio moderna* reste, si j'ose le dire, entre deux chaires. Quoi de plus? Elle farcit son texte – tous ses textes – de citations bibliques et évangéliques, à la façon de Briçonnet. Mais sa voix chrétienne, c'est l'amour plutôt que la crainte de Dieu. L'amour qui emplit ce texte de lumière d'espoir, qui colore toute la dévotion ardente de la princesse, la console en ses pires détresses, la pousse à écrire ses poèmes incantatoires. « Soyez un chant! », disait à ses fidèles Ignace d'Antioche, martyr du IIe siècle.

Reste à déterminer la qualité littéraire du chant. Elle est, à n'en pas douter, médiocre : redites, maladresses, longueurs génératrices d'ennui, fouillis, images éculées voisinant avec des trouvailles. Rhétorique aussi, dans les agglomérations de métaphores, empilages verbaux. De beaux mouvements dans l'exaltation comme dans la réprobation. Ainsi, sur la prière opposée à la bigoterie :

14. Voir vers 238 et sq. : *Amour est feu...*

Soit en jardin, bois, rivière, ou maison (844)
Buvant, mangeant ayant à lui amour
Vous le priez en tout lieu et saison

Mais si voulez faire à péché retour
Rien ne vous sert marmotter à l'église
Ni observer viande, lieu, temps ni jour.

Le *Dialogue* montre tous les défauts d'un premier essai en un genre bien difficile. Jourda résume ces maladresses par une formule sévère mais exacte : « L'exécution a trahi l'inspiration, et la forme l'idée. »

Restent les emprunts. Le choix de la *terza rima* n'est pas une innovation. Lemaire de Belges l'avait déjà utilisée. Il s'agit de strophes de trois vers rimant par :

A B A, B C B, C D C et la suite.

Il n'est pas impossible que, au moment d'écrire le *Dialogue*, Marguerite ait choisi sa forme d'après une traduction de *L'Enfer* de Dante, traduit en *terza rima* par François Bergaigne (1524). Mais elle connaissait cette façon de versifier, s'y était déjà essayée dans deux poèmes courts. Au reste, sa filiation poétique est plus pétrarquienne que dantesque. Certains tercets entiers (64-67) par exemple sont une traduction littérale de vers du *Triomphe de la Mort* de Pétrarque. Plagiat ? Cela n'était à cette époque ni crime ni faute. Qui reprochera à Ronsard de plagier Horace [15] ?

Pour nous résumer, disons que le *Dialogue* nous renseigne davantage sur les opinions religieuses de Marguerite qu'il ne nous persuade de son génie poétique. Nous aurions tort d'oublier ce texte, et d'autres de la même époque mieux réussis poétiquement, tels l'*Oraison à Notre Seigneur Jésus-Christ* et même le *Discord*. Ils nous assurent, par le divorce entre l'élan « moderne » et la forme ancienne, que la poésie française arrive à un tournant nécessaire. La génération suivante brisera les moules et fera merveille : les Lyonnais, la Pléiade. Marguerite, si elle innove dans la langue,

___

15. *Carpe diem, carpe horam...* « Cueillez dès aujourd'hui les roses de la vie. »

certaines trouvailles poétiques et le choix courageux du chant spirituel, reste prise entre deux époques comme nous l'avons vue coincée entre deux styles de dévotion.

Avant d'en finir avec le *Dialogue*, citons l'un des rondeaux sur le même thème, qui le précède avec deux autres dans l'édition de la Bibliothèque nationale de Vienne [16].

Saillez dehors mon âme je vous prie
Du triste corps tout plein de fâcherie
Où vous êtes en obscure prison
Pour parvenir à la belle maison
Avec les saints, et de leur confrérie.

Vous l'aimez trop, dont en serez marrie :
Car où il veut il vous mène et charrie
Laissez-le là, puisqu'il en est saison;
    Saillez dehors.

Sans sûreté d'état toujours varie
De sa santé, ce n'est que moquerie;
Force, beauté et grâce sans raison
C'est vanité. Oyez donc l'oraison
Partant du cœur, qui à haute voix crie :
    Saillez dehors.

... L'âme de Charlotte saillit, et Marguerite engagea le *Dialogue*.

Perpétuation du « Dialogue »

A ce que nous pourrions appeler l'« époque spirituelle du *Dialogue en forme de vision nocturne* » se rattachent d'autres poèmes d'inspiration chrétienne tout aussi exaltée : les deux *Oraisons*, le *Petit Œuvre*, le *Discord* et quelques pièces mineures. L'*Oraison à Notre Seigneur Jésus-Christ* est la plus ancienne. Une

16. Cf. la remarquable étude critique de Renja Salminen, Helsinki, 1985.

récente édition critique [17] la date de 1524-1525. Les autres pièces sont postérieures. Bien que l'on y trouve un cheminement extra-fabriste, nous ne considérerons ce nouveau parcours spirituel que dans son aboutissement clairement condamné par l'orthodoxie romaine : *Le Miroir de l'âme pécheresse*. Ces influences nouvelles (Luther encore, l'école de Strasbourg) deviennent si nettes dans *Le Miroir* (publié en 1531) que nous traiterons de ce poème-là à part, dans son contexte historique [18].

Disons rapidement des autres textes. L'*Oraison à Notre Seigneur Jésus-Christ*, tout inspirée par l'une des dernières lettres de Briçonnet (120), marque un net progrès non dans le fond, qui ne varie pas, mais dans la maîtrise de la langue poétique de Marguerite. Moins de raideur dans ces dix-huit strophes de dix-huit décasyllabes. Moins d'irrégularité dans la place des césures, langue toujours allusive et allégorique, mais moins délayée. Révérence à Pétrarque, aux Pères de l'Église, à ce Denys l'Aréopagite naguère traduit par Lefèvre [19]. La soumission à la personnification des sentiments par allégorie est ici moins constante, ce qui « modernise » en quelque sorte le texte. Nous pouvons croire que le *Dialogue*, poème violent mais un peu informe, est une sorte d'essai brouillon, que les œuvres suivantes dépassent en qualité littéraire. Quant à l'expression, elle reste toujours aussi vivement, mais plus élégamment emportée. Selon la belle formule de Pierre Jourda, « ce n'est que lyrisme au sens complet du mot ». Voici la créature devant le Christ crucifié :

> *Bien est le cœur de fer ou de rocher* (vers 28)
> *Qui par amour ne dut partir [20] ou fendre*
> *Car, sans faire semblant de vous fâcher*
> *Tout votre corps avez laissé hacher*
> *Pieds, mains percer, et mort sur la croix prendre*
> *Et par ruisseaux votre saint sang répandre*

17. Helsinki, 1981.
18. Composé sans doute en 1527-1528.
19. Par exemple *la corde* dont Dieu se sert pour tirer l'homme vers Lui.
20. Se briser en morceaux.

Pour du signe Tau [21] *notre front marquer*
Qui ne vous rend amour est à reprendre
Et lui doit-on tous vos biens reprocher.

L'exposé doctrinal prend de l'ampleur. Ainsi,

Satisfaire n'y puis par nul effort (277)
Ni parvenir par mon labeur au port
De la grâce, par laquelle je crois
Vous sauverez tous ceux qui par la foi
Ont mis en vous leur fiance et confort.

De même, l'inutilité des œuvres, plus harmonieusement décrite :

Las, oubliées les fautes de jeunesse (181)
Soit par vouloir, par malice, ou finesse
Fragilité, folie, ou ignorance.
Je viens à vous et prends cette hardiesse [22]
Me confiant du tout [23] *à la promesse*
De mon salut, par votre grand' souffrance;
Car de penser que peine ou pénitence
Peut mériter d'emporter la balance
De mes péchés, ce serait grand' simplesse [24]
Par quoi, sans plus, à la très grand' largesse
De votre amour fonde mon espérance.

Enfin, ce superbe mouvement de foi et d'amour se termine ainsi :

Par charité, qui tout péché pardonne
En cette foi sûre et ferme me tais
Et pour penser le parler j'abandonne.

---

21. La lettre hébraïque *tau*, en forme de croix, fut prise comme symbole par les chrétiens, car elle désignait aussi « la marque ». Marguerite en avait demandé explication à Briçonnet, qui par erreur volontaire ou non lui répondit sous la lettre *mem*, introduisant la dispute (déjà!) entre le *clos* et l'*ouvert* (120).
22. Har-*diesse* a deux syllabes en tout.
23. Tout à fait.
24. Sottise.

Dans le *Discord*, l'opposition classique entre le corps pécheur et l'esprit libéré donne un balancement un peu mécanique, mais les innombrables citations de la Bible (Osée), de saint Paul (épîtres aux Galates, aux Romains, aux Corinthiens, aux Éphésiens), de saint Jean pour finir, s'intègrent au mouvement lyrique.

> *... Qui suit la chair, il est à Dieu contraire...* (Romains)
> *... Qui suit l'Esprit, bonnes œuvres sait faire...* (Galates)

Le *Petit Œuvre dévot et contemplatif* montre l'auteur perdu dans un désert. Elle rencontre un homme qui la rassure – est-ce Briçonnet? – et la remet en route. Elle étreint un arbre en forme de croix et élève son âme vers « le seul nécessaire ».

Dans l'*Oraison de l'âme fidèle*, que l'on croit pouvoir dater, comme les autres, d'avant 1530, Marguerite, encore empêtrée par la rhétorique, trouve des accents poignants. Dieu est tout-puissant, la créature indigne. L'humain n'est rien, et doit bien s'en persuader, sans que le *cuyder* [25] l'en détourne :

> *O mon doux Rien, viens rompre la barrière*
> *De mon cuyder, me faisant être Rien,*
> *Et tout ainsi que soleil en verrière*
> *Reluis en moi, qui sans toi n'ai nul bien.*

De beaux accents pour montrer la vanité humaine :

> *Abbé n'y a, ni Moine ni Prieur* (v. 348)
> *Qui n'ait en soi Remords, ce grand crieur*
> *Rendant toujours conscience incertaine.*
> *Où est le bien, l'argent ou le domaine,*
> *Où est l'honneur et le plaisant plaisir*
> *Dont l'âme soit si contente et si pleine*
> *Qu'elle n'ait plus le tourment du désir?*
> *L'enfant prodigue alla loin pour chercher*
> *Ce qu'il pensait le repos de sa chair,*

---

25. *Cuyder:* premier sens : « croire par supposition ». Se *cuyder*: être sûr de ses opinions, donc présomptueux. N. m. *Cuyder*, nous le comprenons par ses dérivés, outrecuider, « outrecuidance » : c'est l'outrecuidance de l'orgueil humain face à Dieu, haï par Marguerite et par Luther.

Prenant plaisir (autant qu'il en peut prendre)
A danses jeux et à s'escarmoucher
En maints tournois, où l'honneur coûte cher...

Ce qu'il nous faut retenir, c'est qu'entre le début de 1525 et 1530, Marguerite écrit des poèmes sur la lancée du *Dialogue*, et avec plus d'habileté dans l'expression. Pendant ces cinq ans, nous allons pourtant la voir aux prises avec des peines et des malheurs successifs, avec des soucis personnels et des charges diplomatiques importantes. Nous la verrons, après le désastre de Pavie, au premier rang de la vie politique française. Des joies aussi : après son veuvage en 1525, son remariage en 1527, qui lui donne le rang de reine. La naissance de sa fille Jeanne. Celle d'un fils qui ne survivra pas.

Durant ces années brûlantes ou glacées, Marguerite d'Alençon – qui va devenir de Navarre – mène une existence non plus mondaine, mais publique des plus agitées. Avant de l'y accompagner, nous devons savoir que durant cette époque non seulement sa verve lyrique ne s'est pas tarie, mais qu'elle l'a assurée. Des lectures, dont certaines déterminantes, des peines, un changement d'état et de mari, la maternité, le déchirement et la victoire de son amour fraternel la mûriront. Ainsi s'étoffera son talent, enrichi ensuite par plus d'un échec et par un discrédit.

DEUXIÈME PARTIE

CHAPITRE VI

L'équipée

Pavie

Nous devons faire le point de la situation militaire, tandis que François Ier passe les Alpes en septembre 1524. Après des hauts et des bas, elle est devenue plutôt favorable à la France.

En 1523, bon début : l'armée de Bonnivet a envahi le Milanais, forte et bien munie. Le roi ne l'a pas suivie : la trahison de Bourbon, la maladie aussi le retiennent à Lyon, et la nécessité de réunir des fonds toujours plus nécessaires. Laisser l'armée à Bonnivet était une imprudence : l'amiral se montrait parfaitement incompétent. Il traîne tout l'hiver sous Milan sans oser attaquer. Prospero Colonna [1], le meilleur général des impériaux, vainqueur à La Bicoque l'année précédente, meurt dans la place, ce qui est heureux pour les assiégeants. Mais le vice-roi de Naples, Charles de Lannoy, commande les impériaux. Il les renforce par des achats de mercenaires, tandis que l'armée française s'épuise dans des coups de main, des désertions, des maladies.

Au printemps 1524, Bourbon devient le fer de lance de

---

1. Prospero Colonna descendait de cette famille romaine dont la rivalité avec les Orsini, au XIIIe siècle, fit couler du sang et de l'encre. L'un de ses ancêtres assassina un pape (Boniface VIII), un autre accéda au trône de saint Pierre (Martin V). La nièce de Prospero, marquise de Pescaire, fut « la divine » Vittoria, égérie de Michel-Ange, poète de talent, dont nous verrons l'influence sur Marguerite.

l'ennemi. Bonnivet et ses troupes battent en retraite. Les Suisses rentrent chez eux. Le connétable félon pousse son avantage, ramène les Français chez eux l'épée dans les reins. Il traverse la Provence presque sans opposition. Charles Quint n'a-t-il pas formé une coalition pour attaquer la France sur tous les fronts ? Pendant la retraite, Bayard est mort en héros au passage de La Sesia. Lourd handicap pour une armée qui se débande (30 avril 1524).

Au début de l'été, voici Bourbon qui assiège Marseille, aidé par le marquis de Pescaire. La ville se défend avec acharnement. Par ailleurs, la coalition se détrame, Charles Quint ne fait rien.

Tout se renverse du coup. François a renouvelé et renforcé l'armée, qu'il fait réunir dans le Comtat Venaissin. Tandis que Bourbon est contraint de retraiter à son tour, voici les chefs de guerre et le roi de France qui mènent la contre-offensive, et repassent les Alpes au mois d'octobre.

Madame Louise, régente désignée, voit dans cette contre-expédition un coup hasardeux. Elle veut dissuader son fils de partir en guerre aux approches de l'hiver. Elle gagne le Midi pour le raisonner. Elle arrive trop tard à Avignon : l'armée est passée. Madame n'a plus qu'à regagner Lyon.

Bourbon, Pescaire et Lannoy laissent venir les Français sans véritable opposition. Ils se retranchent dans Lodi et surtout Pavie, ville lombarde fortement défendue. Milan, cette fois mal protégée, ne résiste que pour la forme. Nous avons vu François y rentrer le 26 octobre 1524.

La suite a fait l'objet de nombreux commentaires. Pourquoi n'avoir pas d'abord attaqué Lodi, proie facile ? Pourquoi choisir d'investir l'imprenable Pavie, où le meilleur des troupes ennemies s'est installé ? Pourquoi surtout, une fois tenté et manqué un premier assaut, le roi n'est-il pas rentré en France, confiant à ses lieutenants un siège hivernal qui s'annonce long et pénible ? Il est clair que les impériaux veulent émietter les Français et leurs mercenaires par l'attente stérile, comme ils l'avaient fait sous Milan l'année précédente. Certains reprochent à Bonnivet ses mauvais conseils, dont il demeurera prodigue. D'autres mettent le mauvais choix au crédit de l'orgueil du roi, avide d'un second Marignan.

Quoi qu'il en soit, François Ier hiverne sous Pavie de fin octobre à février 1525. Les activités diplomatiques déployées en cette période donnent à cette décision des raisons plus sérieuses que la gloriole. Le pape, qui a cru un moment à la suprématie impériale, revient à l'alliance française : il lui en cuira. Venise se déclare aussi pour François. Ce dernier reçoit également les ambassadeurs de Soliman le Magnifique, décidé à remonter le Danube et à attaquer la Hongrie, puis l'Autriche. L'Angleterre a reçu de l'or pour rester neutre. Tout semble aller vers une prochaine victoire française.

François Ier y croit trop tôt. Il se sépare d'un tiers de son armée, qu'il envoie vers Naples. Pendant ce temps, l'archiduc Ferdinand, frère de l'empereur, expédie des renforts aux impériaux d'Italie.

Les deux armées ennemies s'ébranlent au début de février. Une médiation inattendue est bien près d'empêcher l'affrontement. Elle vient du pape Clément VII. Ce Médicis instable, craignant les deux partis, essaie de les réconcilier par la voix de l'évêque de Vérone : qu'une trêve de cinq ans soit signée, honorable pour les deux camps.

Le représentant de l'empereur ne dirait pas non. C'est encore le malencontreux Bonnivet qui persuade François de refuser cette proposition inespérée : il faut se battre! Comme à La Bicoque, voici les mercenaires des deux camps qui poussent à une bataille où l'on pourra piller, si l'on est vainqueur. Le 23 février, les dés sont jetés. L'obscure bataille de Pavie commence.

Obscure, car des récits successifs et contradictoires la rendent difficile à suivre dans le détail. Tenons-nous-en aux faits irréfutables et aux meilleures suppositions [2].

Désormais plus forts en nombre que les Français, les impériaux attaquent, dans la nuit du 24 au 25 février, les troupes de François Ier, bien à l'abri dans le parc de Mirabello. L'abri tout à coup est forcé. L'artillerie française fait merveille, mais l'impatience du roi empêche ses artilleurs de refaire « le coup de Marignan ». Il lance sa cavalerie à l'attaque, ralliée à son panache blanc.

---

2. Jean Giono, peu après la sortie de son livre consacré à cette bataille, m'a dit que son récit – pourtant lumineux! – devait parfois s'appuyer, faute de certitudes ponctuelles, sur des probabilités.

Du coup, deux catastrophes se produisent : l'artillerie doit cesser le feu, sous peine d'écraser des Français. L'infanterie, de son côté, ne peut suivre la course folle des chevaux. Elle arrivera en retard – et hors d'haleine – sur le champ du combat, luttera sans âme.

L'artillerie se tait donc. L'infanterie suisse ne tarde pas à se débander dans les brouillards de l'aube. De plus, pour des raisons dont on dispute encore, le duc d'Alençon ne fait pas donner l'arrière-garde qu'il commande. Malheureux déjà à Marignan, le mari de Marguerite fait à Pavie figure de lâche. De traître, diront les plus chauds.

La vérité semble tout autre. Alençon dut voir le roi et quelques centaines de braves cavaliers encerclés de toutes parts, l'infanterie lâchant pied, la défaite assurée. Il ne voulut pas faire massacrer ses troupes pour rien. Peut-être essaya-t-il, comme le croient certains historiens, d'amorcer un mouvement tournant qui pût dégager le roi. N'y parvenant pas, voyant que toutes les troupes ennemies convergeaient vers le centre de la mêlée, Alençon se dégage et se met en retraite. Il passe le Tessin dont il détruit les ponts. Il regagne la France la tête basse, encourant un mépris que sans doute il ne méritait pas.

Il reste à nous demander pourquoi la furieuse charge de cavalerie française, roi en tête, a si brusquement échoué. Comme à Crécy autrefois, il semble qu'il se soit agi d'une erreur d'armement [3]. A Crécy, les célèbres bombardes ne parurent que pour la forme. Les flèches anglaises suffirent à percer les cuirasses des chevaliers en retard de plusieurs guerres. Soixante-dix ans plus tard, à Azincourt, confirmation de cet état de fait : le chevalier lourd ne vaut rien contre les flèches et les carreaux qui trouent les cuirasses de loin.

A Pavie, l'arme à feu crée en cette matière une irrémédiable différence. Pescaire a pitié des arquebusiers derrière ses propres cavaliers. Ils projettent sur la charge du roi et de ses Français une meurtrière mitraille, font un carnage limité certes, mais terrible pour le moral des chevaliers à la mode des croisades.

Bref, voici François démonté au milieu de ses ennemis, entouré

3. Crécy (1346); Azincourt (1415).

seulement de quelques fidèles. Il se bat en géant, faisant tournoyer son épée-à-deux-mains, l'arme du chevalier. Deux fois blessé, il n'est sauvé que par l'arrivée du chef des impériaux, Lannoy, qui le prend sous sa protection. Son armure est mise en morceaux qu'emporteront les proches assaillants : souvenirs de guerre.

A Pavie, la superbe artillerie française ne servit à rien. Les arquebuses des ennemis brisèrent une charge qui aurait pu être décisive. Cela n'apparaît guère dans les récits que Martin du Bellay en fit peu après. Montaigne même pourra écrire cinquante-cinq ans plus tard : « Les armes à feu sont de si peu d'usage, sauf l'étonnement des oreilles, qu'on en quittera l'usage ».

Le roi de France est confié aux gardes de Lannoy. Sur le champ de bataille, il laisse près de dix mille morts, selon des estimations variables. Bonnivet, le mauvais conseiller, est allé s'empaler exprès sur les lances, ayant jeté son casque pour mourir à coup sûr. Toute cette folie mêlée de sottise et d'imprudence n'est-elle pas de sa faute ? François de Lorraine est mort, et Jacques et Georges d'Amboise, le maréchal de Foix, et le grand écuyer Galéas de Saint-Séverin, traîné par son cheval. Morts, le vieux La Trémoille, d'un coup d'arquebuse à bout portant, et le bâtard de Savoie, et le bon Jacques de Chabannes, seigneur de La Palice, maréchal de France, qui avait bouté Bourbon hors de Provence. L'armée en fit une chanson :

> Monsieur de La Palice est mort
> Mort devant Pavie
> Un quart d'heure avant sa mort
> Il était encore en vie.

Il paraît que l'attribution à ce brave soldat des fameuses « lapalissades » est pure légende. Dommage. Nous aurions dit dans sa manière : « Si François n'avait pas rendu la défaite inévitable, il aurait pu l'éviter. »

Car enfin, si Marignan fut une grande joute le long d'une chaussée où le meilleur gagna, la bataille s'y développait par ailleurs de façon cohérente. Pavie au contraire semble l'archétype des actions brouillonnes, récoltant ce qu'ont semé une stratégie rudimentaire, une tactique détestable. La chance, de surcroît, élément non négligeable, n'était pas avec les Français. Un désastre s'ensuivit par enchaînements de maladresses. Nous pourrions presque dire que Lannoy et les siens gagnèrent moins la bataille que François ne la perdit.

Voici donc le roi vaincu, prisonnier, sa chevalerie décimée. Lannoy envoie porter la nouvelle à Tolède, où se trouve Charles Quint. François reçoit la permission d'écrire à sa mère régente cette lettre dont quelques mots sont restés célèbres : « Madame... de toutes choses ne m'est demeuré que l'honneur et la vie sauve. »

Pavie, ce chaos qui s'achève par un massacre, c'est Marignan à rebours. Pour l'empereur, une victoire considérable. Pour la France, un malheur. Ce sera en outre, pour Marguerite, un bouleversement complet de sa vie retirée, assorti d'un veuvage soudain.

Alençon en effet va mourir presque aussitôt. Il est rentré tout penaud à Lyon, et doit affronter la colère et les injures de sa belle-mère. Il s'alite bientôt, frappé de pleurésie [4]. Marguerite ne quitte pas son chevet, en épouse exemplaire. Elle écrit cependant à Montmorency, qui peut voir François dans la prison où Lannoy le garde : la forteresse de Pizzighettone, sur l'Adda. Le roi y passera trois mois, avant d'être transféré en Espagne.

Le mardi 11 avril 1525, Charles d'Alençon meurt. Il lègue tout son avoir à sa femme, et trop peu à ses sœurs, qui feront de longs procès à la veuve. Celle-ci prend le deuil en blanc, comme il convenait à une princesse du sang [5]. Le chagrin qu'elle ressent, nous n'en aurons des échos que bien plus tard, plus de vingt ans après, dans son poème *Les Prisons*. Il y paraît que, malgré sa réserve, elle chérissait au fond ce mari si éloigné d'elle par l'esprit et les goûts.

Surmontant cette peine qu'elle cache bien, la princesse envoie des lettres tendres à son frère, mais aussi des missives suppliantes à toute haute personne capable de hâter sa délivrance. Ainsi écrit-elle à Marguerite d'Autriche, régente des Pays-Bas : tante

---

4. Ou de pneumonie. Le mot *pleuresis* est équivoque.
5. Au siècle suivant, à la cour, le deuil se porta en gris, puis en violet. Le noir ne devint de rigueur dans l'habillement qu'au début du XIXᵉ siècle. Le dauphin, quand le roi mourait, se vêtait de pourpre. Le noir n'était réservé depuis le XIVᵉ siècle qu'à la « chambre de deuil ».

de Charles Quint qu'elle a élevé certes, mais aussi veuve de Philibert de Savoie, frère de Madame Louise.

Libérer le roi? Ce ne sera pas facile. Il faut engager des négociations. Il semble que François Iᵉʳ lui-même ait demandé que sa sœur vînt comme ambassadrice. Madame donne son accord. Dès le mois d'août, Marguerite, d'abord par la voie de terre jusqu'à Aigues-Mortes, puis par mer vers Palamos, gagne l'Espagne, escortée d'une nombreuse compagnie. Hier encore enfermée dans sa quête spirituelle, la voici au premier plan de la vie politique française et européenne : ambassadeur extraordinaire, chargée de négocier la paix.

La chevauchée de la dame blanche

Charles était, si l'on peut dire, mort à pic. Veuve à ce moment grave, Marguerite devenait un pion à placer, par remariage, sur l'échiquier diplomatique. Dans cet après-Pavie, chacun y songea, de sa mère aux étrangers bien intentionnés : marier la princesse à un proche de Charles Quint, c'est faciliter le retour du roi en France, et baisser le prix de la rançon.

Avant même que l'on parle de l'envoyer en Espagne, chacun pense donc à établir Marguerite. Pourquoi pas Charles Quint lui-même? songe un parti dont sa mère sans doute partage les vues. Pourquoi pas le « très meschant » mais très influent Bourbon? pensent les autres.

Charles Quint? Lui donner la sœur de François serait mettre fin au malheur de la France. Certes, il n'a que vingt-cinq ans, il est prognathe et bredouilleur, mais reste maître du jeu. Les marieurs ne comprennent-ils pas qu'épouser Marguerite, ce serait pour l'empereur perdre sa position de force après Pavie? Ils persistent dans leurs espoirs.

Lui faire épouser Bourbon? Ce serait aller contre le vœu populaire. Le peuple de France, des chansons l'attestent, tient l'ancien connétable pour un félon, et le déteste en conséquence. Marguerite n'est pas moins irritée contre lui : elle a en horreur tout ce qui lèse son frère.

Ces deux chimères de mariage, au reste, ne sont pas les seules à la fin du printemps 1525. D'autres partis sont proposés à la fois par ceux qui veulent du bien à la France, et par ceux qui trouveraient avantage à lui être alliés. Le pape Clément VII, pour sa part, a une idée toute simple. La France, depuis trente ans, dépense des millions en or et fait tuer des milliers de gens pour avoir Milan, ses terres et sa banque. Pourquoi ne pas tout simplement unir Marguerite à François Sforza, qui a recouvré le Milanais après Pavie [6]? Ainsi, la France reprendrait cette belle proie sans coup férir.

Marguerite ne sait rien de ces projets qui l'impliquent. Ils foisonnent en revanche dans les lettres échangées, l'été 1525, entre les diverses chancelleries d'Europe, ou de souverain à souverain. Ces écrits sont discrets, parfois escamotés, tant chacun craint de les voir traîner sous des yeux indiscrets. Ils sont nombreux, contradictoires autant qu'affirmatifs : « La duchesse épouse Bourbon, l'affaire est faite... » « Charles Quint épousera Marguerite : croyez-en ma parole. »

Certes les courriers mettent du temps à livrer les plus urgentes dépêches, mais toute cette effervescence nous persuade qu'en ce temps-là l'Europe des cours est bien petite. Chaque roi ou reine est le cousin, l'oncle, le frère de telle reine ou tel roi. Il ne reste à part que le pape : mais oublie-t-on qu'il a fiancé, puis dé-fiancé sa nièce au fils de François Ier? Catherine de Médicis, plusieurs fois promise, épousera bien le jeune Henri de France. Les princes-marchands de Florence seront ainsi représentés dans la mosaïque familiale des familles régnantes.

Les premiers chroniqueurs de ces années oublient le rôle important de ce que les services secrets modernes appellent l'« intoxication ». Faire courir presque à voix haute le bruit que Marguerite épouse Charles Quint, c'est empêcher le projet d'aboutir avant même qu'il ne soit formé. L'empereur était-il homme à se laisser marier par la rumeur publique? Pour Bourbon, pour Sforza, même procédé. Il y a partout des espions à l'affût. Louise, la régente, ne l'ignore pas, plus discrète dans

6. Exilé l'année suivante par les impériaux sous prétexte de complot, le dernier Sforza revint en grâce. Il reprit le duché et le garda jusqu'à sa mort (1535). Charles Quint donnera Milan à son fils Philippe II (1540).

ses lettres que dans les propos que lui prêtent ses familiers.

Dès que Marguerite est appelée en Espagne par son frère, et que Madame accepte d'enthousiasme, la folie des cancans reprend de plus belle. Les courriers galopent en tous sens, apportant fausses nouvelles et informations tendancieuses : « Marguerite est malade – Elle va bien, sa mère l'accompagne – Sa mère ne l'accompagne pas – L'empereur rechigne à accorder un laissez-passer à travers l'Espagne – Il ne rechigne pas, mais veut que Marguerite arrive par mer – Le voyage est annulé – Il est reporté »...

Arrêtons là le résumé des lettres qui s'échangent, s'échangeront avec fureur jusqu'au retour de Marguerite, à la Noël suivante. La marmite diplomatique bout. Citons, pour ne pas avoir l'air d'ajouter le moindre grain de sel à la réalité, une lettre envoyée de Rome à Florence au milieu d'août, conservée dans les archives de l'Etat : « Marguerite est partie avec trois cents cavaliers, et le connétable de Bourbon vient de l'épouser. » L'escalade est rapide : promise, fiancée, mariée sans en être informée !

Venons-en à la réalité. Il est vrai qu'un solide sauf-conduit dut être négocié avec quelques difficultés. Il est juste de dire que Madame voulait escorter sa fille jusqu'à Avignon, mais que sa sempiternelle goutte l'en empêcha. Il est vrai encore que, parvenue à Aigues-Mortes où elle devait embarquer sur une galère, Marguerite dut attendre au port. Non par nécessité politique, mais parce que des orages et un vent violent dérangeaient la mer, et que ses bateaux n'étaient pas prêts.

Elle embarque enfin le 28 août 1525 sur la même galère qui avait apporté son frère captif en Espagne. Une belle escorte l'accompagne. Le nombre de trois cents ne paraît pas exagéré : il était en tout cas stipulé dans le laissez-passer. La mer est mauvaise, la traversée pénible. Débarquée à Palamos, elle gagne Barcelone. La population catalane, qui connaît ses malheurs, applaudit à son passage et à son arrivée dans la capitale provinciale. Un haut seigneur envoyé par Charles Quint et le conseil municipal l'accueillent.

Cependant, Marguerite reçoit une lettre de Montmorency, prisonnier à Madrid avec François : ce dernier, écrit l'ami fidèle, est gravement malade.

Alors, nous assistons à une séquence qui semble tirée du plus incrédible des films historiques. Marguerite la « mystique », la timide, l'effacée, se comporte en héroïne de western. A cheval, à marches forcées, elle gagne Madrid. Plus de quarante, à peine moins de cinquante kilomètres par jour, au galop. Elle « sème » son escorte. Elle dépasse « en volant » le nonce apostolique et sa benoîte compagnie. Dix jours de folle chevauchée. François est très malade, il a besoin d'elle! Rien d'imaginaire dans ce réel exploit sportif. Rien d'inventé non plus dans la lettre du maréchal de Montmorency : le roi est alité, gravement atteint, ses médecins sont inquiets.

Marguerite, galopant, gagne presque un jour sur les horaires prévus. L'empereur l'attend dans le soir qui tombe. Vêtue de sa robe blanche – elle n'a pas quitté le deuil de son époux, le portera un an selon l'usage – elle prend le bras de Charles Quint, qui la conduit à travers cours et couloirs jusqu'à la chambre où gît François Iᵉʳ, brûlant de fièvre, inconscient. Il a un abcès au cerveau, et semble mourant. Marguerite, ayant pris rapidement ses quartiers, ne quittera plus son frère, écrira à sa mère que le pire est à redouter.

La princesse était arrivée à Madrid le 19 septembre au soir. Durant les trois jours qui suivent, l'état du roi ne cessa de se dégrader. Il ne reprit plus connaissance. Le 22, Marguerite fit établir un autel dans la chambre. La messe y fut dite, les assistants communièrent et le roi lui-même, à qui l'on fit avaler un morceau de l'hostie consacrée.

Qui eût osé parler à la princesse de coïncidence? Dès ce moment, François va mieux. L'abcès est percé, évacue les sanies par le nez. La fièvre tombe. Le roi de France reconnaît sa sœur. Heureux dénouement provisoire. Tout le monde est heureux, même plus tard Madame, qui reçut par le même courrier deux lettres de sa fille, lui annonçant l'une le triste état de François, l'autre son retour à la vie.

Un autre dut pousser un soupir de soulagement en apprenant « le miracle » de cette guérison. Charles Quint lui-même. Si François était mort en prison, la victoire de Pavie était annulée, ne servait à rien.

Mais François survit, et sa sœur s'arme de courage : il faut maintenant négocier une paix acceptable.

Échec de l'ambassade

François guéri, le vrai travail de Marguerite ambassadrice de France va commencer. Elle connaît la prétention essentielle de l'empereur, maître de la paix après le gain de la guerre. Il réclamera l'Artois et la Flandre, mais avant tout, c'est la Bourgogne qu'il exige : cette Bourgogne que Louis XI a conquise par sa victoire sur Charles le Téméraire, mais que Charles Quint, héritier du Téméraire, veut ajouter à ses nombreuses possessions.

Or la France refuse de céder une province annexée de haute lutte. Réconfortée par un nombreux courrier d'encouragement qui lui vient de l'Europe entière [7], la sœur du roi se prépare à lutter contre forte partie.

Marguerite quitte donc Madrid pour se rendre à Tolède, l'ancienne capitale, où l'empereur a ses quartiers. Elle y parvient le 3 octobre. Les envoyés de Charles Quint vont au-devant d'elle. Ils lui prodiguent toutes les marques du respect : eau bénite de cour, dont elle n'est dupe qu'à moitié.

Le lendemain, l'empereur la reçoit en audience privée pendant deux heures, la fait redemander alors qu'elle va visiter la reine de Portugal, Éléonore, veuve de Manuel Ier. Est-ce bon signe ? La princesse ne le croit pas. Le premier contact est froid. Charles Quint montre de la hauteur dans ses exigences. Éléonore de Portugal, sa sœur aînée, est plus chaleureuse. Un bon contact s'établit tout de suite entre les deux femmes, qui sympathisent. Fine mouche, Marguerite en profitera pour essayer d'atteindre l'empereur à travers sa sœur. En sera-t-elle pour ses frais ? Oui, si l'on s'en tient aux pourparlers de paix. Non, si l'on considère qu'au traité final va être jointe une clause deux fois entérinée par la suite (1526 et 1529), et enfin suivie d'effet (1530) : Éléonore épousera pour finir François Ier. L'ennemi du roi deviendra son

---

7. En particulier la première lettre d'Érasme, qui impartialement admire son courage (28 septembre). Elle restera, nous l'avons noté, sans réponse connue ni probable.

beau-frère, ce qui ne réchauffera que bien occasionnellement leurs relations.

Les derniers tenants d'une union entre Charles Quint et Marguerite ont imaginé à leur fable une fin peu flatteuse pour la dame : avant de la voir, l'empereur envisageait sérieusement de l'épouser. La voyant, il renonça. Était-elle donc repoussante d'aspect ? Certes, elle avait huit ans de plus que le jeune Charles. Une femme de trente-trois ans paraît un peu duègne à un homme de vingt-cinq. Mais cette explication cavalière d'un fait inexistant ne vaut pas plus que ce fait lui-même. Il semble assuré que jamais l'empereur n'ait songé à épouser Marguerite. Quelques mois plus tard en effet, il convolera avec Isabelle de Portugal, la belle-fille de sa sœur Éléonore.

Isabelle, sa future femme – et cousine –, était bien connue de Charles. Elle avait vingt-deux ans, elle était belle et sage. Roi des Espagnes, il avait autant envie de s'approcher du Portugal et de son empire colonial que Manuel, épouseur entêté d'Espagnoles de sang royal, désirait s'approcher de l'Espagne [8]. Il n'est pas inconcevable de penser que Charles Quint a déjà pris le parti d'épouser la jeune Isabelle. Il s'en occupera une fois la paix en chemin. Tout ce pâle roman au sujet de Marguerite est de pure invention.

Donner en revanche au roi de France sa sœur réputée stérile – et qui le restera en effet – n'est-ce pas bonne opération ? Aucun héritier français ne viendra réclamer sa part de l'héritage des Habsbourg. L'amitié qui se développe entre Éléonore et Marguerite va dans le sens des visées impériales. Charles n'y mettra fin que lorsqu'elle l'embarrassera. On parlait d'unir Éléonore à Bourbon : Marguerite dit à la reine tout le mal qu'elle pense du personnage, et vante vertus et mérites de François. C'est suffisant. Brusquement, l'empereur sépare les deux femmes, envoyant sa sœur résider dans un couvent.

Cette péripétie ne change rien au principal des tractations. Charles veut la Bourgogne, Marguerite la refuse au nom de la

8. Manuel le Fortuné (1469-1521) poursuivit l'œuvre colonisatrice de Jean II, à qui Rome avait concédé (voir ci-dessus) « la moitié du monde à découvrir ». Sous son règne se développa un beau gothique dérivé, dit « style manuélin » (Belem, cloître de Batalha).

France. Elle ruse. Elle tente de créer une « fausse Bourgogne », composée de provinces annexes, qui reviendrait à l'empire. Charles Quint s'emporte. Veut-on se moquer de lui?

Les négociations s'interrompent. Les conseillers de l'empereur, dont ce Gattinara qui l'avait si bien conseillé après le Camp du drap d'or, font monter le ton. Face à eux, les négociateurs français ont piètre mine. Charles reste plusieurs jours sans appeler Marguerite. Il la reçoit enfin à nouveau. Entre-temps, la princesse a écrit à François dans sa prison de Madrid. Elle qui lui avait toujours conseillé l'humilité, le rôle du malade affaibli, change de ton. Les pourparlers, a-t-elle compris, n'aboutiront pas. François doit donc reprendre toute sa superbe, et cesser de baisser le front.

L'ultime entrevue du 11 octobre 1525 ne donne rien de positif. Alors Marguerite, adoptant elle-même l'attitude fière qui convient à la déléguée plénipotentiaire de la France, décide de ne plus quémander, de renoncer aux compromis, de quitter Tolède. Elle part en effet pour Madrid le 14 octobre. Les ouvertures qu'elle a faites n'ont servi à rien. Les pourparlers ont échoué.

Aussitôt, les courriers diplomatiques se remettent à galoper : anglais, italiens, autrichiens, pontificaux. Les plus incroyables rumeurs circulent au sujet de l'arrêt des négociations. Charles les aurait mises au prix du mariage de Bourbon et de la princesse, qui lui aurait répondu : « J'aimerais mieux mourir. » Tout cela n'est que bavardages. Un seul fait reste acquis : Charles Quint ne veut pas renoncer à la Bourgogne, et la médiation de Marguerite n'a servi qu'à le buter.

De retour à Madrid, elle règle ses dettes et celles de son frère, encourage ce dernier à une ferme résistance. Elle va partir.

Charles Quint n'essaiera pas de la retenir. Il s'y efforcera d'autant moins qu'une affaire fâcheuse est portée à sa connaissance. Voyant s'envoler tout espoir de tempérer les exigences de l'empereur, Marguerite avait prêté la main à un complot destiné à faire évader François Ier. Un officier nommé Cavriana, espérant tirer bon bénéfice de l'évasion royale, mit au point un plan excellent : achat de geôlier, fuite vers la frontière. Dans les premiers jours de novembre, Marguerite soutient les menées de Cavriana. Que le roi s'évade! Pour sa part, elle restera en Espagne comme otage, dit-elle, en prison ou dans un couvent pour le reste de ses jours.

Ce sacrifice ne sera pas nécessaire. Un serviteur de l'illustre prisonnier dénonce Cavriana, qui est arrêté, son projet ruiné. Marguerite, que Charles Quint hésitait à laisser partir, reçoit aussitôt un laissez-passer qui ressemble fort à une expulsion. Le 27 novembre commence un voyage de retour long et pénible à cause de la mauvaise saison.

Le complot manqué, cependant, n'est pas la seule erreur commise. François, pour être libéré, conçoit une mauvaise idée : il va abdiquer en faveur de son fils aîné, le dauphin François. L'acte d'abdication sera acheminé vers Lyon, par le maréchal de Montmorency. Le Parlement de Paris refusera de l'enregistrer. Inacceptable pour la France, mais aussi pour l'empereur : le roi abdique en faveur d'un fils qui n'a pas huit ans, mais ce dernier doit restituer la couronne dès que son père rentrera en France. La ruse est grossière. Projet avorté.

Marguerite cependant chemine. Elle écrit de nombreuses lettres. A son frère, elle montre d'abord un découragement complet, puis un espoir retrouvé. Elle fait route vers la Catalogne, passe le col du Perthus, atteint la frontière française à Salses le 23 décembre.

Le jour de Noël 1525, une foule enthousiaste l'accueille à Narbonne. L'ambassade a échoué. La vigueur avec laquelle elle fut menée nous montre un aspect jusqu'alors non évident de « Marguerite la seconde » : énergie farouche, courage et ténacité dans les épreuves les plus dures.

Le retour du roi

La fin du voyage est marquée par un accident. La chevaucheuse d'Espagne, qui brûlait les étapes pour galoper vers son frère malade, fait en Languedoc une assez sérieuse chute de cheval. Elle devra s'arrêter une bonne quinzaine de jours. Sa mère, cependant, quittait Lyon pour accourir à sa rencontre. Une fois de plus, la goutte l'empêche de poursuivre. Louise et sa fille se rencontreront pour finir dans l'Isère, à Roussillon, le 11 janvier 1526.

Simple contretemps, qui met à peine une ombre sur la joie familiale des retrouvailles. En chemin, Marguerite a été acclamée tout du long. Le peuple lui a témoigné son affection et celle qu'il porte au roi prisonnier.

Tout cela, et cette allégresse sincère des Français qui voyaient déjà François délivré, nous le connaissons par les très nombreuses lettres de Marguerite. Elles jalonneront toute sa vie, et sont utiles aux historiens pour en éclairer les détails. Cependant, peu d'entre elles nous éclairent sur le fond de sa personnalité, ses progrès littéraires et spirituels. Sauf quand il s'agit d'une correspondance orientée – les lettres échangées avec Briçonnet –, ou les épîtres en vers – notamment à son frère –, la très « écriveuse » Marguerite ne raffine pas sur le style, en ses missives. Elle donne nouvelles, accuse réception de ce qu'on lui envoie, noue ou raffermit des relations, traite de ses affaires, auxquelles elle n'est jamais indifférente, même à la fin de sa vie. Ce poète, cet auteur dramatique, cette lyrique engagée ne cultive pas le genre épistolaire pour lui-même. Son talent ne s'y épanouit guère. C'est pourquoi, tout en renvoyant les curieux à la récollection de sa correspondance [9], nous citerons rarement ses missives de circonstance. Disons seulement qu'elles furent particulièrement abondantes avant, pendant et après l'équipée espagnole.

Si nous nous en tenons aux faits, qu'apporte au traité de paix à venir le voyage de Marguerite ? Rien. Elle reste sur un échec des pourparlers, une évasion manquée, un refus bougon de l'empereur. Mais l'assurance qu'elle a affirmée, ce qu'il y eut de touchant dans son amour fraternel, de royal dans son refus de s'abaisser n'ont pas été montrés en vain. Aux populations du Roussillon, du Languedoc, de la Provence et du Lyonnais, Marguerite déclare son optimisme, la certitude où elle se trouve de voir le roi revenir bientôt.

Or la suite des événements lui donne raison. D'abord, elle a réconforté par sa force tranquille François Ier : malade et abattu, il est devenu bien portant et serein. Ensuite, elle a montré à Charles

9. Voir bibliographie.

Quint les limites de l'humilité de la France, et que l'on n'accepterait pas n'importe quelles conditions de paix.

Du coup, la nouvelle éclate presque au moment même de son retour : l'ennemi accepte de traiter. Entre le 14 et le 19 janvier 1526, à l'Alcazar où il est retenu, François Ier accepte de signer le traité de Madrid : il abandonne la Bourgogne, toutes les possessions italiennes auxquelles il prétendait, et celles que soutenaient pour lui Robert de La Marck à l'est du royaume, le roi de Navarre au sud. Bourbon et ceux de ses complices qui ont échappé au châtiment seront pardonnés. De plus, deux des enfants royaux, le dauphin François et Henri, duc d'Orléans, resteront prisonniers en Espagne comme otages, garantissant la bonne foi de leur père.

Or la bonne foi est nulle, le serment du roi mensonger. Avant de signer le traité, il a réuni ceux qui parlent pour lui : Montmorency, François de Tournon, archevêque d'Embrun, Jean de Selve, premier président du Parlement de Paris, Chabot, seigneur de Brion, qui gagnera là sa charge d'amiral. Deux notaires sont priés d'écrire et d'enregistrer que tout ce qui sera signé sous la contrainte restera nul et non avenu. Le traité est donc rompu avant d'avoir été conclu. Perfidie? Voire. La loi actuelle juge encore irrecevables les actes ou aveux signés par force ou sous la menace.

Peut-on penser que Charles Quint, et surtout son Gattinara, aient été crédules au point de croire en la parole qu'ils ont extorquée au roi de France? Ce serait juger légèrement. En fait, l'empereur a besoin d'avoir les mains libres. Ses princes allemands, incontrôlables par leur statut même, tentent de s'émanciper en versant dans la Réforme. Les Turcs de Soliman avancent sur le Danube : au mois d'août suivant, le roi de Hongrie et de Bohême Louis II, beau-frère de Charles Quint, sera battu et tué à Mohács. Il faut pour l'instant refermer le dossier français.

Au début de février, François reçoit en prison la visite d'Éléonore, qui sera sa femme : nous avons vu Marguerite préparer le terrain. Le 10 mars, l'empereur se marie avec Isabelle : ce n'est ni par dépit d'avoir été refusé par Marguerite, ni parce qu'il l'avait dédaignée.

Le 17 mars 1526, triste rencontre à bord d'un ponton ancré au milieu de la Bidassoa, ce fleuve frontière souvent nommé dans les annales de la France. Les deux fils du roi, François et Henri, embrassent leur père qui rentre en France. Eux s'en vont en Espagne [10] avec une suite que commande le vieux seigneur de Cossé-Brissac. Le traité étant non seulement rompu mais bafoué dès le mois suivant, les fils aînés du roi ne rentreront en France que quatre ans plus tard. Ils seront en bonne santé, auront appris l'espagnol, mais la rançon exigée pour les libérer avoisinera quarante milliards de nos francs.

Cependant, Marguerite et sa mère avaient quitté Lyon pour Blois, et Blois pour la frontière espagnole où le roi était attendu. La famille se trouve réunie à Bayonne le 18 mars. La joie de Madame et de ses enfants est complète. Elle se teinte déjà de colère contre Charles Quint, qui a si mal traité François et si cavalièrement Marguerite.

A peine a-t-il mis le pied sur le sol de France que le roi manifeste sa volonté encore cachée de renier le traité de Madrid. Il est tout à sa nouvelle maîtresse, Anne de Pisseleu [11], tandis que sa sœur écrit à Éléonore – future reine de France – des lettres aimables payées de retour.

Ignore-t-elle qu'en remettant à demain, puis en refusant clairement les conditions du traité de Madrid, François Ier obligeait Charles Quint à retenir Éléonore, à différer le mariage? Il semble que la princesse ait toujours cru à cette union, malgré la ligue de Cognac et la reprise des hostilités en Italie. Il sera démontré qu'elle avait raison.

A Cognac donc, dès avril, une ligue se forme : le pape, Venise, l'Angleterre conditionnellement, s'unissent « pour rétablir la paix en Italie ». Les envoyés de Charles Quint, dont Lannoy, qui a lié amitié avec François Ier en Espagne, sont abasourdis : les conjurés ne vont-ils pas jusqu'à proposer à l'empereur d'être des leurs, à condition qu'il paie ses dettes à Henri VIII et délivre les enfants de France contre rançon?

10. Le cadet, Charles, avait été mis hors du contrat. Il n'avait que trois ans. Les cyniques pensent qu'avec lui, François Ier gardait un dauphin de rechange. Mais Charles mourra (1545) après François (1536). Henri restera seul héritier mâle.
11. Future duchesse d'Étampes.

En septembre, Charles Quint repousse avec colère les ouvertures de la ligue. Il passe à l'action. Bourbon s'empare de Milan. En mai 1527, il sera tué pendant l'assaut de Rome, que son armée va mettre à sac. Le grand perdant, c'est lui, que personne ne regrette. Quant au pape Clément, il est obligé de s'enfuir pour sauver sinon sa vie, du moins sa liberté. Rome saccagée par des armées catholiques : les réformés peuvent en rire. Bourbon renouvelant les Wisigoths, les Vandales et les Suèves! Deux mois de pillage.

Finalement, il sort de cette horreur deux bonnes choses. L'une pour Rome même : Michel-Ange va refaire la place du Capitole et commencer la reconstitution de Saint-Pierre. Les papes, Sixte Quint surtout à la fin du siècle, donneront à la Ville Éternelle les voies et les fontaines qui en font encore le charme.

Autre bonne affaire : le « meschant Bourbon » a cessé de nuire. Marguerite est trop bonne chrétienne pour s'en féliciter. Elle a du reste, depuis le retour du roi, d'autres raisons successives de se réjouir et de s'épanouir.

CHAPITRE VII

Derrière *Le Miroir*

Félicité (1526-1528)

Le roi François est de retour. Marguerite va connaître une période de joie et de succès. Sa mission en Espagne, inefficace d'abord, porte enfin les fruits attendus. Les ovations du peuple, quand elle traverse les provinces, ne la grisent pas : elle en reporte le mérite sur son frère en bonne « seconde ». Pourtant, durant l'équipée espagnole, Marguerite a donné à « seconde » son autre sens latin : *secunda*, favorable. Son intervention sera de première utilité au premier, son frère.

En ce temps heureux, François n'est pas ingrat. Sa sœur n'a pas besoin de le prier. Il l'aide à tirer d'embarras ses amis suspects, et la comble de bienfaits.

Les amis d'abord. Pour Briçonnet, pas de recours. Il s'est « amendé », et ne fera plus parler de lui jusqu'à sa mort (1534). Quant aux autres, il faut agir vite. Clément Marot est en prison au Châtelet. Dès mars 1526, le voici transféré dans une geôle plus douce, à l'abri du bras séculier, avant d'être libéré. Dans sa captivité, il écrira *L'Enfer :* par prudence, le brillant polémiste qu'il savait être ne donnera pas ce texte à l'imprimeur [1]. Tant mieux pour lui. La verve de cette œuvre n'est pas sans rappeler

---

1. *L'Enfer* figurera dans l'édition des œuvres de Marot par Dolet (1542). Le poète cette année-là s'exile pour la seconde fois, et définitivement.

Villon vouant au diable les exécuteurs de la loi. Marot s'en tire
donc cette fois : partie remise.

Frappés en la personne de Briçonnet, les évangélistes de Meaux
ont dissous le Cénacle. L'absence du roi, puis de Marguerite,
déchaîne leurs ennemis de la Sorbonne. Lefèvre d'Étaples,
impavide, comme inconscient du danger qu'il court, continue son
œuvre scripturaire. Il publie les *Épîtres et Évangiles des cinquante-
deux dimanches* [2], aussitôt tenus pour hérétiques. Luthériens,
dira-t-on. Pourquoi cette uniformisation des doctrines, sinon pour
le condamner alors, pour le « récupérer » ensuite ? Quoi qu'il en
soit, Lefèvre et Roussel ont dû fuir à Strasbourg. C'est à Madrid
même que Marguerite obtient leur grâce. Ils rentreront bientôt,
plus contestants qu'ils n'étaient partis grâce à l'école strasbour-
geoise.

La protection déclarée de la princesse envers les anticonformis-
tes s'étend aussi à Louis de Berquin : voici en effet ce courageux
gentilhomme, au début de 1526, en proie à la colère de la
Sorbonne. Ses livres sont interdits une fois de plus. On le
condamne à l'humiliante « amende honorable ». L'aurait-il acceptée comme Briçonnet, lui qui n'est pas d'Église et s'éloigne de
plus en plus de Rome ? Par l'entremise de sa mère, Marguerite
fait casser la sentence. Après quelques mois – et pour trois ans –
Berquin retrouvera sa liberté.

La reconnaissance du roi ne s'arrête pas aux embarrassants amis
de Marguerite. Il veille à récompenser matériellement sa sœur en
personne. Il la choie assez ouvertement pour que les intrigants lui
rendent les plus grands hommages. Malgré le procès en cours
avec les sœurs d'Alençon, il lui accorde l'usufruit du duché [3],
confirme le don du Berry, ne lésine pas sur les cadeaux d'importance. Du coup, Marguerite en profite pour faire nommer
archevêque de Bourges François de Tournon, qui avait bien
travaillé pour le roi à Madrid.

Fêtée, adulée, heureuse, Marguerite règne non seulement sur
toutes les fêtes, mais sur les cérémonies officielles. A Cognac, en
mai 1526, elle se trouve auprès du roi quand il reçoit les envoyés

2. Un intéressant fac-similé de ce texte a été imprimé récemment en
Suisse.
3. Et sa juridiction, avec les avantages matériels que cela comporte.

de Charles Quint, dont Lannoy, qui l'embrasse en public.

Entrées dans les villes, réceptions, plaisirs, tout ce train de joie n'empêche pas une question – oubliée pour un temps – de revenir à la surface. François épousera Éléonore. Il le certifie à Lannoy. C'est bien le seul article du traité de Madrid qu'il confirmera. Mais qui épousera Marguerite, puisque l'empereur est marié et Bourbon hors course?

Les bruits et les ragots se remettent à courir. Des noms sont prononcés : Henri d'Albret, en particulier, roi de Navarre, du moins de cette partie de la Navarre qui reste française. Henri a vingt-sept ans, presque dix de moins que Marguerite. Il est blond, beau garçon, ambitieux. Marguerite fut-elle séduite par sa prestance et sa fougue? En tout cas, elle n'élève pas d'objection contre l'union qu'on lui propose. Ce mariage la fera reine d'un Etat bien petit, mais reine tout de même. Il assure Albret dans ses ambitions : devenu proche parent du roi de France, ne peut-il espérer réunir enfin la Navarre espagnole à sa couronne? Le 26 décembre, les fiançailles officielles sont célébrées à Saint-Germain-en-Laye. Le mariage a lieu le 3 janvier 1527.

Cette fois, il ne s'agit plus de la « pauvre » Marguerite que l'on marie à un Alençon fortuné. C'est la nouvelle reine qui dote richement son jeune époux lui donnant – cela ne choque personne – les revenus provenant de la fortune de son mari défunt. Un contrat très minutieux est établi, concernant la succession, en cas de décès de Marguerite avant Henri, ou d'Henri avant Marguerite. La naissance et la dotation des enfants à venir est aussi prévue.

Le début de l'année 1527 passe en fêtes joyeuses. En mai, on apprend la mort de Bourbon devant Rome, et l'horrible pillage qui commence dans la ville. François décide une croisade pour prêter secours à Clément VII. Lautrec la conduira. Étrange attitude de Charles Quint, qui oppose aux trente mille libérateurs de Lautrec les impériaux de Leyva, mais fait des excuses au pape, laisse les Français reprendre et saccager Pavie! Le meilleur gain de cette campagne s'établit sur le plan matrimonial : Renée de France, fille de Louis XII, épousera Hercule Farnèse, héritier des ducs de Ferrare. Henri de France restera de plus en plus fiancé à Catherine de Médicis.

En juillet 1527 se place un triomphe royal qui est en fait une revanche de Madame Louise et de Marguerite. Pendant la captivité du roi, le Parlement et même des Conseils de cités ont contesté les décisions de la régente, refusé ou ralenti l'exécution de ses ordres. Cela concernait le traité qu'il fallut conclure avec Henri VIII pour assurer la non-intervention anglaise après Pavie. Cela touchait aussi certaines condamnations de personnes dont les opinions religieuses tenaient au cœur de la nouvelle reine de Navarre, et la compétence des ministres, dont le vieux chancelier Duprat.

Le roi écoute d'abord les plaintes et les exhortations du premier président Guillard, dans le lit de justice qui est réuni à Paris, au palais de la Cité. La réponse du souverain tombe le lendemain comme une hache : « Le roi révoque et déclare nulles toutes les limitations que le Parlement aurait pu faire pendant la régence de Madame sa mère. » Interdiction est faite à l'assemblée de formuler autre chose que des avertissements. L'autorité royale est établie de façon despotique pour plus de deux cent cinquante ans. Les parlementaires ne peuvent que s'incliner.

Ainsi les évangélistes pourchassés se trouvent désormais « blanchis », ou libérés sous surveillance. Cela va faciliter le renouveau d'anticonformisme que nous allons noter chez eux, véritable escalade du réformisme vaincu vers la Réforme qui s'affirme.

Dès le début du mois d'août, le roi de Navarre conduit Marguerite dans son nouveau royaume. Henri d'Albret, nommé lieutenant général de François Ier, recueille dans ce long voyage le fruit de son ascension vers le trône. Ses bonnes villes exultent d'autant plus que la révolte s'est mise en Navarre espagnole. Sur l'ordre du roi de France, Henri d'Albret ne s'en mêle pas : il laisse mûrir le fruit qui – espère-t-il – lui reviendra.

Jusqu'au début de janvier 1528, Marguerite parcourt en litière ses nouveaux états. L'amour de son jeune époux ne semble pas lui déplaire. Elle écrit beaucoup, reçoit beaucoup de lettres. Le « rude patois » du Béarn la surprend un peu. Cependant, elle prend de l'affection pour cette France du Sud-Ouest où elle résidera bientôt souvent, où elle finira ses jours. Avant de partir, Marguerite avait vu son frère renforcer son pouvoir contre le

Parlement, solliciter et bientôt obtenir un consensus populaire par une assemblée d'envoyés provinciaux [4]. Madame sa mère triomphait des chats fourrés parlementaires, vouait à la prison puis à la mort le grand argentier Semblançay : ce concussionnaire n'avait-il pas dérangé ses propres finances ? Par ailleurs, le rapprochement avec l'Angleterre, amorcé dès 1525, se transforme en alliance. Lautrec, vainqueur pour le moment, se dirige vers Naples. Marguerite peut partir, passer en Navarre une longue lune de miel : la félicité.

Lorsqu'elle regagne la cour de France avec son mari, en février 1528, la situation internationale s'est aggravée. Le mois précédent, deux envoyés spéciaux de François Ier et d'Henri VIII, son nouvel allié officiel, ont porté un ultimatum à l'empereur : « Faites la paix à notre façon. »

Charles Quint s'emporte. François est traître à sa parole. Henri VIII, ce sournois, ne cherche qu'à divorcer légalement avec l'aide de la France. L'empereur refuse. Mieux, il appelle le roi de France à se battre en duel avec lui, pour régler cette affaire d'honneur. L'esprit de la chevalerie n'est pas encore mort.

François rejette le défi, en renvoie un autre. Pour finir, pas de règlement de comptes sur le pré. Pas de guerre non plus. Chacun des souverains a des raisons de ne pas partir en campagne.

La France ? La voici à nouveau empêtrée en Italie. Lautrec perd la précieuse alliance des Génois et de leur flotte. Il meurt du choléra qui ravage son armée. Saint-Pol lui succède, fait retraite, sera pour finir vaincu et fait prisonnier à Landriano (juin 1529).

L'Empire ? Le roi de Hongrie est vaincu et tué. Soliman et ses Turcs campent sous Bratislava. De plus, l'« hérésie » luthérienne gagne du terrain en Allemagne et en Hollande. L'un et l'autre parti, François Ier comme Charles, ont intérêt à négocier. Comment faire sans perdre la face ?

---

4. Cette assemblée, plus « royalement orientée » que les États généraux, admit de fait la nullité du traité de Madrid, en refusant la soi-disant abdication de François en Espagne, en admettant le paiement d'une rançon pour les enfants royaux.

L'année 1528 va s'achever pour Marguerite par le plus doux des triomphes. Dès le printemps, on la savait enceinte. Elle assure depuis le début qu'elle aurait une fille. Qui le lui a prédit ? Peut-être l'ancien astrologue et mage de sa mère, Cornelius Agrippa [5], qui tout en servant Charles Quint envoie ses œuvres à Marguerite. Le 16 novembre, une fille naît en effet à Marguerite et Henri de Navarre. Elle sera prénommée Jeanne. A trente-six ans, la sœur du roi de France goûte avec un plaisir infini aux joies de la maternité.

La situation entre l'Empire d'une part, la France et l'Angleterre de l'autre, reste inextricable. Les souverains boudent, campés sur leur honneur. Le traité de Madrid déchiré en 1527, il faut en faire un autre acceptable par les deux parties. Qui fera le premier pas ?

Les femmes s'en chargent, les reines, plus réalistes que les rois. Pour la France, Madame Louise. Pour l'Empire, Marguerite d'Autriche, tante de Charles Quint, gouvernante des Pays-Bas. Son neveu, qu'elle a élevé, l'aime et l'écoute. Marguerite d'Autriche déteste la France, qui l'a naguère chassée de la cour. Elle fait une exception pour Louise, son ancienne belle-sœur. Les « dames » négocieront la paix à Cambrai.

Marguerite de Navarre est de la fête. Elle arrive sur le lieu des pourparlers dans la litière de sa mère. Son rôle sera pourtant des plus minces : elle sert d'otage, tandis que Marguerite d'Autriche rencontre François Ier.

L'honneur des hommes restant sauf, la « paix des dames » sera signée le 3 août 1529.

Les années de félicité, les années de roses ont pourtant laissé des épines aux doigts de la reine de Navarre. Les querelles religieuses se sont envenimées. Marguerite aura le plus grand mal à soutenir son rôle d'engagée tolérante, de 1527 à 1531.

5. Le superbe Cornelius Agrippa, de son vrai nom Heinrich-Cornelius-Agrippa von Nettesheim, fut chassé de France pour avoir suivi Bourbon. Un moment secrétaire de Charles Quint, il est condamné pour magie, sauve sa vie et meurt misérable (1535). C'est le « Herr Trippa » de Rabelais.

Le combat religieux se durcit (1525-1531)

Le vieux Lefèvre d'Étaples a donc ranimé la colère du parti ultra-catholique[6], publiant ses *Epîtres et Evangiles des cinquante-deux dimanches* en 1525. Les théologiens de la Sorbonne fulminent. A soixante-quinze ans passés, le mentor de Meaux prend le large, accompagné de Gérard Roussel. Nous avons dit que Marguerite eut tôt fait d'obtenir leur grâce. Mieux, elle parviendra à ce que Lefèvre, l'année suivante, soit nommé précepteur des enfants royaux : ceux du moins qui ne sont pas retenus en Espagne.

Tout rentre-t-il dans l'ordre, maintenant que Briçonnet est hors de combat, que les exilés reçoivent la permission de revenir ? Certainement pas. La première escalade des réformistes vient de se produire. Ce n'est pas par hasard qu'ils ont fui vers Strasbourg. En cette ville d'Empire, placée dans le cercle de la Franconie, un groupe d'esprits audacieux raffine sur les audaces de Luther, marque une distance de plus en plus grande avec Rome : Bucer et Capiton surtout.

En 1525, Strasbourg occupe dans la Réforme la place que tiendra un peu plus tard la Genève de Calvin. Avec moins d'éclat, certes, mais autant de détermination. Sigismond de Hohenlohe y garde la confiance apparente de l'empereur, qui a besoin de toute sa pléiade de villes. Il traduit pourtant Luther en français, et envoie de loin en loin ces traductions à Marguerite. Cette dernière, quand elle cherche l'appui des familiers de l'empereur au moment de partir pour l'Espagne, écrit à Hohenlohe, qui répond avec bienveillance.

Relation de circonstance ? Non pas. Car à Strasbourg, durant leur exil, Lefèvre et Roussel ont été séduits par la vigueur et la rigueur avec lesquelles la ville et son chapitre interprètent les Évangiles. Lefèvre, répétons-le, n'est pas un schismatique. Comme Érasme, avec Érasme, il appartient à cette génération d'humanistes qui mourra vers 1535, et aura conduit les fervents chrétiens à s'interroger sur l'interprétation de l'Écriture sainte.

---

6. Par commodité, nous dirons désormais : les ultras.

Que Noël Bédier et la Sorbonne traitent Lefèvre de luthérien, c'est un amalgame inévitable. Comme Érasme de son côté, le mentor de Meaux a donné un commentaire de saint Paul. Tous deux précèdent cette glose de l'*Épître aux Romains* (1516) qui constitue la première profession de foi de Luther. Ce dernier puise à la source du fabrisme, et en tire le fleuve du luthéranisme. Tout passe, il est curieux de le noter, par des études pauliniennes, comme si l'Église selon saint Paul, que l'on oppose à l'Église selon saint Pierre, se trouvait fondamentalement porteuse d'« hérésie »!

Rien de plus désastreux pour la Sorbonne que d'avoir envoyé de force Lefèvre et Roussel dans ce « nid de frelons ». L'un et l'autre y durcissent leur attitude. Lefèvre, le penseur non violent, sera en contact avec de véritables réformés qui se réclament de ses commentaires et de ceux d'Érasme pour faire d'un outil une arme.

Leur ami Farel, lors de son expulsion de Meaux, les avait précédés en cette ville, d'où ils reviennent plus ardents qu'ils n'y étaient arrivés. Malgré la condamnation de Briçonnet, la dispersion du Cénacle, mais à cause de cet exil vivifiant, l'évangélisme fait un petit pas de plus vers les interdits, les réformistes vers les réformés.

Or Marguerite correspond non seulement avec Hohenlohe et son successeur à la tête du chapitre strasbourgeois, mais aussi avec Bucer et Capiton. Doit-on admettre dès lors qu'elle a fait elle aussi le « petit pas de plus », en plaçant Lefèvre dans la nursery royale, en prenant Roussel pour directeur? N'a-t-elle pas, en 1527, écrit un dialogue autour du *Pater noster*, presque littéralement traduit de Luther?

Admettons cette escalade, qui n'implique ni chez Lefèvre ni chez elle une rupture avec l'Église romaine. Le danger de Strasbourg pour les catholiques, c'est que l'esprit réformateur s'y colore de tolérance, chose rare en tous temps et tous domaines. Bucer et Capiton écriront ensemble, pour la Confession d'Augsbourg, la *Confessio Tetrapolitana*, acte de foi réformée engageant quatre villes. Mais en 1536, ils arracheront de haute lutte le concordat de Wittenberg, qui réussit à unir les luthériens d'Empire aux réformés suisses, héritiers spirituels de Zwingli. En 1548, ils essaient de traiter aussi avec les catholiques en vue d'une union œcuménique. Là, ils échoueront complètement.

Ce zèle unificateur montre pourtant avec quelle ardeur mais aussi quel respect furent reçus Lefèvre et Roussel à Strasbourg, après Farel, avant Calvin. Les points de vue théologiques furent échangés sans intolérance préalable. Si Lefèvre et Roussel restent fabristes, ils ne sont que plus confortés dans leur position ferme contre les ultra-papistes attachés à la foi la plus littéralement médiévale.

Grands zélateurs, Bucer, Capiton surtout crurent que Marguerite de Navarre luttait à leurs côtés, parce qu'elle défendait les penseurs chrétiens châtiés pour divergence. Nous avons un témoignage étonnant de cette certitude d'avoir conquis la reine. C'est la lettre dédicatoire accompagnant le *Commentaire d'Osée* (1527) que Capiton envoie à Marguerite (1528).

Dans cette lettre, il la félicite d'avoir « échappé aux superstitions » et à la contemplation stérilement platonicienne de Dieu selon Nicolas de Cuse [7]. Elle aurait épuisé le fonds de vaines recherches, et rencontré enfin Jésus-Christ dans « le chemin de la croix ».

C'est arracher Marguerite non plus même à Briçonnet, mais à Lefèvre. C'est, pour Capiton, prendre ses désirs pour des réalités. Le « petit pas » est franchi hors de l'amphigouri de Meaux, mais la reine continue à pratiquer – ses œuvres le montreront – le culte de la Vierge et des saints, remis à leur place de simples intercesseurs. Comme saint Joseph sera touchant dans la *Comédie du désert*, disant à Marie :

> *En présentant ces fruits je vous salue*
> *Mais je vois bien que n'en avez affaire*
> *Car d'autres fruits de plus grande value*
> *Un beau présent Dieu vous a voulu faire.*

Quant à Platon, elle le suivra toujours sans bien le connaître : non plus avec Nicolas de Cuse, mais après 1540, à travers l'Italien Marsile Ficin. Un « platonisme » mal digéré par la foi chré-

7. Cardinal-légat, théologien et philosophe (1401-1464). Son traité *De docta ignorantia* (La savante ignorance) (1440) influença Lefèvre d'Étaples et, par contrecoup, les fabristes.

tienne mais de belle expression, paraîtra dans les dernières poésies : *La Navire, Les Prisons.*

Lefèvre et Roussel sont graciés. Caroli également : la reine non seulement le fait libérer, mais agit pour qu'il réintègre la Sorbonne. En 1526, quand elle persuade Madame sa mère de faire libérer Louis de Berquin, les Strasbourgeois prient Luther de l'en remercier. Par bonheur, il s'en abstient. Érasme en revanche envoie ses félicitations.

Jamais Marguerite n'a été si bien en cour. Les suppliques et les dithyrambes qu'elle reçoit le prouvent. Le roi fait tout pour elle et son mari. Pourtant Berquin, en ayant appelé de son procès, est repris, jugé, condamné, exécuté le 17 avril 1529, malgré les supplications de la reine de Navarre.

Pourquoi ce refus d'intercéder, de la part de François Ier? Il faut y voir une concession à la Sorbonne, et au peuple catholique d'abord. Les impôts augmentent, tandis que l'agriculture pâtit. Un vent d'émeute souffle, crée à Lyon la « grande rebeyne », durement réprimée. Brûlons un « hérétique » par manière de compensation.

Une autre affaire grave demandait fermeté et réparation. Quelques mois plus tôt, Paris avait été bouleversé par un acte de brutale impiété. L'une des statues de la Vierge qui ornaient les carrefours avait été jetée bas, brisée en morceaux. Les Parisiens, très attachés au culte encouragé des « images », s'étaient mis à bouillir de fureur. François aime le peuple, aime surtout être aimé. Il promet une énorme récompense à qui dénoncera le coupable. L'enquête ne donne rien. Il n'est pas impossible que Berquin ait payé les plâtres cassés.

Berquin meurt, et Marguerite se tait, réservée selon son habitude. En 1531 va être imprimé l'un des textes spirituels les plus importants de la première partie de sa vie. C'est en quelque sorte l'aboutissement amélioré du *Dialogue* et du *Discord* : *Le Miroir de l'âme pécheresse.* Silence de la Sorbonne. Silence aussi des réformés, qui ne voient pas paraître dans ce texte ce que Capiton croyait acquis trois ans plus tôt.

Deux ans plus tard, la réédition du *Miroir* provoquera une tempête, déchaînera les ultras. Marguerite deviendra une cible à travers laquelle les théologiens conformistes essaieront d'atteindre les protestants.

Les ombres (1529-1531)

Avant de regarder la reine de Navarre dans *Le Miroir* qu'elle se tend, considérons ses joies et ses peines entre 1529 et 1531. Car l'épouse satisfaite, la mère comblée, qui va donner le jour à un fils, voit pourtant prendre fin le court temps de la félicité sans ombres.

Seule la triste fin de Berquin fait tache dans cette année de paix : 1529. Marguerite peut encore rêver d'union des Églises avec Roussel, devenu son fervent conseiller. Elle a sa cour de familiers et de poètes, Marot et ses marotiques, à laquelle s'adjoint Nicolas Bourbon. Celui-ci versifie – en latin parfait – de médiocres poésies. Mais enfin, il est si lettré que la reine en fera le précepteur de sa fille Jeanne.

Le traité de Cambrai, est-ce la paix définitive? Avant même que les otages royaux ne soient rendus, et tandis que l'on réunit à grand-peine dans les provinces leur énorme rançon, deux partis commencent à se former. Les uns, avec Chabot de Brion, le fringant amiral, veulent reprendre la guerre, mettre Charles Quint à genoux. Les autres, sous Montmorency, devenu Grand Maître de France [8], sont pour une cessation complète des hostilités, le *statu quo* européen.

Les conditions de la paix des Dames, disent les pacifistes, ne sont pas humiliantes. Certes, la France cède l'Artois, la Flandre qu'elle tenait à peine, mais garde la Bourgogne. Il est vrai que l'Italie dans son entier, Milan, Asti et Naples, échappe à François Ier. Mais n'a-t-on pas assez perdu en Italie, depuis Charles VIII, malgré Marignan?

Il va sans dire que Marguerite, en sœur avisée, embrasse sans réserve le parti de la paix. Cela divise son ménage : Henri d'Albret, pour sa part, est furieux que Cambrai ne lui ait pas rendu la Navarre espagnole, qui reste à l'Empire. Il penche donc vers la reprise de la guerre, malgré l'amitié que Montmorency lui témoigne.

8. C'est-à-dire chef de la maison du roi, avec le pas sur les grands officiers. Il deviendra connétable en 1537.

Au demeurant, la querelle est encore larvée. Chabot de Brion, s'il s'oppose aux pacifistes, aime Marguerite de bon cœur depuis l'Espagne. En 1530, il lui conte le couronnement de Charles Quint en Italie [9].

1530, année faste qui finit mal. Enceinte à nouveau, la reine de Navarre s'active peu, mais connaît des joies successives. D'abord le roi, cédant aux instances réitérées de Guillaume Budé, se décide à créer, hors Sorbonne, les « Lecteurs royaux ». On sait qu'il deviendra le Collège de France. Désormais, le grec et le latin classiques, l'hébreu puis les mathématiques sont enseignés presque à la sauvette par de grands humanistes (Danès, Vatable). C'est un camouflet aux théologiens conservateurs.

La grossesse de la reine l'empêche d'assister, en juillet, à deux cérémonies qui la comblent : le retour en France du dauphin et de son frère Henri, le mariage de François Ier et d'Éléonore. Ces deux événements se situent au début du mois. Or, le 15, Marguerite accouche d'un fils, qui sera nommé Jean. Il mourra le 25 décembre. Marguerite annonce ce décès au roi avec sa dignité habituelle. Elle n'en est pas moins profondément meurtrie, sa santé ébranlée.

Au début de 1531, la voici à Paris pour les fêtes du couronnement d'Éléonore. Elle assiste aux tournois, où son frère et son mari se distinguent. Le jour de la cérémonie, on la voit à l'église, au défilé, à la représentation publique d'un « mystère ». Elle « craquera » avant la fin, et ne paraîtra pas au dîner de gala.

Les mois suivants, elle échappe à l'investigation précise de ses meilleurs annalistes. La douleur, nous l'avons déjà constaté, jette Marguerite dans le silence, à coup sûr dans la prière et – probablement – dans sa plus haute façon de prier, la poésie religieuse. Quand et comment compose-t-elle ? Elle n'en dira jamais rien.

Pendant le carême, nous voyons son âme aux mains de Gérard Roussel, ce dont Noël Bédier s'irrite fort. Elle passe l'été avec ses neveux retrouvés, sa fille, son mari parfois, dont la fidélité ne semble pas à toute épreuve – ne risquons encore qu'une litote !

---

9. L'empereur ceint à Bologne la couronne de fer des rois lombards et la triple couronne impériale.

L'été vient. Marguerite accompagne sa mère, qui ne tient pas en place. Les maux chroniques de Madame s'aggravent. Elle souffre depuis sa jeunesse, nous l'avons noté, de la goutte, mais aussi de toutes les formes possibles de la lithiase rénale et vésicale : calculs, gravelle, périodique martyre. Elle a cinquante-cinq ans. Sa volonté seule la maintient debout. Cette femme de tête et de cœur, qui a élevé François au trône, dirigé avec sagesse les affaires de la France en 1525 et 1526, qui a mis en œuvre l'alliance anglaise pour affaiblir Charles Quint, perd ses forces et son entrain.

Pour finir, à en croire les lettres que Marguerite envoie à son frère, Louise perd le moral, l'envie de lutter. En compagnie de sa fille et de son escorte, elle venait de quitter Fontainebleau que menaçait la peste, toujours présente à l'état endémique. A peine ont-elles fait vingt-cinq kilomètres que la troupe doit s'arrêter à Gretz. Madame se meurt. Elle mourra le 22 septembre, ayant reçu les derniers sacrements, Marguerite à son chevet.

La mort de sa mère, après celle de son bébé, éprouve la reine de Navarre au plus profond de son être. Depuis sa petite enfance, le trio des Angoulême, parvenu au trône de France, ne s'était pas dissocié. La personnalité dominatrice de Louise, jointe à l'amour du « César », avait empêché Marguerite non d'acquérir une forte personnalité, mais de l'extérioriser. François, qui va partir pour un très long voyage autour de son royaume – il en est coutumier –, a toujours été un enfant gâté. Cela paraît dans ce qu'il a de suffisance, croyant que tout, toujours, partout, lui est dû. Louise l'a élevé ainsi. Il y gagne de régner sans concessions. Il y perd parfois, par des caprices, de sa finesse naturelle.

Avec sa mère, Marguerite enterre la douce enfance contrariée mais serrée dans le nid. Elle est privée d'un grand appui politique : Louise, tête lucide, bonne manœuvrière, gardait sur les affaires de son fils, le fond de ses décisions, une influence que Marguerite n'a pas. Veuve d'un terne soldat, épouse d'un roitelet, la sœur du roi ne perd pas seulement une mère, mais la modératrice de son frère. Désormais, laissant Éléonore à une vie retirée et pieuse, chacun essaiera d'aller à François par Marguerite, faute de passer par Louise. Par le cœur de la « mignonne », non plus la tête claire de Madame. François n'écoutera le cœur que lorsqu'il lui plaira.

Il est curieux de constater que, l'année précédente, Charles Quint lui-même avait perdu aussi ses meilleurs conseillers : sa tante Marguerite d'Autriche, son fidèle Mercurino Gattinara.

Louise de Savoie, Marguerite d'Autriche : voici disparues les judicieuses dames de la paix des Dames. Le fils de l'une, le neveu de l'autre auront à regretter leurs conseils.

La douleur de François Ier dépasse, dans ses manifestations du moins, celle de sa sœur. Accouru en hâte sitôt connue la triste nouvelle, il commande des funérailles royales, et s'évanouit devant le catafalque. Il conduit le cortège à Notre-Dame. Tout Paris est dans les rues.

Ensuite, Marguerite voudrait rentrer en Navarre. François lui demande de l'accompagner dans ses déplacements. Elle accepte. Ce qu'elle ressent, nous le lirons, des années plus tard, dans le livre III des *Prisons* (vers 2461 à 2702) :

> *Un village est, que l'on surnomme Grèz*
> *Près de Paris, lieu rempli de regrets*
> *Car là mourut Louise de Savoie...*

Peu de temps avant la mort de la reine mère est imprimée la première édition du *Miroir*.

Le Miroir de l'âme pécheresse [10]

Pas plus que dans ses œuvres poétiques précédentes, Marguerite ne cherche, dans *Le Miroir*, à innover. Ni le sujet ni le titre, ni même cette fois la forme de versification ne sortent des sentiers battus et rebattus.

---

10. Selon les théories admises actuellement, Marguerite aurait composé *Le Miroir* en 1527. Disons par préférence : 1527 à 1529. Ce qui compte, c'est sa double mise au public : presque inaperçue en 1531, scandaleuse en 1533.

Le titre ? Il est à la mode depuis le XIIIᵉ siècle, et le restera jusqu'au XVIIᵉ. J'entends *Le Miroir,* en latin *Speculum,* objet chéri par tout auteur, mais avoué, matérialisé sous d'innombrables prétextes : miroir de l'esprit, de l'âme, du cœur, du corps. Vers 1245, Vincent de Beauvais écrit son célèbre *Speculum majus* ou *Speculum triplex,* véritable encyclopédie des croyances, connaissances et usages de son temps. De la même époque, cette fois plus près du thème margaritien, le *Speculum humanae salvatoris,* d'un clerc anonyme. De didactique et théologique, le regard dans le miroir devient profane au XVᵉ siècle (*Le Mirouer des dames,* de Bouton). Parmi les livres donnés au public peu avant sa naissance, Marguerite put connaître le *Speculum vitae humanae,* de Rodrigo de Zamora, imprimé à Paris en 1481. La même année, Caxton imprimait à Londres un *Myrrour of the Worlde.* En 1484 paraît l'anonyme *Mirouer de l'âme pécheresse, très utile et profitable* qui a sans doute donné à la reine un titre tout fait. Et comment ne pas citer avant tout autre le miroir qu'Ovide tendait à Narcisse [11] ? Va donc pour un miroir de plus.

Le sujet non plus n'est pas original : examen de conscience en présence de Dieu. Ce qui est propre à Marguerite de Navarre, ce qui lui donne sa place dans la poésie française, c'est qu'elle ose écrire en vers les sursauts de sa conscience, les mouvements de son âme. La première, après quelques timides essais peu concluants, elle donne au lyrisme religieux une place toute nouvelle dans les lettres françaises. Les *Vers de la Mort* du moine Hélinant de Froidmont (1195), son *Miserere,* avec le mérite qu'on leur reconnaît, sont peu de chose auprès des emportements passionnés du *Miroir.*

Le poème comporte 1 434 vers décasyllabiques à rimes plates AABB. Cela peut donner, cela donne dans les passages confus, diffus, qui ne manquent pas, un piétinement de la progression : non pas un temps mort, mais un temps brouillé. Pour qui dit ces vers en les lisant – comme vous et moi – cela crée ce que j'appellerai un « effet de nuage » ou « effet de feuillage ». La critique scolaire y voit – ce qui est vrai de son point de vue – un simple brouillamini, omettant la magie verbale. Répétition et

11. *Métamorphoses,* IV, 339.

redondance marquent de tels passages, qui découragent les découpeurs de morceaux choisis :

> *Bienheureux lieu, place tant désirable* (v. 843)
> *Gracieux lit, trône très honorable*
> *Siège de paix, repos de toute guerre*
> *Haut dais d'honneur séparé de la terre...*

Cela ne choque plus si l'on considère ce poème comme une sorte de foisonnement, une manière d'arbre qui s'élève, le tronc bientôt masqué par ses feuilles et branches. Je ne dis pas cela pour céder moi-même à la tentation des rhétoriqueurs, mais comme lecteur enthousiaste à la fin, après des lectures stériles, par une « façon végétale » de considérer ce chant de pénitence et d'amour. Si l'on oublie en notre temps de psalmodier le poème, on néglige aussi que toute œuvre d'art ne nous pénètre que par association d'images, assentiment par comparaison. L'épopée nous inspire des images élémentaires : eau, feu, terre. Le grand lyrisme, des paysages en mouvement ou des détails de paysages. Si vous trouvez cela sommaire ou ridicule, ne m'accusez pas, mais tancez Horace où je l'ai pris.

Donc, *Le Miroir* n'a ni plan ni assise ni carcasse. Le poème se développe, monte serré, parfois diverge en « maint rameau subtil ». Le titre indique le thème : l'âme contemple ses fautes en s'élevant vers le Dieu du pardon.

Ai-je inventé le thème de l'arbre, ou Marguerite elle-même le laisse-t-elle deviner ? La voici commençant par parler de ses péchés :

> *Bien sens en moi que j'en ai la racine* (v. 13)
> *Et au dehors ne vois effet ni signe*
> *Qui ne soit tout branche, fleur feuille et fruit*
> *Que tout autour de moi elle produit.*
> *Si je cuyde regarder pour le mieux*
> *Me vient fermer une branche les yeux.*
> *Tombe en ma bouche, alors que veux parler*
> *Le fruit par trop amer à avaler.*
> *Si pour ouïr mon espérit s'éveille*
> *Feuilles en tas entrent dans mon oreille;*
> *Aussi mon nez est tout bouché de fleurs...*

La montée de l'âme vers Dieu s'amorce. Elle dit les difficultés inhérentes à la condition pécheresse. Quant à Dieu :

> *Il voit le mal que j'ai, quel et combien* (v. 81)
> *Et que de moi* [12] *je ne puis faire bien*
> *Mais cœur et corps si enclin au contraire*
> *Que nul pouvoir ne sens, que de mal faire.*

L'âme prend conscience de son élévation en Dieu :

> *Elle, pauvrette, ignorante, impotente* (v. 181)
> *Se sent en vous riche, sage, puissante...*

Certains analystes de textes – mais surtout les cuistres de collège – détestent ces collections d'épithètes, sans noter que leur accumulation sonne avec le même pouvoir que les litanies à vocation extatique. Il y a parfois maladresse, parfois effet d'envoûtement, dans cette volonté de redoubler, de redonder.

L'arbre grandit de vers en vers, d'allégorie en variations d'éclairage de la foi, ses difficultés, ses vents contraires. Une première lecture semble interminable, malgré de beaux et touchants passages. Se familiariser avec cet épanchement vers le haut est d'abord plus ennuyeux que vertigineux : Marguerite nous accable. Aussitôt ses fautes de métrique, le tout-venant de ses épithètes paraissent. Branches mortes. Un peu plus loin, l'allant nous emporte :

> *Mon doux enfant, mon fils ma nourriture* (v. 478)
> *De quoi je suis très humble créature*
> *Ne permettez que jamais je vous laisse.*

Puis l'attendrissement :

> *Ame, regarde en quel lieu tu t'es mise* (v. 667)
> *Au fin milieu du grand chemin assise*
> *Où tous passants pour mal tu attendais*

12. *De moi* : par moi-même.

Cette onomatopée de la mort, plus tard, a autant fâché les stylistes qu'elle reste efficace à l'oreille naïve :

Mais l'union a mort vivifiée (v. 883)
Vie [13] mourant d'amour vérifiée
Vie sans fin à fait notre mort vive
Mort a donné à mort vie naïve
Par cette mort moi morte reçois vie...

... et sans trêve jusqu'au vers 900. Incantation ou pathos? Rhétorique ou cantique? Le poème va, illisible, dicible, presque chantable : quel oratorio on pourrait faire avec ce texte puissant et maladroit – quand il n'est faible et habile – sans que jamais cesse l'impression d'épanouissement et de croissance, ni ne tarisse le chant hallucinatoire :

Car son amour est de si bonne sorte (v. 1302)
Que sans l'aimer il m'aime, et en m'aimant
Par son amour sens l'aimer doublement.

Enfin, ayant invoqué le « silence de saint Paul », elle achève son propos dans l'abandon et l'action de grâces :

Ne puis faillir à rendre la louange (v. 1432)
De tant de biens qu'avoir je ne mérite
Qu'il lui plaît faire à moi, sa Marguerite...

De savants exégètes ont trouvé les sources de ce poème, examiné les apports qu'il sollicite. Ils nomment ceux que la reine imite ou plagie : un peu le Dante de *L'Enfer*, beaucoup le Pétrarque du *Canzoniere*. Ses références constantes à l'Écriture Sainte ont été répertoriées. Mieux, Félix Frank les propose en marge du texte, dans sa réédition des *Marguerites* (1873) [14]. Par ailleurs, une étude philologique et critique récente éclaire la lettre de l'œuvre [15].

A mon avis, la plus vivante analyse du *Miroir* reste celle de Pierre Jourda. Affinée par ses successeurs, elle ne fait pas que souligner les lenteurs, les longueurs, les maladresses du poème, ni

13. *Vi-e :* deux syllabes.
14. Réédité de très belle façon par Slatkine, Genève, 1970.
15. Salminen, v. biblio.

ce qu'il doit à ses prédécesseurs. Comme avant lui Gaston Paris et Abel Lefranc, Jourda ne cache pas qu'il tombe sous le charme, et se révèle parfois, tout savant, lecteur avant d'être critique. C'est un grand mérite : les poètes doivent d'abord toucher subjectivement, avant d'être mis sous les microscopes. Je crois possible – et utile – de revenir à l'exercice naïf de la sensibilité pour lire d'abord *Le Miroir, La Coche, La Navire, Les Prisons*, toute l'œuvre poétique « adulte » de la reine. Cette humble lecture nous montrera mieux en ces textes la promesse des fureurs baroques d'un Agrippa d'Aubigné, et le filigrane du romantisme.

Il reste que Marguerite manque d'armes. La langue dont elle se sert est épuisée. La forme qu'elle emploie disparaîtra bientôt sous les coups des disciples de Dorat. *Le Miroir* révèle un ardent tempérament poétique : le verbe n'y a pas le pouvoir de la flamme.

Notons enfin que l'écriture, la publication en 1531 et 1533 de cette œuvre ont valeur d'acte religieux délibéré. La reine écrit *Le Miroir* par « fureur poétique », mais aussi pour se situer courageusement. En même temps, elle intervient inlassablement pour les victimes de l'intolérance, qu'elle les approuve ou non. Sa position quasi royale le permet, certes, mais ne la place pas à l'abri de la haine ni de la calomnie. Elle plaide, elle signe. Ce sont façons de faire et manières d'agir des chrétiens qui, cherchant Dieu en ces temps troublés, ne se contentent pas de répons en guise de réponses.

CHAPITRE VIII

L'affrontement

Le pouvoir universitaire

Il n'est pas inutile, au moment de l'affrontement décisif entre le syndic de la faculté de Théologie et la reine de Navarre, de rappeler le pouvoir temporel et spirituel de l'Université de Paris en ce temps-là. Il n'a guère décru depuis trois siècles, malgré des réformes internes et des interventions royales.

Ces dernières, au reste, demeurent l'exception. En 1229, une grève des étudiants et des professeurs interrompt les cours durant près de deux ans. A la prière du pape Grégoire IX, Saint Louis, roi de France, tranche en faveur des grévistes, et tout rentre dans l'ordre : il accorde notamment le « droit de cessation », qui mettait les universitaires à l'abri de l'impôt. Louis XI, au xve siècle, le supprimera [1]. Après son père Charles VII, il fera sentir au corps professoral que l'autorité royale, par l'entremise du Parlement de Paris, garde pouvoir sur lui de droit et de fait. En 1499, Louis XII réprime par la force une grève des cours.

Pourtant, même sur le plan temporel, l'importance de l'Université, son autorité morale ont souvent servi de caution à des prises de position royales. Philippe le Bel, Charles VI lors du

---

1. Il reste aux maîtres le « droit de for », qui leur permet de dépendre exclusivement des tribunaux ecclésiastiques. Sauf coup de force du roi, qui a tous les droits.

schisme en tirèrent profit. C'est que les quatre facultés établies dès 1222 : Arts, Médecine, Décret (ou Droit), Théologie surtout, non seulement s'imposent peu à peu par la qualité de leur enseignement, mais constituent par leur population une véritable ville dans la ville. En 1530, on continue certes à étudier le droit à Bologne et la médecine à Montpellier [2], mais la réputation globale du Paris enseignant rayonne sur l'Europe. La plupart des humanistes séjourneront dans la capitale française. Érasme, enfant adopté, y étudia au collège de Montaigu : il est vrai qu'il n'en retint que les mauvais traitements infligés aux élèves.

Les anciennes maisons d'hôtes, devenues collèges, enseignent auprès des facultés, pour et sous elles. La hiérarchie n'a pas changé. En l'examinant, nous voyons que la collation des hauts diplômes n'était pas aisée même si – assure-t-on – les menus cadeaux aux professeurs en facilitaient l'accès.

A la base de la pyramide se trouve la faculté des Arts, qui forme des adolescents déjà dégrossis, et même de jeunes enfants : enseignement secondaire, puis supérieur [3]. Il faut acquérir le grade de bachelier (comme en chevalerie), puis la licence d'enseigner. Le doctorat – la maîtrise ès arts – est ensuite décernée par les professeurs.

Une fois obtenues ces peaux d'âne [4], le gradué ès arts pouvait soit enseigner à ce niveau, soit s'inscrire aux Facultés éminentes et y devenir bachelier, licencié, docteur en médecine, droit, théologie.

La faculté de Théologie sommait l'Université. On imagine le temps qu'il fallait à un jeune impétrant du baccalauréat ès arts pour devenir docteur en théologie. La plupart, pour ne pas dire tous, se mettaient d'Église avant d'y parvenir, entre trente et trente-cinq ans. La faculté de Théologie restait gardienne des vérités de foi chrétienne romaine. Si elle se flattait d'ouvrir l'esprit

2. Pétrarque, et après lui Rabelais étudièrent en cette ville.
3. Elle est divisée en quatre « nations » : France, Picardie (et Pays-Bas), Angleterre (et Allemagne), Normandie. « France » comprend étudiants italiens et espagnols. On juge par là de la foule d'enseignants et d'enseignés que cela représente.
4. Cette plaisanterie estudiantine est plus ancienne que Rabelais. Les diplômes, disaient les impertinents, sont consignés sur des parchemins en peau d'âne. Avec le reste de l'âne, on faisait le docteur.

des étudiants par l'exercice des discussions entre maîtres et élèves – ou de maîtres entre eux en présence des enseignés – ces *disputationes* n'admettaient aucun égarement dans la curiosité non dogmatique. En fait la Sorbonne, puisque la faculté de Théologie siégeait dans l'ancien collège de Robert de Sorbon, gardait l'orthodoxie dans ses moindres détails, les mains jointes et les yeux fermés...

Pouvait-on impunément entrer en conflit avec cette Université, et surtout avec ces « sorbonicoles » qui en étaient la tête et le bras ? Certainement pas. Le roi par exemple, en créant les « Lecteurs royaux » qui substitueront le latin correct au latin de sacristie, qui rendront officiel l'enseignement du grec et de l'hébreu jusque-là sporadique et mal toléré, qui introduiront un peu plus tard l'accès aux mathématiques, formeront bientôt le Collège de France. Ce dernier, d'abord imposé, sera tout simplement accolé à la Sorbonne : il en resta depuis le plus riche complément. Faire sien ce que l'on ne peut combattre a toujours été un sage principe de gouvernement.

Autre exemple d'assimilation : le vrai grec, le beau latin. En 1530, les humanistes se battent pour cela depuis près de deux siècles. Les retombées de leurs efforts sur l'enseignement sont encore nulles. Il faut le concile de Trente (1545), l'expansion des collèges de jésuites à travers le monde pour que le latin de Cicéron, le grec de Démosthène soient partout enseignés. Mais attention : les jésuites réformeront l'enseignement des langues anciennes en renforçant l'attachement à Rome. La réforme scolaire s'assortira de contre-réforme religieuse.

Quant à la *volgar lingua*, la langue populaire qu'exaltait déjà Dante, elle reste au second rang, même après que François Ier impose le français dans la rédaction des actes officiels [5]. Il faudra attendre la *Défense et illustration de la langue française* de Joachim du Bellay pour sentir la révolte des auteurs contre la prééminence littéraire des langues mortes. Il faudra attendre la fin du siècle et Montaigne pour lire : « C'est un bel agencement sans doute que le latin et le grec, mais on l'achète trop cher. » On l'achète en 1530 par des décennies d'études, et révérence à la faculté.

---

5. Par l'importante ordonnance de Villers-Cotterêts (1539).

Ce pouvoir enseignant, cette mainmise sur la culture, cette tyrannie ultra-romaine s'assortit, ne l'oublions pas, de l'assentiment populaire. Dans Paris, la foule des maîtres et des étudiants est assez considérable pour que le commerce et la petite industrie en dépendent pour une part. De plus, si les accrochages entre les étudiants et les archers de la prévôté restent de règle depuis le XIIIe siècle – rixes après boire, manifestations, bravades – la ville considère toujours son université avec fierté et respect. Les savants en imposent. Les folliculaires qui les entourent savent émouvoir par des libelles bien tournés, ou divertir par d'impertinentes « soties » : ces farces anonymes, brocardant les plus hauts personnages, font fureur et conditionnent l'opinion.

Oui, les ultras ont l'oreille du peuple. Ils le soulèveront en 1572 pour le pogrom anti-calviniste de la Saint-Barthélemy. Les bâtons et les fourches d'une populace fanatisée appuieront les épées des seigneurs de la Ligue.

Voyons maintenant ce qui inquiète le pouvoir universitaire et renforce l'extrémisme des ultras : les « idées nouvelles » n'y sont pas rejetées par tous, tant s'en faut. Une partie du corps enseignant et des étudiants, même en théologie, conteste l'orthodoxie. Ne dit-on pas que Rome même, sous le timoré Clément VII, continue à rêver d'union avec les schismatiques ? Ne dit-on pas, tonne Noël Bédier, que ce malfaisant Lefèvre d'Étaples, qui n'est même pas docteur en théologie, a pris à Strasbourg la maladie des « sacramentaires » suisses ? Ceux-là nient tout : la Vierge, les saints, le pouvoir des sacrements, la présence réelle du Christ dans l'hostie, c'est-à-dire la messe.

Il n'y a pas de paix religieuse à Paris depuis les désordres de 1528. Seulement une accalmie, la satisfaction des ultras auxquels, l'année suivante, François Ier jette Berquin en pâture. Les fanatiques restent sur la brèche, et prêchent que la subversion est partout.

En 1533, ils auront beau jeu de se déchaîner, et de provoquer un affrontement qui obligera le roi à trancher. Mauvais calcul. Il tranchera plusieurs fois de façon contradictoire, et l'enragé Bédier y perdra son mauvais latin.

A côté, ou plutôt au-dessus du pouvoir universitaire, nous devrions trouver à Paris le pouvoir du Parlement. Ce dernier, en plusieurs occasions historiques, avait joué un rôle important dans la politique des rois de France. Cette assemblée a le droit de justice, si le souverain n'y met entrave. Droit même de déclarer que les actes royaux lui déplaisent. Droit au refus de les enregistrer.

Nous avons vu, quand François Iᵉʳ est rentré d'Espagne, ce qu'il a fait de l'orgueil de ces magistrats en un lit de justice : droit de remontrance rejeté, décisions cassées. Les parlementaires ne sont que des sujets du roi. Les ordres viennent du roi seul. Que cela reste entendu à l'avenir.

Une si dure leçon porte ses fruits. Durant ce règne, le Parlement aura les opinions qu'il veut, fera son travail administratif et judiciaire, mais n'élèvera jamais la voix contre celui qui s'est déclaré, sans la moindre équivoque, le maître [6].

Voilà pour l'action – ou plutôt l'inaction – parlementaire officielle : soumission au roi. Reste l'opinion, la conviction des ultras de l'assemblée, qui soutiennent Bédier et ses farouches épurateurs. Intimé aux ordres, le Parlement n'en pense pas moins, et trouve plus d'un moyen de le faire savoir, sans jamais engager le combat perdu d'avance.

Double guerre froide

1531-1535. François Iᵉʳ nous paraît agir envers les réformés de façon incohérente. Tantôt il tranche en leur faveur, tantôt il les désavoue, les persécute même, avant de leur pardonner derechef.

Que penser de ces attitudes successivement contradictoires ? Il est peu sérieux de les imputer à l'humeur changeante du souverain. En fait, exactement dix ans après l'époque de la correspondance échangée entre Marguerite et Briçonnet, nous retrouvons une conjoncture identique : la tolérance royale dépend

6. Une seule décision importante se heurta à des retards volontaires d'enregistrement : l'interdiction d'imprimer, ordonnée par François Iᵉʳ en 1535 dans un accès de colère. Il changea bientôt d'avis : les lenteurs du Parlement lui évitèrent une grosse bévue.

de ceux qu'il veut ménager à tel ou tel moment. Sévère lorsqu'il faudra rassurer la Curie romaine, François deviendra libéral quand il s'agira de s'allier aux princes luthériens opposés à Charles Quint.

Nous avons mentionné deux partis à la cour, l'un déclaré contre la reprise des hostilités, l'autre belliciste et revanchard. Le roi ménage le premier, mais rêve d'un nouveau conflit qu'il n'est pas armé – ni surtout muni – pour déclencher. Tandis que le combat larvé, ponctué d'excommunications, continue entre Rome et les protestants, la France mène de son côté une lutte sourde contre l'Empire.

L'une et l'autre de ces guerres froides n'ont aucune chance de conduire à la paix. Les protestants ne s'en tiennent pas à la Confession d'Augsbourg. Les sacramentaires suisses et alsaciens vont plus loin dans l'attaque du dogme catholique lui-même. Après 1535, Calvin rendra la fracture irréparable. La papauté, par manque de réalisme, n'a pas essayé à temps une conciliation honorable.

En France, Montmorency et les pacifistes reçoivent de bonnes paroles. Pendant ce temps, les fauteurs de guerre s'activent à l'ombre de François Ier. Ils travaillent contre Charles Quint par recherche d'alliances en Allemagne, en Angleterre, en Italie, à Constantinople. Sur ces quatre fronts, la France marquera d'abord des points. Pour finir, lorsque la guerre attendue éclatera en 1536, Charles Quint aura partout regagné le terrain perdu.

L'Angleterre ? Là, Marguerite n'est pas d'accord avec son frère. Qu'Henri VIII divorce et se pavane dans la bigamie, voilà ce que la reine de Navarre ne peut accepter. Son bon Wolsey écarté des affaires (1529), que peut-elle, sinon protester contre les grands péchés du roi d'Angleterre ? Elle proteste si bien que François doit la prier gentiment de se mêler de ses affaires. En octobre 1532, Henri et François se rencontrent à Boulogne. Le roi de France se montre aussi chaleureux qu'évasif. Il promet de soutenir Henri VIII à Rome pour l'annulation de son mariage. Il le fera sans vraie conviction, désavoué bientôt par la décision finale du pape : l'excommunication du roi d'Angleterre, la mise en place du schisme anglican. Qu'importe ? La paix avec les Anglais, assortie d'alliance précaire, sera préservée. C'est la seule victoire diplomatique française qui portera ses fruits après 1535.

En Allemagne, les princes protestants donnent des armes à la France en s'élevant contre l'empereur. En 1531, les luthériens de Saxe, de Hesse, de Brunswick, d'Anhalt s'unissent à onze villes dans la ligue confessionnelle de Smalkalde, qui fait pièce à l'empereur catholique. François I⁰ᵉʳ fait approcher les ligueurs par l'un de ses meilleurs diplomates, Guillaume du Bellay, seigneur de Langey. Celui-ci a pour mission de déclarer l'intérêt que porte la France aux libertés des tenants de la ligue. Intérêt brûlant, certes, tant qu'on ne le déclare pas par écrit. Promesses en l'air, que Langey, habile persuadeur, sait faire prendre pour argent comptant. Mieux, il agit de même envers certains grands vassaux catholiques allemands de Charles Quint, leur garantissant, sans traités ni gages, l'amitié de la France. Ce fut un grand diplomate que Guillaume du Bellay, dont le frère Jean, ami de Marguerite, fut nommé évêque de Paris en 1532 [7].

En Italie, suite de la danse de séduction autour du pape Clément. Ce dernier, qui n'avait pas oublié Bourbon, craignait l'empereur sans l'aimer, mais enfin, il le craignait bien. Au mois d'octobre 1533, Marseille est en fête. Le pape vient marier sa nièce Catherine avec Henri d'Orléans, second fils du roi. Fructueuse alliance enfin accomplie avec les Médicis. Hélas! pour se couvrir, le pape a marié son fils illégitime Alexandre avec une Habsbourg. De plus, Clément VII va mourir en 1534. Un Farnèse, francophile il est vrai, le remplace : Paul III, qui marquera de l'affection à Marguerite de Navarre dès son accession au trône pontifical : non simple message verbal, mais lettre confiante et confidente.

L'amitié des princes allemands, gagnés par de belles paroles? Les persécutions anti-protestantes, à Paris et en province, vont la refroidir singulièrement. De plus, Ferdinand, frère de Charles Quint, nommé roi des Romains, traite avec eux pour faire reconnaître sa couronne. La France n'a plus la cote auprès des ligueurs calmés.

---

7. Les *Mémoires* conjoints de Guillaume et de son autre frère Martin ont été réédités.

En outre, la démarche nouvelle que tente un envoyé de François auprès du Grand Turc, Soliman, si elle confirme d'intéressants avantages en Méditerranée, soulève l'indignation de toute la chrétienté. Le terrible Kheir ed-Dinn Barberousse, qui a fait de la flotte algérienne une puissante force navale, est exécré en tous lieux. En 1519, les Barbaresques débarquaient à Hyères, laissant derrière eux des cadavres à la main droite coupée, une croix tracée au poignard sur le front, et un message : « Voici votre croisade! ». Peut-on concevoir que le successeur de Saint Louis s'allie avec les « infidèles »? La contre-propagande française fut sévère. L'alliance turque attendait, même si Soliman songeait toujours à conquérir Vienne, et si les pourparlers devaient aboutir enfin à un accord.

Époque trouble, tractations et préparatifs. En 1532, Marguerite séjourne longtemps dans ses états. Elle rejoint ensuite son frère, qui continue à moissonner de ville en ville les lauriers et les impôts. L'entrevue de Boulogne? Les plus scrupuleux chercheurs n'y trouvent pas trace de la reine de Navarre, et s'interrogent. La reine Éléonore n'est pas là non plus, apparemment. Comme bien souvent, l'explication n'est pas politique, mais sentimentale. Henri VIII venait demander à François de l'aider à faire annuler par le pape un mariage parfaitement valable. De plus, il était accompagné de sa concubine Anne Boleyn. Deux raisons plus que suffisantes pour choquer les reines et provoquer leur absence désapprobatrice.

Avant que les événements contradictoires ne se précipitent à Paris sur le plan religieux, notons que Marguerite reste parfaitement en cour auprès de son frère, depuis la mort de leur mère. Le roi ne peut compter, de la part de sa femme, que sur une résignation affectueuse. Elle n'entend pas aux affaires de la France, et ne s'en mêlera jamais.

Marguerite au contraire, malgré la défiance que lui marque sournoisement la Sorbonne, reste – dirions-nous à peu près – « secrétaire d'État au Culte ». Cela semble extravagant lorsque l'on sait qu'elle soutient les réformistes. Deux remarques pourtant : elle reste fidèle au pape, et ce dernier n'est pas hostile à un rapprochement des Églises, que souhaitent encore les plus modérés des protestants.

Marguerite soldat du pape ? On le voit par les marques d'amitié que Clément VII lui témoigne de loin en loin fidèlement. En 1531, elle lui écrit à propos de la réforme administrative de couvents franciscains dont le roi l'a chargée. Sur ses terres, elle veille à ce que religieux et religieuses vivent dignement selon les lois de leur ordre. Mieux, en cette période de guerre froide, de rapprochement de la France et des princes luthériens, elle fait saisir au corps un de ses sujets, moine défroqué. Il est vrai que le misérable offensait les bonnes mœurs, ce que la reine n'admet pas, mais le crime désigné restait l'*apostasie*, le reniement.

Seconde remarque : les papes successifs tardent à prendre parti pour cette conciliation qu'ils souhaitent, ou que les humanistes non hérétiques leur présentent comme souhaitable. Érasme et Lefèvre d'Étaples n'ont pas été les seuls à secouer l'arbre médiéval. En Espagne, leur contemporain, orthodoxe notoire et pourfendeur de déviants, le cardinal Francisco Jimenez de Cisneros, allait dans leur sens en recommandant de traduire les textes sacrés. En Italie, leur émule vénitien Gaspare Contarini, cardinal laïque, luttera fermement pour la réconciliation des chrétiens de tout bord. Léon X, puis l'indécis Clément VII en rêvent, et n'osent. Cependant, des pans entiers d'Espagne (Tolède, Grenade, Valence), du Portugal (Braga, Lisbonne), d'Italie même (Ferrare, mais aussi Florence, Venise, Naples) se déclarent contre les vieilles lunes, et pour un catholicisme rénové : certains optent même pour la réforme.

En 1531, après la Confession d'Augsbourg, il est à peine temps d'aller vers cette unification des croyances – des liturgies en tout cas – que souhaitent les modérés des deux camps. Clément VII hésitera trop longtemps, mourra trop tard. Son successeur Paul III – énergique bien que « mondain » – tentera en vain de rassembler ce qui ne peut plus l'être. La guerre froide établie entre les Églises sera devenue brûlante, la conciliation irréalisable, comme elle devient par ailleurs intenable entre le roi de France et l'empereur.

D'autres modérateurs surgiront après 1535, et mèneront un combat pour la paix impossible : Contarini, précisément. L'Église n'aura pas d'autre recours que sa voie habituelle, la voie grégorienne, la réforme par l'intérieur, assortie de contre-réforme vouant les contestants à l'enfer.

Il est certain que Marguerite de Navarre, en cette lutte des croyances provisoirement conciliables, en cette escalade contre le traité de Cambrai, a toujours espéré en la paix de l'Europe [8], en l'aval du pape et du roi de France pour ses protégés. Elle a failli l'avoir. Elle l'aurait eu – simple note de politique-fiction – si Clément VII avait été plus lucide et François moins ambitieux.

Les faits démontrent cette ambiguïté des appartenances, cette étroitesse des marges au début des années 1530 : à la veille du grand scandale à rebondissements qui la discréditera dans les esprits religieux conformistes, Marguerite dirige en France les affaires cultuelles. Elle veille à la bonne obédience des couvents, propose un évêque pour le chapeau de cardinal. Les hostilités engagées, elle réprouvera du même cœur l'acte de Suprématie (1534) par lequel Henri VIII sépare l'Angleterre de Rome. Tout peut s'arranger, pense-t-elle.

Cet optimisme naïf paraît aussi dans sa confiance en la paix des armes. N'a-t-on pas signé à Cambrai ? Lucide administratrice de ses biens, Marguerite n'a jamais eu la tête politique. Il est vrai que les pacifistes comme les réchauffeurs de la guerre froide sont ses amis : Montmorency comme Chabot de Brion, qu'elle aime tous deux depuis l'enfance. Les frères Du Bellay sont favorables à la reprise des hostilités, mais qu'en sait-elle ? Guillaume parle de paix aux Allemands. Jean, évêque de Paris, est un homme de grand sens, qui réprouve les excès des ultras.

Sent-elle que la crise est proche ? Assurément pas, puisqu'elle pousse Roussel à prêcher ce carême détonant, en 1533. Le roi l'a permis. Comprend-elle que la tolérance royale est sans doute destinée à rassurer Philippe de Hesse et les ligueurs réformés, ses alliés ?

Les ultras vont se déchaîner, notamment contre elle. Les armées se mettront en marche. L'indéracinable Marguerite en aura de la peine, mais n'infléchira pas son chemin. Elle ne désire aucune guerre, n'écrira aucun texte polémique ni même justificatif. Sœur du roi, elle ne peut, comme Érasme, choisir l'insularité : seules les conséquences de sa paisible fermeté la lui imposeront pour finir.

8. Il va sans dire que la notion d'Europe est anachronique au XVIe siècle. Nous employons ce mot tout le long de cet ouvrage, par simple commodité. Le mot « Occident » serait à peine meilleur, et prêterait au faux sens.

Marguerite en première ligne

Gérard Roussel, le petit clerc de chétive apparence, possédait un talent de prédicateur peu commun, l'inexplicable don de remuer les âmes. Avec fougue et talent, il avait prêché le carême au Louvre en 1531 et 1532, avec la permission du roi. Les « vieux Priams », comme on nommait par dérision les théologiens ultras, s'en indignaient : cet ancien meldien était fiché parmi les « mal-sentants ».

Durant le carême 1533, le roi n'est pas à Paris. Il continue son voyage à travers les provinces, et se trouve dans le nord de la France. Une fois de plus, Roussel prêche, tous les jours avant la semaine sainte. Son public ? D'abord Marguerite et Henri de Navarre, mais une foule qui ne cesse de grossir, émerveillée, conquise. Roussel prêche au Louvre, et bientôt en des locaux susceptibles d'accueillir un auditoire qui compte près de cinq mille personnes.

Si le roi était là, Bédier sans doute réfléchirait avant d'agir. Mais il se contient depuis deux ans. Il n'en peut plus. Ses bons apôtres soulèvent les curés des paroisses parisiennes, qui se mettent en colère. Impossible d'endiguer la marée d'enthousiasme qui accompagne les sermons de Roussel. Les ultras notent seulement que les lecteurs royaux, ces contempteurs de la hiérarchie universitaire, ne manquent pas un prêche. Ni Toussain, cet autre directeur de Marguerite qui trouvait Briçonnet bien tiède. Il faut agir lentement et à coup sûr.

Après Pâques, début mai, la faculté met par écrit toutes les « hérésies » proclamées par Roussel durant ce fameux Carême. Ceux qui ont entendu le prédicateur et ne sont pas aveuglés par la mauvaise foi s'indignent. Deux camps se forment, et développent une vive querelle. On s'insulte à travers des affiches placardées sur les murs : des « placards », déjà. Les injures pleuvent. Marot monte en première ligne avec sa verve habituelle. Des contre-prédicateurs essaient de retourner Paris, y parviennent en partie. Violemment attaqué par les ultras, Henri de Navarre écrit au roi pour se plaindre d'être insulté.

La réponse ne se fait pas attendre. Elle ménage la Sorbonne : le procès de Roussel sera instruit; il est interdit de sermon en attendant. Bédier en revanche et ses principaux acolytes sont exilés, ils devront résider à plus de quatre-vingts kilomètres de Paris.

Ce n'est pas juger, mais ouvrir un procès. Marguerite s'engage à fond pour son protégé, demande pour lui le secours de Montmorency, lui écrivant ces mots qu'il faut méditer : « Il y a cinq ans que je le connais [9], et croyez que si j'y eusse vu une chose douteuse, je n'eusse pas voulu souffrir si longtemps un tel poison, ni y impliquer mes amis. »

N'oublions pas que Marguerite plaide, donc essaie de blanchir son agneau. Elle n'en traite pas moins, en 1533, les thèses protestantes de « poison ». Une partie des libéraux universitaires, qui ne sont pas rares dans les facultés des Arts et de Médecine, soutient Roussel et déclare qu'il n'a jamais tenu de propos hérétiques.

Pour finir, Roussel sera absous. Les ultras le sentent, et durcissent leurs attaques durant l'été. Le roi est toujours absent. La polémique vole bas. Une mauvaise farce est représentée, à l'instigation des ennemis de Marguerite. Elle y était représentée sous les traits d'une fileuse, endoctrinée par une Mégère ressemblant fort à Roussel : aussitôt, la dame laisse sa quenouille pour prêcher un Évangile absurdement déviant.

Cette fois, la reine se fâche, tente de faire arrêter les auteurs de la mascarade. Elle n'y parvient pas. Octobre survient. Le roi est à Marseille avec le pape, pour le mariage d'Henri d'Orléans et de la jeune Médicis. Maladroitement, des contestataires se sont manifestés sur les terres normandes de Marguerite, mutilant encore des statues. Le roi doit intervenir pour que l'affaire ne dégénère pas.

Mais il est loin, le roi. La rage des ultras parisiens tourne à l'obsession : il faut déshonorer cette Marguerite intouchable, rendre évidente son hérésie. Quelques mois plus tôt, elle vient de rééditer *Le Miroir de l'âme pécheresse*, aggravé par un psaume mis en français par Marot.

9. Sept ans en fait : après la dissolution du Cénacle, Roussel vint à elle et y prit bientôt la place de Michel d'Arande.

La Sorbonne inscrit l'œuvre sur la liste annuelle des interdits. Cela signifie que l'ouvrage doit être brûlé en place publique, et son auteur jugé. *Pantagruel*, ouvrage « obscène », se trouve interdit la même année. Marguerite brûlée à travers son poème, verra-t-on cela ?

Le roi, apprenant la nouvelle, se fâche tout rouge. Il somme la Sorbonne d'expliciter sa décision. Que les dénonciateurs sortent des rangs !

Douchée, l'Université s'interroge. Il apparaît d'abord que personne n'a lu *Le Miroir*. Ensuite que cette œuvre ne contient aucune proposition précisément hérétique. Le recteur Nicolas Cop, un libéral, tance Bédier et les ultras. Leur censure est indéfendable. Qui en accuser pour sauver l'honneur, et surtout empêcher le roi de sévir ?

Le bouc émissaire sera Leclerc, curé de Saint-André-des-Arts. C'est lui, « avoue »-t-il, qui a fait interdire l'ouvrage, mais non pour son contenu : la reine Marguerite ne saurait mal faire. La faute revient à l'imprimeur. Il n'a pas demandé à la Sorbonne l'autorisation de publier : or elle était indispensable, cette autorisation, même pour un poème aussi bien pensant [10]...

En un mot, non seulement les ultras se couchent, mais ils encourent le ridicule. C'est trop pour leur paranoïa. Elle tourne à la monomanie. Ils battront Marguerite, dussent-ils perdre la face encore et encore.

En attendant, Nicolas Cop, le recteur qui a réduit à rien l'interdit du *Miroir*, est le premier sur la liste noire des excités. Il ne va pas tarder à leur prêter le flanc.

La rentrée universitaire 1533-1534 approche. Surchargé de besogne, le recteur confie la rédaction du discours solennel d'usage à l'un de ses meilleurs élèves. Il s'appelle Jean Cauvin, ou Calvin. Le discours, disons-le clairement, n'a pourtant rien de calviniste. Il prêche d'abord l'union : « Heureux ceux qui concilient les âmes dans la paix », dira Nicolas Cop. Le recteur en effet reprend le texte de son élève, dont il approuve les audaces.

---

10. L'avocat de la reine, qui obligea la faculté à se déjuger, fut le dominicain Guillaume Petit, ancien confesseur du roi, obligé de Marguerite. Quant à l'imprimeur Augereau, il sera bel et bien brûlé vif.

La harangue est mal reçue. Bédier se déchaîne. Cop, qui connaît ses bons confrères, n'attend pas qu'on le juge. Il s'enfuit à Bâle. Calvin pour sa part se réfugie pour un temps... à Nérac, chez Marguerite. Tout ce qui conteste en parlant de paix aura sa protection.

L'étrange année 1534 commence. Catholiques et protestants, réformés et réformistes ont l'air de se renvoyer François Ier de camp à camp, comme un ballon. En fait, rien de plus délibéré que cet apparent nonchaloir. Le roi donne l'avantage toujours à sa sœur, et tour à tour à ceux qui appuient ses affaires du moment.

Janvier : le pape a publié deux bulles contre la montée du luthéranisme français. François les envoie au Parlement, exige leur application. Des centaines de suspects sont arrêtés.

Février : un envoyé des sorbonicoles supplie le roi de sévir contre les mal-pensants. Dans leur liste, il est assez sot pour inclure Marguerite. L'envoyé est jeté en prison. Pouvait-il savoir que le roi venait de rencontrer Philippe de Hesse, porte-parole des princes protestants ?

Marguerite le sait, elle. Tous ses efforts tendent au grand rassemblement chrétien déjà hautement improbable. Elle obtient du roi que Mélanchthon vienne en France, qu'il le rencontre. Mélanchthon le « ferme modéré », le pacificateur. Gérard Roussel, libéré sur ordre royal, est « remis dans les mains » de Marguerite. Il est sauvé. Elle le fera évêque d'Oloron en 1536 : chez elle.

Quant à Noël Bédier, revenu à Paris, gracié aussi, les rancuniers amis de Marguerite vont le perdre. On trouve dans ses lettres de quoi étayer une accusation de lèse-majesté. Alors le syndic de Sorbonne, le vainqueur de Briçonnet, le persécuteur de Marguerite est condamné à son tour à l'amende honorable : fouetté en chemise, la corde au cou, sur un parvis d'Église. Il est ensuite exilé au Mont-Saint-Michel. Quand il y mourra, on fera une quête en Sorbonne pour lui assurer des funérailles décentes.

Marguerite a triomphé dans un combat à découvert. Mais ses ennemis restent nombreux. Ses turbulents amis font des sottises. Marot, dans une « mommerie », a le tort de crier victoire contre les ultras. Un rimailleur nommé Sagon, qui est aux « vieux

Priams », en prend de l'ombrage. C'est le début d'une querelle où Marot mettra les rieurs de son côté, et la Sorbonne contre lui.

Cependant l'automne vient. Le pape est mort, vive Paul III qui lui succède, et parle d'œcuménisme. Il écrit chaleureusement à Marguerite. Il sait – lui qui fera le concile de Trente – que l'Eglise doit s'engager soit dans l'union, soit dans la lutte ouverte.

Octobre. Marguerite espère. Ses espoirs s'effondrent soudain. Mélanchthon ne viendra pas. L'union des chrétiens est rendue impossible. Dans la nuit du 17 au 18 octobre éclate un irréparable scandale : l'affaire des placards.

L'affaire des placards

Malgré l'admiration que l'on doit avoir pour l'étendue vertigineuse de la bêtise humaine, surtout quand elle se teinte de fanatisme, nous ne pouvons croire que l'affaire des placards soit autre chose que la manipulation d'un insensé. Le coupable, celui qui couvrit d'affiches – de placards – les antichambres du roi, sa porte, qui en mit une dans son drageoir, est connu : Antoine Marcourt, prêtre réformé de Neuchâtel. Que ce disciple de Farel ait rédigé le texte, qu'il ait prêté la main à l'affichage et se soit ainsi clairement désigné à la vindicte, aucun doute. Mais qui l'a aidé ? Je suis de ceux qui croient que les plus fous des ultras, dans l'entourage royal, ont pu le faire. Eux seuls y avaient profit, non les réformés : *hic fecit...* Ravaillac certes assassinera Henri IV : mais qui armera la main de Ravaillac ?

Provocation donc ou simple acte de démence, l'affichage tombe à pic pour décider le roi à cesser son jeu de balançoire entre catholiques et protestants. Ne nous trompons pas sur le fond : ce qui met François hors de ses gonds, c'est d'abord le texte du placard, bien entendu. C'est aussi et peut-être surtout le fait d'être nargué et offensé dans sa chambre même. Lui, l'autocrate, le seul décideur, le monarque souverain a l'impression intolérable d'être souffleté. La vengeance sera terrible, tant pis pour les conséquences politiques.

Le texte lui-même dépasse en outrance ce qu'un catholique

peut supporter. Il stigmatise « les horribles, grands et insupporta-bles abus de la messe papale, inventée contre la sainte Cène », et déclare criminel de recrucifier le Christ. C'est la profession de foi des sacramentaires contre la présence réelle de Jésus dans l'Eucharistie, mais formulée en des termes tels qu'ils ne pouvaient que scandaliser. Il est trop tôt, Luther en est déjà convenu, pour priver le peuple chrétien de ce « sacrifice millénaire » : que l'on en présente au moins la parodie.

Le moment ne saurait être plus mal choisi pour rendre le roi furieux. Des pourparlers de paix religieuse sont engagés. Le nouveau pape cherche un terrain d'entente. Les ultras parisiens ont perdu la face devant Marguerite, et celle-ci croit encore pouvoir convertir son frère à une tolérance de droit.

En fait, François Iᵉʳ donne des gages à ses alliés protestants, mais les retombées des bulles papales de 1533 n'ont pas cessé. Jamais le roi n'a encore accepté l'implantation des idées nouvel-les. Il emprisonne qui accuse sa sœur, déjuge la faculté qui l'interdit : mais tandis que l'on sourit aux ligueurs de Smalkalde, les persécutions contre les « mal-sentants » n'ont pas complète-ment cessé. Un médecin va au bûcher pour avoir proclamé que des prêtres, qu'il soignait, avaient bonnement la vérole.

Le rêve œcuménique de Marguerite, de Mélanchthon et des protestants modérés, de Paul III peut-être, n'a plus de sens. La guerre religieuse va connaître en France ses premières ardeurs.

Le 18 octobre au matin, François, offensé dans sa personne, est devenu plus bouillant que les ultras. Il apprend vite que les placards ont été affichés dans tout le royaume. C'est la preuve que la réforme compte partout des affidés. Le roi donne tout pouvoir à ce Parlement qu'il a brisé, à cette Université qu'il vient de bafouer : dispersez cette secte maudite! Brûlez, pendez, extir-pez.

Les corps constitués, les Parlements et universités de province, qui n'espéraient plus ce feu vert, se mettent au travail. L'automne est sanglant, les bûchers s'allument par dizaines à Paris, par centaines dans les villes françaises. On pend aussi très bien. La capitale se couvre de gibets. Ceux qui peuvent fuir se hâtent de gagner les frontières.

La conciliation? Jean du Bellay lui-même nommait Mélanch-

thon « le démoniacle ». Tout cela est dépassé. Marot fuit à Nérac.
Ce n'est pas assez loin. La répression menace même les lieux
d'asile de Marguerite. Il se réfugiera à Ferrare, chez la très peu
orthodoxe Renée de France, gémissant :

> *Et puis Marot, est-ce une grande viande*
> *Qu'être de France étrangé et banni ?*
> *Pour Dieu, monsieur, je dirai que nenni.*

Tous n'ont pas sa chance, ni celle des nombreux Lyonnais qui
s'exilent en Suisse. Depuis la grande révolte de 1529, les tisserands
de Lyon continuaient à « penser mal ». Artistes peintres, enseignants, imprimeurs surtout et leurs aides, clercs suspects sont
exécutés ou emprisonnés. Pierre Caroli encore, l'ancien disciple
de Briçonnet. La fureur du roi ne s'éteint pas. Comme au début
de 1535 paraît une nouvelle édition des placards, François Ier fait
proclamer un édit interdisant purement et simplement l'imprimerie. Le Parlement « évitera » de l'enregistrer. Enfin calmé, François Ier rapporte cette décision indigne de lui, mais qui donne la
mesure de sa fureur.

Contre-offensive catholique : les processions expiatoires en
chaque ville. La plus belle, la plus impressionnante se déroula le
21 janvier 1535 à Paris, réunissant tous les religieux et prêtres de
la capitale. On promena les châsses des églises, les reliques les
plus honorées. La reine Éléonore parut à cheval, précédée de cinq
cents cordeliers. Les corps constitués, des troupes de bourgeois en
chemise, cierge à la main, allaient au pas, chantant des hymnes.
Au milieu de l'immense cortège, l'ostensoir contenant le Saint-
Sacrement, tenu par l'évêque Jean du Bellay. Il était protégé par
un dais que portaient les fils du roi et le duc de Vendôme. Ensuite
venait le roi, seul, à pied, vêtu de noir, une torche à la main, suivi
d'une foule innombrable. Tout Paris est dans la rue. Ce qui ne
défile pas est tenu à l'écart par les archers du service d'ordre.

Après cette grandiose manifestation, François Ier prononce un
discours qui enchante les ultras. Il recommande non seulement la
dévotion la plus strictement romaine, mais la délation des
déviants. Il déclare qu'il se couperait le bras, s'il était envahi de
pourriture protestante. « Et si mes enfants en étaient entachés, je
les voudrais moi-même immoler. » Le roi donne ensuite des

pouvoirs extraordinaires à la répression. Elle se développera jusqu'au printemps de 1535, au milieu des pires excès : tout dénonciateur est récompensé, et quiconque abrite ou nourrit un hérétique devient coupable d'hérésie.

Marguerite n'est plus à Paris. Que pouvait-elle contre ce déchaînement, sinon pleurer ses espoirs perdus de réconciliation ? Henri de Navarre et elle-même passent dans leurs états, à Pau, à Bayonne, à Rodez, l'automne rouge et le début de l'année 1535.

Dans les excès de sa fureur, il faut noter que François Ier ne met jamais sa sœur en cause, ni son beau-frère. Au début de 1535, il confirme à ce dernier ses gouvernements du Midi, sans la moindre restriction. Au printemps, Henri et Marguerite sont en Languedoc, puis séjournent chez eux, à Foix, où Henri réunit ses États. Ne pensons pas un instant que les provinces les boudèrent. Les Navarre au contraire sont accueillis partout avec des transports de joie et de déférence. En juillet, Toulouse leur réserve un accueil triomphal. Rodez également.

Ce même mois, le 16 juillet 1535, est promulgué l'édit de Coucy. Coup de théâtre : l'amnistie est accordée aux réformés. A condition qu'ils abjurent dans les six mois, il est vrai. Mais enfin, c'est arrêter la chasse aux sorcières. Le roi justifie ses rigueurs : il ne s'agissait là que des excès d'une secte qui a osé s'en prendre à sa personne, et que les persécutions légitimes viennent d'écraser.

L'erreur politique causée par son coup de colère apparaît en fait à François Ier. Guillaume du Bellay, l'ambassadeur, a dû lui montrer l'étonnement, l'indignation des ennemis protestants de Charles Quint devant les bûchers et les potences.

Naïvement, François Ier croit qu'il peut encore tout arranger. Mais la puissance qu'a donnée le roi aux ultras et aux maîtres de la Sorbonne saura bien empêcher tout accord. Marot l'avait bien prévu :

Je ne dis pas que Mélanchthon
Ne déclare au roi son avis
Mais disputer en vis-à-vis
Nos maîtres n'y veulent entendre.

François, qui avait gagné une popularité immense dans son voyage de deux ans à travers les provinces françaises, croit fermement réglée – et pour finir avec indulgence – la rebellion religieuse. Une fois encore, il a fait deux mesures : l'une pour sa sœur, l'autre pour le reste des « mal-sentants ».

Maintenant, son esprit est ailleurs. Fort de sa popularité confirmée, le roi de France n'a qu'une idée en tête : refaire la guerre à Charles Quint.

Les cicatrices

La tentation a été grande, lors des trois époques où la reine de Navarre a éveillé les curiosités en chaîne (1890-1910, 1925-1935, 1970-1985) de l'étudier de trop près pour en garder une vue à mesure simplement humaine. Ainsi les biographes penchaient-ils vers l'hagiographie d'abord, vers la psychographie ensuite, et la savante analyse de textes, sources et situation littéraire ou religieuse. Surtout religieuse, ces années dernières. Pour ma part, sensible à l'auteur comme au poème, je pense qu'il faudrait chercher la *réalité* de cette lyrique étrange, si élevée dans la société de son temps qu'elle bénéficie d'une scandaleuse partialité royale, si constante toutefois dans sa démarche spirituelle courageuse.

Je crois intéressant, par exemple, de chercher dans les poèmes datés raisonnablement d'avant 1541 les retombées de la désolation et de l'horreur des persécutions (automne 1534 – printemps 1535) aussi féroces qu'inattendues. Nous trouverons non des blessures ouvertes, mais des cicatrices.

Marguerite n'est pas cette abandonnée à Dieu, ce « Rien » devant le « Tout » qu'elle montre dans ses poèmes. Elle idéalise par la poésie ce *Fiat* exalté. Dans la vie, nous la voyons gourmande, gaie, emportée (sa bataille contre le vilain Este le montrera en 1535). Nous savons que, tandis que son frère fait brûler et pendre ceux qu'elle aime, la reine recueille avec plaisir, dans la Navarre et ses états du Languedoc, les acclamations d'un peuple qui l'admire ou l'envie. Dès les temps historiques, rois et reines ont exploité le *star system*. François s'y entend, mais sa sœur aussi.

Si elle écrit, à cette époque, pour supplier, nous n'en avons guère de traces. Nous sommes sûrs en revanche qu'elle multiplie ces exercices de charité active, ces « œuvres » d'autant plus méritoires qu'elle leur refuse – avec les réformés – tout mérite devant Dieu. A Rodez, elle donne ses soins à la modernisation de l'hôpital. Elle tient la main à celui d'Alençon, qui n'était pas géré comme elle le souhaitait après qu'elle l'eut fondé. Surtout, à Paris, elle va être à l'origine de ce qui deviendra l'Hôpital des Enfants malades, malgré l'opposition de certains intérêts privés. A Lyon, elle soutiendra les beaux efforts de « l'Aumône générale ». Ce n'est pas encore la Sécurité sociale, mais le pain assuré sans agenouillements.

Reste la déchirure intérieure. Marguerite n'écrit jamais de ses peines les plus profondes, nous l'avons déjà remarqué. Ses dernières poésies démontreront qu'elle les gardait en elle, présentes, vives. Qu'en sera-t-il du martyre de ses amis ? En chrétienne exaltée, elle pleure sans doute les morts, mais nourrit sa foi de ces sacrifices. Ses œuvres antérieures à 1541 (*Le Triomphe de l'agneau*, la *Complainte pour un détenu prisonnier*, quelques-unes des *Chansons spirituelles*) porteront cette double marque : elle s'ancre dans la *devotio moderna* la plus avancée, elle exalte le sacrifice des martyrs. Ainsi le début du *Triomphe de l'agneau* :

> *Mais vous chacun, victorieux gendarmes* (v. 19)
> *Qui tous avez enduré les alarmes*
> *Des fiers Géants en cruauté confits*
> *Sans être en Foi d'un seul point déconfits*
> *Apprêtez-vous, les palmes en la dextre*
> *Car il convient d'aller après le maître.*

Le Triomphe de l'agneau, Jourda l'a noté avec pertinence, est plus inspiré de l'Apocalypse de saint Jean que des *Triomphes* pétrarquiens. Si les références à l'Écriture demeurent nombreuses, si le décasyllabe rimé AABB garde – cherche – un pouvoir incantatoire, le poème est structuré, cette fois. Les trois ennemis de l'homme – la chair, le péché, la mort – sont combattus et vaincus à la fin par Dieu en sa créature, son Adam. Mais que de références à l'Adam réformé, voué aux persécutions des ultras :

> [Ils] forgeront tortures à monceaux (v. 790)
> Mille tourments pour emplir leur courage
> Et mettre à chef leur félonie et rage.
> Les uns feront en la flamme rôtir
> Et par charbons de ce monde partir
> Prenant plaisir à dresser de tels jeux
> Et repaissant de tels actes leurs yeux.
> Cordes, liens, chaînes, seps et couteaux
> Écorchement, dérompement, poteaux
> Rou-es, tourments, chevaux, lions, serpents
> La terre et l'eau, les flammes et le vent

De la même douleur, changée soudain en joie par l'espoir de vie en Dieu au Paradis, cette *Chanson spirituelle* [11] qui ressemble si fort aux hymnes huguenots du siècle suivant (*Chanson 15*).

Refrain :

> Réveille-Toi, Seigneur Dieu
> Fais ton effort
> De venger en chacun lieu
> Des tiens la mort.

1er couplet :

> Tu veux que ton Évangile
> Soit prêchée [12] par les tiens
> En Château Bourgade et Ville
> Sans que l'on en cèle rien :
>
> Donne donc à tes servants
> Cœur ferme et fort
> Et que d'amour tous fervents
> Aiment la mort. (Au refrain)

---

11. Les *Chansons spirituelles*, qui figurent dans *Les Marguerites* de 1547, n'ont certainement pas été composées à la suite, d'un trait, mais ponctuent les années 1535-1547, selon les meilleures estimations.
12. Préché-e (trois syllabes).

Voilà pour les ondes de choc. Durant les derniers mois de 1534, jusqu'à juillet 1535 et l'édit de Coucy, la reine réside soit en Navarre, soit dans les gouvernements du Midi où son mari a reçu pleins pouvoirs et se déplace sans cesse : Guyenne, Languedoc.

Durant ces voyages, une lettre de Michel d'Arande à Farel atteste une rencontre dont il faut dire. En Béarn, Marguerite est appelée au chevet de Lefèvre d'Étaples, qui atteint ses quatre-vingt-cinq ans. Il se sent mourir [13]. Le père du fabrisme, aux derniers instants de sa vie, dit à sa protectrice de toujours l'angoisse qui l'étreint : il n'a pas assez travaillé, durant son existence, pas assez contribué à répandre l'Évangile. La reine le rassure, mais il secoue la tête. Scrupules, remords qu'ont partagés beaucoup de zélateurs infatigables : « Je n'ai rien fait », dira saint Vincent de Paul sur son lit de mort.

Pourtant, Lefèvre ne se contente pas de s'honorer par l'humilité. Le vieillard institue à ce moment Marguerite sa légataire universelle. Acte dérisoire, si on le considère seulement sur le plan matériel : Lefèvre n'a pas un sou, Marguerite est très riche.

Acte significatif, si l'on se persuade que, par ce dernier vœu, le grand humaniste transmet à sa disciple le flambeau avec lequel il a tenté, durant soixante ans, d'éclairer la conscience des chrétiens, sans se déclarer pour l'une ou l'autre Église.

13. En fait, il mourra – date encore incertaine – vers les premiers mois de 1536, l'année même où disparaît Érasme.

CHAPITRE IX

Le second souffle

Retrouvailles

Leur long voyage terminé, les Navarre traversent le centre de la France. De Rodez, ils vont à Dijon rejoindre le roi. Deux remarques s'imposent d'abord, évidences mal soulignées.

Après l'affaire des placards, plusieurs s'émerveillent de la faveur dont jouit encore Henri de Navarre : le roi lui accorde pleins pouvoirs dans les gouvernements du Midi. Il le comble de présents, lui renouvelant par exemple les revenus des greniers à sel normands. Voyez comme il aime son beau-frère! Mais ne devrions-nous pas dire plutôt : « Voyez comme il l'éloigne avec élégance »? On ne saurait plus gracieusement décider Navarre – et sa femme mal-pensante – à s'en aller loin de la cour durant l'époque de la répression contre les réformés.

Seconde évidence discrète : Henri et Marguerite arrivent à Dijon, où est le roi, à la fin de juillet 1535 : or l'édit de Coucy, qui amnistie les déviants religieux, est proclamé le 16 de ce mois. Devons-nous croire à une coïncidence? Certes, il serait absurde de penser que, revoyant sa « mignonne », le roi fit proclamer l'édit. C'était chose faite quand elle arriva : mais, la correspondance entre frère et sœur étant restée très active, ne pouvons-nous penser que la reine de Navarre survint précisément lorsque l'amnistie fut prononcée en faveur de ses protégés?

Au reste, elle avait repris espoir. François Ier, chapitré par

Guillaume du Bellay, ne reprenait-il point contact avec les anciens conjurés de Smalkalde? Ne renouvelait-il pas son invitation à Mélanchthon? Les ultras firent échouer cette entrevue. Nous sommes fondés à penser pourtant que, dès 1534, le roi a pris son parti définitif de ne pas imiter Henri VIII ni les princes allemands : il restera dans la mouvance romaine une fois pour toutes, par tradition, préférence personnelle ou raison d'État. La guerre qui s'annonce une fois terminée, le roi déclarera ce choix. L'édit de Coucy sera rapporté (1538); les mesures antiréformistes aggravées (1539-1540).

Marguerite ignore ces desseins. En fait, durant les années qui vont suivre, un fort courant d'hypocrisie à double sens s'établira entre elle et son frère. Il s'aggravera tandis que s'opposent les intérêts de la Navarre et de la France. En 1541, nouvelle retraite de Marguerite dans ses terres, où l'on peut dire qu'elle prépare déjà son futur établissement.

Disgrâce? Jamais. Toute histoire d'amour – même fraternelle – connaît des hauts et des bas, quand l'intérêt s'y mêle. Les intérêts de Marguerite et du roi divergent, lorsqu'elle soutient son mari et sa fille contre les décisions françaises. En 1541, Marguerite partira d'elle-même afin de ne pas « contrer » ouvertement son César. De même, en 1534, le roi lui avait-il suggéré – balisé même – un voyage doré, pour ne pas lui donner le spectacle de persécutions qu'il jugeait nécessaires.

Est-ce que j'invente à loisir ces délicatesses de cœur? Les cyniques tiennent pour rien les mots de profonde affection qui ne cesseront jamais d'emplir les lettres de Marguerite à François, et du même à la même : ils les déclarent de pure forme, grossis par la mode du dithyrambe qui se met dans la poésie de cour et même de jardin. C'est aller loin dans la noirceur.

Factice, cet amour? Machinales redites d'une sincérité tarie? François ne ménagera pas la mignonne : massacre des vaudois (1545), châtiment des révoltés de Meaux (1546)... Puis il meurt (1547), et que voyons-nous chez la reine de Navarre? Pas de mots, de transports, de démonstrations. Pas même ce repli sur elle-même qu'elle montre lors de ses deuils précédents. Un anéantissement. « Morte-vivante », dira-t-elle. Elle passera ses dernières années à écrire dans la solitude, séparée d'un monde que « son soleil » n'éclaire plus. L'amour a des accords et des déchirements qui ne le remettent pas en cause, s'il est donné une fois pour toutes.

Durant les retrouvailles de Dijon, l'amour est harmonie. Marguerite reprend sa place de conseillère intime. Elle siège au Conseil restreint, auquel n'est pas admis son étranger de mari. Elle reçoit des ambassadeurs, et chacun sait à nouveau qu'il faut passer par elle, qui a l'oreille du roi.

D'abord, cette fille de sa mère – Louise avait les rancunes longues, Semblançay l'a su – commence par régler un vieux compte. En 1534, avant les « placards », elle s'était brouillée avec Montmorency. Le grand maître, trop zélé pourfendeur d'hérétiques, subit un jour de sa part une avanie publique : folle de rage, Marguerite lui avait demandé s'il se prenait pour le roi de France. Il triomphera lorsque les « placards » déchaîneront la répression. Marguerite s'éloigne, furieuse contre lui.

Quand elle retrouve François dix mois plus tard, le vent a changé. Le roi s'est tourné vers les belliqueux : les Du Bellay et l'amiral Chabot de Brion, qui parade à la première place dans ses bonnes grâces. La rancunière Marguerite ne peut atteindre Montmorency, non pas exilé mais chargé de mission. Elle s'en prend donc à la sœur de ce dernier, la maréchale de Châtillon, et lui fait perdre sa place dans le cercle d'honneur de la reine Éléonore.

La guerre est décidée, on n'attend qu'un prétexte pour la déclarer une troisième fois à l'empereur. Charles a gagné la première manche à Pavie, obtenu le match nul lors de la paix des Dames. Cette fois, déclare François, il devra bien céder le Milanais. Tandis qu'elle le soigne avec zèle – le roi souffre une fois de plus d'un abcès [1] –, Marguerite s'enflamme avec lui pour le vieux rêve indéracinable : Milan. En cette lutte qui se prolongera sous le règne de leurs enfants, François Ier et Charles Quint ont chacun leur obsession : le Milanais pour le premier, la Bourgogne pour le second. Plusieurs sérieuses raisons politiques expliquent

---

1. L'avis des médecins d'aujourd'hui diverge si bien sur les causes de cette maladie humorale, que nous nous garderons de choisir parmi les diagnostics (syphilis ou autre maladie vénérienne, tuberculose, etc.). Le fait est qu'il en souffrit depuis Madrid, et pour finir en mourut à moins de cinquante-trois ans.

rationnellement cette monomanie. En fait, elles convainquent moins qu'une explication subjective : le roi et l'empereur font – toute raison mise à part – ce que les psychiatres nomment une « fixation ». Cela n'est pas rare chez les souverains guerriers de tout temps.

N'est-ce pas pour exaspérer Charles Quint que François Ier s'établit justement en Bourgogne, tandis que se développe dans les provinces son plan original de conscription ? Il a décidé de lever des corps d'armée régionaux, composés de conscrits encadrés par la noblesse locale. Chacune de ces troupes aura son uniforme particulier, servira sous ses propres chefs, avec solde et avancement possible pour les meilleurs. L'opération est en train. Autour de Chabot, une ardeur guerrière se développe. François l'entretient si bien que Marguerite y succombe. Au début de janvier 1536, la cour se transporte une fois de plus à Lyon, rampe de lancement des campagnes italiennes depuis le début du règne.

Dans cette ville, Marguerite passera des mois importants pour sa vie de créatrice, par rencontres, influences, découverte de champs littéraires nouveaux, que nous explorerons.

Les vieux amis ne sont pas oubliés. Voici Marot qui écrit deux fois d'Italie, alors précisément que les marotiques entourent la reine de Navarre. Il est d'abord réfugié à Ferrare chez Renée de France, épouse d'Hercule d'Este, le duc. Il paraphrase, déconfit, sa déclaration :

Il vaut mieux s'excuser d'absence
Qu'être brûlé...

Le duc chasse de Ferrare les étrangers, et moleste sa femme qui les protège. Marot le fait savoir à Marguerite, qui prend feu pour sa belle-sœur. Elle harcèle son frère : François écrit à Renée pour l'inviter en France, sachant bien que la guerre proche l'empêchera de venir. Mais enfin, il faut bien calmer la « mignonne », si furieuse qu'elle écrit au pape : Paul III se garde d'intervenir pour l'hérétique Renée, fût-elle de sang royal français.

Pour finir, le duc de Ferrare se calme, et Marot gagne son pardon. Il reviendra en France, peut-être au prix d'une amende honorable (décembre 1536).

L'amiral Chabot est brillant. Pourtant, le meilleur général du royaume reste Montmorency. François le sait, le fait admettre à Marguerite, qui ensevelit pour le moment sa rancœur contre le grand maître. La guerre se dessine. A la fin de 1535, le dernier Sforza meurt à Milan. François Ier demande le duché pour son second fils Henri. Charles Quint l'offre au troisième, Charles, à la condition que le prince épouse la veuve de Sforza. Cette douairière, Christine de Danemark, n'a que quatorze ans. Le roi de France refuse ce que d'ailleurs l'empereur n'a pas réellement l'intention d'accorder.

Janvier 1536. La cour est à Lyon. La conscription n'a pas donné le quart des hommes que l'on attendait, mais on complète l'armée par des mercenaires. Chabot de Brion à leur tête, quarante mille « Français » envahissent la Bresse, puis la Savoie et le Piémont, s'arrêtent sur ordre du roi aux frontières du Milanais. Charles Quint en appelle au pape, tergiverse, ne se décide à rompre avec la France qu'au mois de juin. Montmorency a eu le temps de préparer le Sud-Est à l'attendre. Alors, curieusement, commence la « période guerrière » de Marguerite de Navarre.

Marguerite foudre de guerre

Sur le terrain, la troisième guerre contre Charles Quint va être un succès pour la France. Nous n'y verrons aucun nom aussi tranchant que Fornoue ni Marignan, mais l'ensemble des opérations tourna en faveur des Français. Pas de victoire : un arrêt des hostilités faute d'argent de part et d'autre. Pas d'argent, pas de Suisses dirions-nous, si les mercenaires de François Ier n'eussent été cette fois d'Italie centrale et du Sud. Pas de traité de paix : une trêve de dix ans, qui en dura six. Un seul vrai vaincu : Charles II de Savoie, qui perdit toutes ses terres : à l'exception du comté de Nice, la Savoie demeurera française jusqu'au traité de Cateau-Cambrésis, vingt-trois ans après l'invasion de 1536.

Chabot de Brion, donc, occupe cette province et le Piémont dès le mois de mars. Son chef et rival Montmorency garde la plus ingrate des tâches : assurer les arrières. On sait que ces approches rapides, en chevau-légers, du cœur de l'Italie, se transforment souvent en retraites tout aussi précipitées : le souvenir de Charles VIII demeure. Et si le bouillant amiral était ramené en France l'épée dans les reins ? Dès juin, l'armée impériale passe à l'attaque. Elle est soutenue sur mer par un véritable meneur de galères, un grand marin, Andrea Doria : Doria, qui avait servi la France avec éclat, avant de passer à l'empereur. Il vient d'attaquer Barberousse à Alger (1530) et Tunis (1535)[2]. L'amiralat de Chabot de Brion, tout honorifique, ne lui donnait pas science de la mer.

Montmorency, donc, prépare la Provence et la vallée du Rhône à une contre-offensive des impériaux. Pour cela, il utilise le long de la côte l'abominable mais efficace tactique de la terre brûlée : récoltes incendiées, bétail emmené au loin, puits empoisonnés. Les Provençaux, qui n'ont pas oublié Bourbon, coopèrent, bien que mal dédommagés.

La campagne étant rasée, le lieutenant général du roi – nouveau titre du grand maître en cette campagne – munit et fortifie les villes, y place de fortes garnisons. Le gros de ses troupes s'installe sous Avignon, dans un superbe camp, établi sur le modèle des *castra* de la Rome antique.

Jusqu'à mai 1536, Marguerite, à Lyon, peut encore croire à la paix provisoire. Mais l'ambassadeur de l'empereur, qui avait eu avec elle une entrevue secrète, quitte la France. Henri de Navarre part pour la Guyenne où il doit lever des troupes.

Sa femme l'accompagne jusqu'à Tournon. Bien chapitrée par le roi, elle écrit gracieusement à Montmorency et même à sa sœur, qu'elle avait fait exiler de la cour. En juillet, elle regagne Lyon. La guerre bat son plein sur la frontière italienne. Les lettres de Marguerite à Montmorency se font de plus en plus aimables, accompagnées d'un cadeau certainement riche, mais tout à fait impertinent : un recueil de psaumes, en latin il est vrai, non la traduction de Marot, qui n'est pas encore imprimée.

Henri, le second fils du roi, a seize ans. Il brûle de rejoindre

2. Andrea Doria appartenait à une ancienne et noble famille génoise. C'est d'ailleurs à propos de Gênes qu'il rompit avec François Ier. Charles Quint le fit prince. Andrea Doria reprit Gênes en main, la dirigea à travers une oligarchie de nobles marchands détestés mais indéracinables. Il mourut presque centenaire (1466-1560).

Montmorency à la guerre. Est-ce lui qui communique à sa tante l'ardeur guerrière qui soudain la prend? Voici Marguerite qui descend le Rhône et s'enflamme à voir les villes bien défendues par des soldats nombreux. Les officiers la prient de passer leurs troupes en revue, et la poétesse, la contemplative, l'anéantie en Dieu, redevient la cavalière d'Espagne, avec des airs de général. Elle écrit à Montmorency que ses garnisons sont superbes, qu'elle souhaite de tels soldats à la Navarre.

Primesautière Marguerite! Son séjour à Lyon, s'il l'avait attirée dans un cercle littéraire nouveau pour elle, ne la prédisposait en rien à cette chevauchée d'amazone. Toutefois, cette société italianisante était fort éprise de l'Arioste, mort en 1533 après avoir remanié son sublime *Orlando furioso*... Marguerite se prend-elle pour Bradamante à la lance magique? N'affabulons pas.

Ce qui en revanche reste tout à fait vrai, c'est la chevauchée militaire de la reine, cavaliers devant, vers le Comtat Venaissin. Elle souhaite arriver au camp de Montmorency, en admirer la superbe ordonnance. Sa dévouée compagne et dame d'honneur, la sénéchale de Poitou [3], tombe malade à suivre ce train d'enfer. Marguerite s'en fâche, en profite pour visiter une garnison de plus. Elle assiste même, dit-on, à l'interrogatoire d'un espion.

Cette belle ardeur tombe subitement lorsque arrive une noire nouvelle. Le dauphin François est mort subitement, ayant bu de l'eau froide après une chaude partie de paume. A-t-il été empoisonné? C'est douteux, bien que l'on ait torturé son écuyer Montecuculli, qui avoue. François, héritier du trône, est mort le 10 août 1536. Qui a donné le poison – si poison il y eut – à Montecuculli? Qui, sinon les sbires de Charles Quint? Voilà qui met la rage au cœur des gentilshommes de l'armée.

Marguerite rebrousse chemin et retrouve son frère à Valence. Elle lui dit ce qu'elle a de chagrin dans le cœur. Désormais, Henri d'Orléans devient dauphin du royaume. Il combattra bientôt sous Montmorency et prendra en amitié le grand maître, que cette campagne fera connétable. A la mort de François Ier, Henri, devenu le roi Henri II, rappellera Montmorency disgracié, en fera son premier conseiller, sinon le meilleur.

3. La propre grand-mère de Brantôme.

Marguerite reprend son voyage, malgré ce deuil cruel, plus guerrière que jamais. Charles Quint est entré en Provence. Il est à Aix le jour même de la mort du jeune François, et se fait couronner « roi d'Arles ». L'amiral Doria cependant cherche en vain à forcer le port de Marseille. L'infanterie impériale, par un été torride, sur la terre brûlée, souffre de la faim et de la soif. Elle en est réduite à manger des fruits verts. La dysenterie s'installe, l'armée d'invasion fond au soleil. Elle fera retraite, avec son chef bien piteux : Charles Quint en personne.

La reine de Navarre, décidée à rentrer chez elle, ne peut résister à son envie de voir le camp de Montmorency sous Avignon. Elle y arrive le 20 août. Touché par ses lettres enflammées et sachant bien d'autre part l'influence qu'elle a sur son frère, le grand maître la reçoit non en reine, mais en inspecteur général des armées. Il lui fait visiter le camp en détail, organise un défilé des troupes, bref porte son enthousiasme à son comble. Cette parade n'est pas vaine : François Ier recevra des lettres où Marguerite porte aux nues Montmorency.

La retraite de Charles Quint (13 septembre) suit de peu l'équipée militaire de Marguerite. Celle-ci, qui sans doute poursuivait sa route vers la Navarre, apprend la nouvelle : les impériaux décimés se replient vers l'Italie, attaqués sans cesse par des résistants provençaux qui descendent des collines. La Provence est pleine de morts sans qu'il y ait eu autre chose que des accrochages. Le roi et Henri de Navarre vont féliciter les Marseillais.

Quant à Marguerite, elle revient à Lyon à temps pour assister à l'épouvantable mise à mort de l'écuyer Montecuculli, présumé assassin du dauphin François. Elle reprend ensuite ses paisibles occupations, recevant de l'Europe entière des condoléances pour la mort de son neveu. Le 1er janvier 1537, elle est à Blois avec la cour [4]. Madeleine, sa nièce, épouse Jacques V d'Écosse. La reine redonne son attention aux affaires internationales. Sa période « militaire » est terminée.

La guerre pourtant reprend en 1537. Montmorency et le nouveau dauphin Henri repoussent d'abord une attaque dans le

4. Le 15 du même mois, Alexandre de Médicis, bâtard du pape et maître de Florence, fut assassiné par son cousin Lorenzino, dit Lorenzaccio.

nord, puis reviennent en Italie. Le grand maître force le pas de Suse, reprend l'une après l'autre les forteresses de la frontière, non sans barbarie démontrée. La France et l'Empire se trouvent à bout de ressources. Une trêve est signée à Monçon, en Espagne. Des négociations de paix s'engagent à Leucate, près d'Agde. Pour finir, c'est le pape qui dénouera la situation, empêchera les deux camps de se renforcer et de reprendre la guerre. Il propose une entrevue sous sa présidence et son autorité. Cependant, en récompense de ses services, Montmorency reçoit cette épée de connétable de France, qu'un de ses ancêtres avait déjà ceinte en 1218.

Le pape réunit François et Charles à Nice. Ou plutôt ne les réunit pas, car ils refusent de se rencontrer. Paul III doit aller de l'hôtel où réside le roi à la galère où boude l'empereur. Cette médiation n'est pas vaine. Le pape obtient la promesse d'une trêve de dix ans entre les deux souverains. La France gardera la Bresse et la plus grande partie des états de Savoie.

Soudain, voici du coup François et Charles bien disposés l'un envers l'autre. Le 14 juillet 1538, ils se rencontreront à grands éclats d'amitié, dans la ville d'Aigues-Mortes. Mieux, ils s'y jureront affection éternelle. Une éternité de six ans. L'année suivante, François Ier autorisera Charles Quint à traverser la France pour aller châtier les bourgeois de Gand révoltés. Entre chevaliers, on se bat, on fait aller les armées, on se massacre, on s'emprisonne : mais quand il s'agit de « poindre le vilain », de fustiger des gens du peuple qui osent s'opposer aux rois, les rois font trêve. Charles Quint entrera en France, hôte honoré, en septembre 1539. Il paraît à Paris le 1er janvier 1540, reçu avec une pompe extraordinaire, avec un faste qui fera école.

Marguerite était à la fausse entrevue de Nice, à la vraie rencontre d'Aigues-Mortes. A Paris, le 31 décembre au soir, elle soupe avec le roi, la reine Éléonore et l'empereur. Pourtant, les méchantes langues diront que, depuis les pourparlers de Leucate, le torchon brûle entre la France et la Navarre. Car si Marguerite a un frère qu'elle aime par-dessus tout, elle est aussi en puissance de mari : d'un mari que le roi de France a frustré de ses ambitions, et qui a quelque peu comploté pour les faire aboutir tout de même.

Le complot de Navarre

Henri d'Albret voit passer les années sans que ses espoirs se réalisent. En épousant Marguerite, il escomptait que François Ier, à la première occasion, réunifierait à son profit le royaume de Navarre. Ce serait agir avec justice, pense-t-il. Ferdinand le Catholique, en 1511, par la faiblesse de Louis XII, a annexé la Navarre espagnole, la province de Pampelune dans son intégralité. Il reste aux Albret le titre de roi et le bas-pays navarrois : bon peuple, mais peu de terre. Il est vrai que le mari de Marguerite tient aussi les comtés de Foix et de Bigorre, la vicomté de Béarn, Castelmoron, les comtés de Périgord, de Castres, de Gaure, une enclave dans la Guyenne. Le temps est loin où les premiers Albret – qui d'ailleurs servaient l'Angleterre – se contentaient d'une terre entre Agen et Bazas.

Henri a sans doute reçu du roi la promesse verbale – François n'en est pas avare – qu'il récupérerait la Navarre entière. Il suffira d'en demander la partie espagnole à Charles Quint quand la France se trouvera en mesure d'émettre des prétentions.

En 1529, lors de la paix des Dames, Henri croit son heure arrivée. Nouvelles promesses non suivies d'effet. La Navarre espagnole reste à l'Empire.

Après les succès français de 1536, voyant que le roi de France n'a pas l'air de se décider à l'aider, Henri de Navarre décide d'agir seul. N'est-il pas roi chez lui, en bon droit ? Il écrit à Charles Quint, sans passer par François Ier, pour lui demander la restitution de sa province : on y mettra le prix qu'il faut.

Charles Quint mord à l'appât. Il n'a pas plus envie de livrer la Navarre espagnole que le roi de France de la réclamer, mais tient un bon moyen de discréditer à l'occasion le beau-frère de François, et par là même, sa sœur. Plusieurs lettres, des messagers sont envoyés du roitelet à l'empereur, et vice versa. Charles Quint écrit avec une bonté évasive. Il déclare à l'envoyé d'Albret ce qui peut se résumer par une lettre type de nos politiciens actuels : « Dès qu'un élément nouveau me parviendra, je ne manquerai pas de vous en tenir informé. » En langage clair : « Je ne bouge pas. »

Les démarches qu'Henri prend sous son bonnet sont maladroites. François Ier feint d'ignorer cette collusion avec son ennemi. S'il l'ignore réellement, c'est que son service de renseignements est bien mauvais : or nous le savons au contraire tout à fait efficace.

En février 1537, le roi est au château que Montmorency s'est fait construire à Chantilly par le grand architecte Pierre Chambiges [5]. Henri de Navarre va l'y trouver, et lui parle cette fois à cœur ouvert, demandant qu'il lui soit fait droit. François, comme d'habitude, répond par de bonnes paroles. Il ne fait que cela depuis des années. Après le traité de Madrid, le roi a donné tout haut des instructions pour que l'on parle de la réunification de la Navarre : en secret, il les a démenties dans une lettre à François de Tournon.

Les derniers espoirs des Navarre de voir François Ier prendre leur parti s'évanouit lors des pourparlers de paix. Malgré les promesses en l'air, il n'est pas question du territoire navarrais. Auparavant, François, brusquement, avait prétendu donner son accord à Henri : « Vous voulez la Navarre espagnole ? Prenez-la! Je vous donne une armée. » C'était l'opposer seul, lui Albret, aux forces de l'Espagne et de l'Empire, le brouiller à mort avec un puissant voisin, qui voudrait alors peut-être s'emparer de la Navarre française à titre de représailles.

Henri d'Albret a compris que cette proposition d'aide militaire est une duperie, un piège. Du coup, il contracte une maladie diplomatique. Marguerite poursuit seule les pourparlers avec son frère. Celui-ci promet une fois encore qu'à la première occasion...

La première occasion s'est présentée à Leucate, et le négociateur Montmorency n'a même pas mentionné la Navarre parmi les prétentions françaises.

Apparemment, Marguerite n'ira pas plus avant dans une escalade qui l'opposait à son frère, et qui l'obligeait surtout à lui mentir par omission. Cela n'empêche pas son mari de reprendre

---

5. Pierre Ier Chambiges fut l'un des architectes préférés de François Ier, à Fontainebleau, Saint-Germain-en-Laye, etc... Nombreuses sont ses œuvres qui ont été ruinées par la suite : le grand Chantilly notamment, et l'Hôtel de Ville de Paris.

contact direct avec Charles Quint, et de l'impliquer elle, consentante ou non, dans sa politique. Cette fois, François Ier se persuade soit que sa sœur complote vraiment avec l'empereur, soit qu'elle est trop naïve, dupe d'un mari intrigant. Le roi frappe un coup décisif : il ordonne de séquestrer Jeanne, la fille de Marguerite et d'Henri, à Plessis-lez-Tours. Cet otage lui est nécessaire : la fillette ne pourra être mariée à son insu.

Marguerite, comme d'habitude, ne laisse rien paraître de ses sentiments, après ce coup de force. Il est certain que le roi, lassé des messes basses d'Henri d'Albret, fatigué de cette querelle navarraise, lui qui ne pense qu'à Milan, veut en finir avec cette affaire. Tenant la fille, il modère le père sans avoir à le châtier.

Mais Marguerite, la bonne tante des enfants royaux, la sœur fidèle, même quand par devoir conjugal elle plaide pour son mari, n'est-ce pas un grand affront qu'on lui fait là ? Elle l'accepte. Quoi qu'en aient pu dire des personnages intéressés à la brouiller avec son frère, elle ne lui témoigne aucune froideur.

Lui, de son côté, ne l'aime pas moins. Il a, par des moyens dilatoires, fait tenir tranquille Henri de Navarre pendant des années. Le voyant près de passer des menées secrètes à la trahison pure et simple, il lui enlève sa fille, unique moyen de pression de la Navarre sur la France. Après tout, durant cet interlude d'hypocrisie, le bruit a couru dans les chancelleries que Charles Quint pourrait bien donner son fils à Jeanne d'Albret. Et tenir ainsi, pour ses descendants, une bonne partie du sud-ouest de la France !

François, qui calmait le jeu par affection pour sa « mignonne », cesse alors de jouer. Jeanne sera non pas prisonnière, mais assignée à résidence. Cela ne la changera guère de sa vie recluse au château d'Alençon, où sa mère n'allait pas souvent la visiter.

Henri de Navarre accuse ce coup de semonce. Jusque-là, certes, François lui faisait parfois des reproches, montrant à la fois de l'affection et la distance qui existait entre eux. Henri trompe Marguerite sans retenue : passe. Il l'outrage en public : le roi le reprend avec une fermeté souriante. Il complote : François confisque Jeanne pour la marier à son gré. Sans éclats, sans fureur : qu'est un Albret devant le roi de France ?

Après 1540, Henri intriguera encore pour agrandir son patrimoine : il n'aura que des cadeaux royaux et des mots aimables. Quant à Marguerite, peut-être vexée de se voir tenue pour si peu de chose en politique, elle consacre davantage de son temps à la littérature, ce dont nous ne pouvons que nous réjouir. Nous ne la verrons sortir du rôle assigné de « seconde » que lorsqu'il s'agira du bonheur de sa fille : encore s'y prendra-t-elle si mal que la petite lui en voudra.

Le « complot » des Navarre ne dut jamais empêcher François de dormir. Il en avait les fils dans sa main. Trahi par sa sœur ? Allons donc : manières de femmes, bien fol est qui s'y fie! Plus fol encore qui renonce à les aimer parce qu'elles ont du caractère.

Il est fatal que nous ne puissions, dans ce livre, présenter François Ier sous son meilleur jour : mécène, amateur d'art éclairé, ferment de découvertes en tous domaines, marieur du Quattrocento italien et des traditions artistiques françaises... Nous ne le voyons que sous son aspect de frère, indulgent à l'extrême, intransigeant seulement par raison d'État. L'un de ses titres de gloire les moins évoqués est pourtant la faveur où il tint constamment sa sœur, lui permettant d'épanouir sa personnalité au lieu de la brider.

Indulgent, le roi le fut dans ces deux situations où Marguerite se trouvait compromise gravement : résistance au pouvoir spirituel, contestation de sa volonté sur la politique extérieure de la France. L'affection fraternelle n'explique pas entièrement cette clémence. Le roi se trouve pris entre les ambitions de la duchesse d'Étampes, sa favorite depuis 1526, et le jeu des rivaux Montmorency-Chabot. Chacun le sert, mais non sans chercher à se servir. Marguerite, non. Cette brouille de Navarre mise à part – petit feu qu'il faut tout de même éteindre –, la reine de Navarre reste le dévouement, l'attachement personnifiés.

Tout au long du règne, nous voyons le roi en abuser : non pas en cynique peut-être, mais en enfant gâté. Nous signalions cela lors des années de jeunesse. Cette tyrannie s'affirme, s'installe, imposée et acceptée sans questions. Marguerite y gagne de partager les secrets du roi. Il la désigne à tous comme la plus élevée. Ainsi la voyons-nous, par dilection peut-être mais à coup sûr par volonté du roi, traiter les ambassadeurs successifs d'Henri VIII et les entretenir de politique. Les « intoxiquer » même quand le roi le veut : Wallop, Norfolk, envoyés en France, le prouvent tour à tour par leurs « certitudes » contradictoires. Duprat mort, François Ier n'eut aucun ministre capable de l'influencer dans ses desseins majeurs. Si Marguerite occupe avec bonheur, depuis longtemps et jusqu'en 1543, le devant de la scène politique, c'est par la faveur dont elle jouit, le charme et l'intelligence qu'elle déploie, les services que seule elle peut rendre au roi, qui la manipule en tout.

En tout, soit. Mais quand il devient clair pour Marguerite qu'elle n'est qu'un instrument, que « sa » Navarre reste un pion dans la main du roi, que sa fille Jeanne ne vaut guère plus, il lui viendra de l'amertume.

La muse lionnoise

Même si l'on a quelque penchant pour la poésie-prière de Marguerite de Navarre, il faut bien convenir qu'elle n'a, jusqu'en 1535, qu'une seule plume. Elle n'écrit que de son débat avec Dieu : avec force dès le *Dialogue,* avec une habileté par la suite, qui n'enlève rien à sa véhémence. Tout la tourne, dans sa « fureur poétique », vers les mouvements de l'âme, l'état-néant de l'Adam, cette inimaginable gloire de Dieu que louent par-dessus tout – David l'a prouvé – les chants et le poème.

Marguerite pourtant, nous le voyons aux détails de sa vie, n'a rien d'une contemplative, quand elle sort de sa transe créatrice. Ordonnée en ses actes, ménagère de ses biens, adroite complice de son frère dans l'imbroglio politique, la reine est tout cela : tendre parente aussi pour ses neveux et nièces, marieuse en son âge mûr. Bonne mère ? Il n'y paraît pas encore, mais cela se démontrera.

L'esprit ? Nous avons dit l'éducation qu'elle reçut, riche monnaie de celle de François. Depuis son premier mariage, et surtout depuis le second, elle ne cesse de recevoir les œuvres nouvelles qu'on lui dédie ou lui dédicace. Qu'elle lise beaucoup, ses lettres le prouvent. Parallèlement à son cheminement religieux, elle goûte les œuvres et les œuvrettes de tous les poètes et lettrés qui l'entourent : Marot par-dessus tous les autres, et les marotiques de la première époque. Passé de l'entourage de Marguerite à la maison du roi (1527), le poète reste toujours l'ami – bien souvent l'obligé – de sa première et constante protectrice. Or Marot affirme son talent personnel, dégagé de l'esprit, sinon des formes de la rhétorique. Après sa mort, Thomas Sébillet le proclamera « prince des poètes », peu avant que Joachim du Bellay le renie : c'est le reniement qui fera école, presque jusqu'à nos jours. On ne verra en ce très grand auteur qu'un versificateur hors de mode, facteur d'épîtres, ballades, et autres genres proscrits. Le pavillon condamnera la marchandise. Il fallut des siècles de relégation sur le second rayon pour le retrouver soudain, lui, le plus grand des créateurs « italianisants » qui, avant la Pléiade, digèrent le pétrarquisme sans oublier l'appétit qu'ils en eurent, sans extirper les racines de l'ancienne poésie post-médiévale.

Exilé, Marot s'affute en la brillante cour de Ferrare. Il recueille l'écho des sonorités de l'Arioste. Il connaît Bandello, qui envoie l'une de ses tragédies à Marguerite[6]. Il apprend à aimer les virevoltes de Bembo, les stucages littéraires des strambottistes[7]. Il en écrit à Lyon, où on l'aime – où peut-être il aime – et où Marguerite le trouve haut placé dans un cercle littéraire très passionnant. Les frères Scève, cet Antoine Héroët qui fera école avec *La Parfaite Amye*, Pontus de Tyard, Eustorg de Beaulieu sont là, en 1535, tandis que la reine de Navarre séjourne à Dijon, puis à Lyon (1536 et 1537, par périodes).

Marot revient à la fin de 1536. Sa pénitence purgée, il devient pour un temps poète officiel. Cela ne l'empêche pas de fesser Sagon (*Épître de Fripelippes, valet de Marot, à Sagon*), ni de poursuivre pour « sa reine » la traduction des psaumes qui le renverra en exil après 1541 : elle a toujours les honneurs de certains temples protestants.

Notre époque, très curieuse de ce bouillant XVIᵉ siècle, redore Marot. Il est certain qu'à ce tournant de la vie de Marguerite, il

---

6. Nous le trouverons en Guyenne après 1545. Il devient évêque d'Agen en 1550, après la mort de Marguerite.

7. *Strambotto :* genre littéraire post-pétrarquien, typé par des stophes uniques adroitement inégales (*strambus*, bas-latin, veut dire boiteux). Cariteo, Tebaldeo, Serafino dell'Aquila inspirèrent des strambottistes qui plurent à la génération de Marguerite.

prit de l'importance pour elle, ravie, un peu étonnée de le voir si prisé par ces « Lionnois » bons poètes, qu'elle ne quittera plus des yeux : Maurice Scève; plus tard sa tendre « cousine » Pernette du Guillet et la superbe Louise Labé trop longtemps méconnue des faiseurs de manuels [8].

L'ombre des chroniqueurs dépassés recouvrira ce beau rameau poétique. La Pléiade va jeter tous ses feux néo-sophistiqués : Ronsard, Du Bellay. Leur charme proprement français – tout issu des Anciens et du pétrarquisme – a ravi des générations, des siècles de lettrés. Avant ou auprès d'eux se développe une poésie un peu archaïque, c'est-à-dire, par sotte assimilation, rétrograde. Historiquement, la Pléiade gagne la partie, et va de l'avant, malgré ses beaux arrières. Enfin Malherbe vint – en vint – qui éteignit la poésie lyrique française pour plus d'un siècle : le génie s'était transporté au théâtre, où la langue classique s'épanouit.

N'oublions ni Marot ni ces « Lionnois » qui furent singuliers dans l'utilisation de l'héritage commun. Ils ont œuvré à leur belle façon pour l'épuration et la singularité du lyrisme, non pas nouveau hélas!, mais originalement renouvelé. En matière de mouvement littéraire d'importance historique, lié à une révolution linguistique, les vaincus s'estompent dans un oubli scandaleux. C'est la sotte règle.

En 1536 donc, Marot revient avec le premier sonnet en français. Dès 1535, il avait lancé sans le vouloir une compétition, en « blasonnant » – façon très ancienne d'honorer les femmes – une partie du corps féminin. Son « Blason du beau tétin », envoyé de Ferrare à Lyon, y fait fureur. C'est la ruée des blasonneurs [9]. Ainsi renaît une mode.

A Dijon, Marguerite s'en amuse. Une quantité de découpeurs s'attaque à la femme par morceaux. En vain Marot lui-même, effrayé par son succès inattendu, essaie-t-il de modérer ces fureurs. « Ne blasonnez pas ce qu'il n'est pas décent de montrer en public! », dit-il à peu près. Lui-même et la cour de Ferrare

8. Sur Louise Labé et les « Lionnois », lire le très attachant, impertinent et pertinent ouvrage récent de Karine Berriot.

9. Il va sans dire que l'ensemble des « blasons » n'a pas été composé séance tenante. Ils s'échelonnent sur quelques décennies encore. Le genre n'eut ensuite guère de tenants ni de repiqueurs, comme en comptèrent les *Triomphes* et surtout les *Tombeaux*.

nomment le meilleur morceau de la compétition : c'est le « Blason du Sourcil » de Maurice Scève :

Sourcil assis au haut lieu pour enseigne
Par qui le cœur son vouloir nous enseigne
Nous découvrant sa profonde pensée
Ou soit de paix, ou de guerre offensée...

Il est vrai que Scève, bientôt amoureux de Pernette, a un grand talent. Mais les médiocres redoublent, et les sans-pudeur. Marguerite, qui n'est pas bégueule, répétons-le, lit, lira ces découpages anatomiques spirituels ou plats, impertinents ou grossiers. Blason du front, du cœur, des dents; la gorge, mais aussi « le cul » (Eustorg de Beaulieu) et même le... (Les... ne sont pas de moi.) Celui-là au reste n'est pas signé. Les très révérés anciens y mettaient moins de pudeur, tel le bon Horace parlant des *cunnei albi* [10].

Impératif de la mode : François Sagon, l'ennemi juré de Marot, y va de son « Blason du pied ». Sa médiocrité justifie la réponse du malicieux Clément, auquel Sagon proposait de raturer l'un de ses vers :

Au reste de tes écritures
Il ne faut vingt ni cent ratures
Pour les corriger. Combien donc ?
Seulement une, tout du long.

Le « Blason du nombril », lui, surpasse ceux des Saint-Gelais, des Maclou de La Haye, même du « Lionnois » Vauzelles, et de cet Héroët, devenu proche de Marguerite et fort goûté par elle. Il est l'œuvre d'un presque inconnu : Bonaventure des Périers.

Arrivée à Lyon en janvier 1536, Marguerite fréquente les membres de l'actif cénacle littéraire de la « Florence française ». Elle apprécie Maurice Scève, qui eut l'honneur trois ans plus tôt de découvrir à Avignon les cendres de la Laure de Pétrarque. A travers l'ombre révérée de Marot encore exilé, elle découvre plus de beaux esprits en quelques mois qu'elle n'a rencontré de théologiens et de casuistes en sa jeunesse. Il est certain —

10. *Satires*, I, 2, v. 36.

l'infléchissement de son œuvre contemporaine ou immédiatement postérieure le prouve – que Marguerite de Navarre a renouvelé son inspiration auprès des humanistes et écrivains de Lyon. Scève du reste lui donnera deux des dizains de sa *Délie* (1544).

Quant à Des Périers, il intrigue pour entrer au service de la reine de Navarre, et y parvient sans peine, par deux gracieuses épîtres, d'une trompeuse humilité. Il obtient le poste de valet de chambre. C'est une chance pour elle, tant cet homme nous apparaît singulier en son temps.

Beau, étrange, Des Périers préfigure, en un siècle où l'athéisme n'est pas plus concevable que la singularité absolue, les libres penseurs du XVIIIe siècle. L'année suivante, il fait éditer le *Cymbalum mundi*, livre aimable et acide, brocardant toute croyance humaine au-delà de l'homme. Coup de cymbales dans le néant, telle est l'aventure de la foi! Comble de cynisme, il signe l'épître dédicatoire Thomas du Clénier, et l'adresse à un soi-disant Pierre Troycan. La grande passion du cercle littéraire « lionnois », le *Sodalitium Lugdunense*, c'est l'anagramme. Scève, sa « cousine » du Guillet, Louise Labé en useront et abuseront. Or, prénoms mis à part, il est facile de voir en du Clénier l'anagramme d' « incrédule », et dans Troycan celui de « croyant ».

Le scandale éclate. Le livre est anathématisé à la fois par les catholiques et par Calvin. A l'ombre de Marguerite, Des Périers joue les innocents. Il écrira des poèmes, publiés à Lyon par Jean de Tournes en 1544. Des Périers se suicide cette année-là. Si l'on a pu opposer des arguments de poids à la thèse de l'athéisme de Rabelais, que dire de la désinvolture de Des Périers envers toute religion?

En fait, il s'agit bien d'un éclat, peut-être de rire. Par la suite, des Périers se situe parmi les « évangélistes avancés ». Eût-il vécu qu'il eût sans doute aimé les « phantastiques libertins ».

Rabelais? Mais il est à Lyon en 1535. Il y donne son troisième almanach. Rien ne nous prouve, de près ou de loin, qu'il rencontra à cette époque cette reine à laquelle il allait dédier son *Tiers Livre* en 1546. En 1535, Rabelais laisse Lyon pour se rendre... à Ferrare, où il rencontre Clément Marot.

D'Italie encore viendra vers Marguerite un nouveau souffle
inspirateur. En 1540, Vittoria Colonna, l'égérie de Michel-Ange
que nous avons déjà citée, lui envoie des sonnets. Une lettre les
accompagne, qui semble démontrer que les deux femmes se
connaissaient déjà. Il est permis de supposer qu'une partie des
célèbres *Rime* de la dame furent connues de Marguerite avant
leur publication (1538 à 1544) [11], comme elles étaient déjà prisées
à Lyon.

Souffle inspirateur pour la reine, à coup sûr. Par Vittoria mieux
que par Lefèvre elle va connaître du « platonisme », qu'a remo-
delé Marsile Ficin, mis à la mode à Florence.

Vittoria et Michel-Ange s'aimaient d'amour dit platonique [12],
c'est-à-dire en purs esprits. Cette nouvelle – et fragile – interprétation du *Banquet* ne pouvait qu'exalter Marguerite. L'amour non
charnel, dont elle dira, n'est pas celui des troubadours, comme
certains l'ont cru. Il vient du discours que fait à ses amis attablés
chez Agathon le docte Socrate, dans *Le Banquet*, précisément.
Socrate, évoquant la soi-disant prêtresse Diotime de Mantinée, est
conduit, selon Platon, à la fable des amoureux : chaque couple, au
début, ne constituait qu'un tout. Séparées de vive force, les deux
moitiés se cherchent à travers le monde. Mais relisons le « Blason
du nombril ». Voici l'être humain selon Des Périers :

> *Animal sans fiel ni venin*
> *Lequel, contre toute piété*
> *Fut divisé par la moitié*
> *Et fait d'un Entier trop heureux*
> *Deux demi-corps trop langoureux*
> *Qui depuis sont toujours errants*
> *Et l'un l'autre partout quérants...*

Tel est le pur amour, venu tout droit chez le nouveau serviteur
de Marguerite d'un dialogue platonicien : la recherche pure de

---

11. Notons que la littérature fait oublier la guerre. L'oncle de Vittoria,
Prospero, et son mari, le marquis de Pescaire, battirent à La Bicoque les Français
de Lautrec. Pescaire commandait à Pavie l'infanterie de Charles Quint (voir
note suivante).

12. Michel-Ange était né en 1475, Vittoria en 1490. Pescaire, son mari,
mourut en 1525, après Pavie.

l'être complémentaire. Ficin, Vittoria Colonna, la société lyonnaise en tirèrent de beaux traits, et désormais Marguerite aimera ce jeu sans danger.

Ne simplifions pas à l'extrême. Il y eut certes coup de cœur entre le Marot nouveau, les Lionnois, plus tard Vittoria la Divine, et une Marguerite à l'esprit libéré des persécutions. Elle venait de se faire acclamer durant un long voyage. Comme elle avait apprécié à Toulouse Jean de Boyssoné, dont elle recherchera plus tard l'érudite et plaisante compagnie, elle s'émerveille à Lyon d'une nouveauté : un cercle d'intellectuels à peine teintés de réformisme, et n'ayant de soucis qu'en Pétrarque et Bembo, son descendant. Ils font et disent des vers. Ils assurent la reine de Navarre dans sa tranquillité retrouvée. Désormais tournée pour toujours vers l'écriture, elle s'émerveille d'en parler dans une ville raffinée, italianisée et même « florencisée » jusqu'au bout des anagrammes, chez les plus menus bourgeois, chez les cordiers.

Ce n'est pas l'explosion intérieure qui suivit quinze ans plus tôt la correspondance avec Briçonnet. Les vacances lyonnaises, puis guerrières sans guerre, lyonnaises encore, et la paix du royaume promise pour finir, sont une série heureuse dans sa vie tourmentée.

Sa conviction profonde que le poème est un chant vers Dieu ne varie pas. Elle se reposera pourtant, vers 1540, sur des thèmes plus humains, où l'amour d'Adam et d'Ève n'est plus maudit par leur péché originel. Il en viendra des poésies légères, des comédies profanes. *La Coche* surtout, beau jalon de sa maturité.

A Lyon aussi, elle rencontre Étienne Dolet, l'imprimeur humaniste qu'elle protégera jusqu'au bûcher exclusivement. Le temps des « bergeries » et des discussions d'amour profane ne durera guère. On en trouvera trace dans les plus saturniennes de ses dernières œuvres, *Les Prisons, les Chansons* : quelques bouffées d'un second souffle non plus divin, non pas matériel (*L'Heptaméron*), mais, disons le mot : littéraire. Il faut bien qu'un auteur cède parfois à quelque invasion de littérature.

CHAPITRE X

Ouverture littéraire

La tétralogie des enfances du Christ

Il eût été léger de passer sous silence l' « imprégnation lyonnaise » de Marguerite de Navarre de 1535 à 1537. Fin 1535, elle rit à Dijon de l'assaut des « blasonneurs ». Ensuite, elle se lie à une société éprise de Belles-Lettres antiques, néo-latines, pétrarquistes surtout. Lyon ne donnera ses grandes œuvres – par Maurice Scève, Pernette du Guillet, Louise Labé – qu'un peu plus tard. Mais le climat de culture et de création proprement littéraire y est déjà établi. Sous le signe de Marot exilé, la reine apprécie Scève et Dolet. Elle pensionnera Antoine Héroët, dont *La Parfaite Amye* va être le point de passage entre l'amour courtois et l'amour « platonisé ». Elle engagera Des Périers : son coup de *Cymbalum*, s'il dut la choquer, fit méditer sans doute cette anticonformiste. Des Périers de surcroît, le futur coauteur des *Joyeux Devis*, était aussi brillant anecdotier que savant helléniste : sa traduction du *Lysis* de Platon reste exemplaire.

Auparavant, Marguerite avait déjà tenté d'écrire autrement qu'en ses poèmes à grands cris. Vers 1530, selon les estimations raisonnables, elle conçut quatre *comédies* [1] où s'enchaînent les événements de l'enfance du Christ.

---

1. Jusque vers 1630, le mot *comédie* a perdu son sens étymologique gréco-latin de « chant pour faire rire les noces et banquets ». Il désigne toute forme théâtrale élaborée, supérieure à la *mommerie*, la *sotie* et la *farce*. La *comédie* peut être comique ou sérieuse, voire tragique.

Toutes raides et maladroites, ces pièces mal faites pour le théâtre constituent un intéressant essai de renouvellement chez la poète. La tétralogie en son ensemble recouvre des thèmes traités depuis des siècles dans les drames liturgiques, joués devant les églises lors des grandes fêtes religieuses. Le genre s'épanouit à la fin du XIVe siècle et tout au long du XVe par les « mystères ». Eustache Marcadé, vers 1380, écrit la *Passion d'Arras* (25 000 vers). Plus tard Arnoul Gréban, né au Mans et mort en cette ville vingt ans avant la naissance de Marguerite, donne leurs chefs-d'œuvre aux « mystères » avec sa *Passion* (37 000 vers), et les *Actes des Apôtres* [2].

Le « mystère » traite en principe des derniers jours de Jésus sur la terre. Le « drame liturgique » emprunte ses sujets à l'Écriture sainte. Vers 950 à Byzance, le patriarche Théophylacte, beau-frère de l'empereur Constantin VII, autorise ces représentations édifiantes : elles étaient destinées à faire pièce aux divertissements blasphématoires dont le peuple raffolait. Cette mode orientale se répandit quand la Méditerranée devint un « lac byzantin ». Cependant, en France vers la même date, de semblables initiatives sont prises. On jouait la *Visite au tombeau de Marie et des trois Madeleines* (déjà!) peu après l'an mil.

Que Marguerite ait aimé les « mystères », aucun doute. En 1536, les *Actes des Apôtres* sont joués chez elle à Bourges : elle en fait recopier le texte et les indications de mise en scène. Depuis l'avènement de son frère, elle avait pu voir, lors des « entrées » dans les villes, des représentations pieuses sur les parvis. Déjà le poète Gringoire illustrait ainsi l'entrée à Paris de Marie d'York, fiancée du vieux Louis XII.

La tétralogie des enfances du Christ se compose d'œuvres indépendantes mais chronologiquement successives : *La Nativité, L'Adoration des Mages, Le Massacre des innocents, La Fuite en Égypte par le désert*. Intitulées « comédies », ces quatre pièces sont bien des textes littéraires, non des exercices. Ils restent mineurs, constituant en quelque sorte la pauvre monnaie du grand lyrisme de Marguerite.

---

2. Simon Gréban, poète lui aussi, collabora à l'écriture de cette œuvre. Il était le frère d'Arnoul.

Le premier se nomme : *Comédie de la Nativité de Notre Seigneur Jésus-Christ*. Il est original par sa forme en regard des jeux liturgiques antérieurs, sans les surpasser. Sous les cathédrales, on s'exaltait, on riait, on pleurait à entendre les acteurs, la foule s'identifiait à eux. La phraséologie rhétoricienne des comédies leur ôte toute valeur véritablement théâtrale : cela est écrit, fut sans doute joué. Cela n'est pas jouable.

Dans la *Comédie de la Nativité de Notre Seigneur Jésus-Christ*, Marguerite suit la trame des drames liturgiques, avec des variantes où tente de paraître son originalité d'auteur.

D'abord, elle serre le récit, en élimine les temps non pas morts, mais trop extérieurs à l'action même, où paraissaient des personnages triviaux. Le texte est austère, sans recherche des « respirations » de fantaisie. Le prologue est écourté. Marie et Joseph se rendent tout de suite à Bethléem et demandent asile en vain :

> *... Monsieur, par charité*
> *Vous plairait-il loger moi et ma femme ?*
> *Car entendez que cette pauvre dame*
> *Est sur le point de son accouchement.*

L'enfant naît, le chœur des anges chante sa gloire. La pièce se poursuit par la « bergerie » attendue. Mais voici Satan en personne qui vient tenter les pasteurs. La bergère Dorothée lui rive son clou, refusant ses belles offres :

> *Ainsi péché, qui ne vit qu'en dehors*
> *Ne peut toucher qu'en notre mortel corps.*
> *Le Christ vivant avons en notre cœur*
> *Qui de péché et la mort est vainqueur.*

Dieu le Père, en personne – chose inhabituelle –, vient conclure la comédie et ordonne aux anges de chanter le finale.

La *Comédie de l'Adoration des Trois Rois* montre les mages en leur office. Dieu dialogue d'abord avec des figures allégoriques dans la tradition rhétoricienne : Philosophie, Tribulation, Inspiration, Intelligence divine. Les anges chantent ensuite, et Melchior, Gaspard, Balthazar engagent avec les allégories un dialogue édifiant. Hérode cependant reçoit de ses docteurs le conseil de tuer « l'enfant » dangereux pour sa gloire. Les mages n'en ont cure et vont adorer Jésus en sa crèche. Dieu, qui menait le début du jeu, conclut comme précédemment en ordonnant les chœurs angéliques :

> *Anges chantez et cornez et trompez* [3]
> *Par tous les Cieux, et criez hautement*
> *Que les trompeurs seront par moi trompés.*

Même prologue divin dans la *Comédie des Innocents*. Dieu commande à ses cohortes célestes d'avertir la sainte famille : Hérode va massacrer les nouveau-nés. Les anges portent la nouvelle, et Joseph presse Marie de partir. Elle déclare que Dieu l'encourage :

> *... en lui me sens si forte*
> *Que sans travail en ce voyage*
> *Porterai celui qui me porte.*

Nous assistons ensuite à la quête des enfants à massacrer par les tyrans au service d'Hérode, et au chant de mort de Rachel, qui a de beaux accents. Dieu et les anges commentent le massacre, louant au passage tout innocent persécuté. Les âmes des enfants chantent pour finir – sur un air alors populaire – leur bonheur d'avoir quitté la terre ingrate pour le Paradis.

La *Comédie du désert* complète ce cycle. Joseph, dans un pays aride, prie Dieu de lui assurer la subsistance des siens. Dieu dialogue ensuite avec les allégories de Contemplation, Mémoire, Consolation. Les anges interviennent, et Marie leur demande de pourvoir les siens :

> *Anges, allez, cherchez et bas et haut*
> *Ce que Dieu sait qui nous est nécessaire*
> *Apportez-nous sans plus ce qu'il nous faut*
> *Car nous n'avons du superflu affaire.*

Les anges alors commandent aux arbres secs de porter des fruits, au miel de couler, aux serpents de se cacher. Vient ensuite un long (bien long) dialogue-monologue de Marie parlant à

---

3. Sonnez de la trompe.

Mémoire, exaltant la parole des Livres saints. Les anges chantent. Le touchant Joseph se rassure aux paroles de son épouse :

En ta parole et sûreté m'endors
Par qui mes sens revenus sont si forts
Que je n'ai plus de peur à sommeiller.

Le jeu finit par un choral des anges, toujours sur un air connu du public.

Ayant replacé ces œuvres en leur époque, qui d'ailleurs les ignora sans doute jusqu'à leur publication (1547), nous voyons d'emblée qu'elles lui sont étrangères, rapportées d'un passé révolu. Le nouveau théâtre français, imité des anciens, va naître avec Jodelle [4], Garnier, le très étonnant Montchrestien, le trop oublié Larrivey [5]. Marguerite, par goût et par jeu, redonne vie à une forme théâtrale mourante. Notons qu'elle lui garde sa vocation première : la catéchèse. Rien de plus édifiant que ces textes, de plus orthodoxe également. Leur facture, il faut l'avouer, est plutôt médiocre, moralisant en oubliant de plaire.

Les « comédies » apportent à Marguerite un champ neuf, et lui seront utiles pour varier sa façon d'écrire les vers. Là, les répliques des acteurs, le rythme de l'action sont animés ou tentent de l'être par la diversité métrique. Le décasyllabe cher à la reine se déroule en d'interminables « tunnels », comme l'on dit au théâtre. Il arrive souvent qu'ils soient coupés par des tirades en hexasyllabes d'une démarche plus allègre, allégés eux-mêmes par des vers plus courts. Ainsi dans *La Nativité* les anges chantent :

Toujours en bas elle a les yeux
Las, c'est l'enfant
Qui me défend
De mourir pour voler aux cieux.

---

4. *Jodelle, le premier, d'une plainte hardie Françaisement chanta la grecque tragédie.*
(Ronsard)
5. Ce Florentin, qui traduisit en « l'arrivé » son nom de Giunto, est l'auteur ou plutôt l'adapteur, après 1579, de neuf étonnantes comédies en prose, tirées de modèles italiens (*Le Jaloux, Les Tromperies, Les Esprits*). Une édition critique de cette dernière œuvre doit paraître en 1987, Droz-Genève.

Je n'ai pas choisi exprès un passage médiocre. La médiocrité hélas! est de rigueur dans la chansonnette angélique. Bien que des indications de mise en scène soient notées en marge, la scénographie demeure apparemment aussi figée que le texte, tout verbeux, reste sans relief. Quant aux personnages, ils ont une raideur de statues romanes. Ils n'expriment, sauf rares exceptions, que des sentiments élevés revêtus de symboles.

Il est certain que l'écriture de la tétralogie délia la plume de Marguerite. Comme le *Dialogue* – dans ses poèmes de passion religieuse – est une étape vers les œuvres majeures, les comédies des Enfances du Christ introduisent la reine dans l'univers théâtral. Ses qualités d'écrivain y gagnent par l'exercice. Ici, elle déçoit, et – ce qui est mortel au théâtre – elle ennuie, tout le long de ces laborieuses tirades. Cet échec, dont elle n'a peut-être pas conscience, lui sera utile. Du *Malade* à la *Comédie de Mont-de-Marsan*, son talent d'auteur dramatique prendra de l'ampleur. Il deviendra crédible, encore que le tour prêchant n'en disparaisse jamais tout à fait, ni le symbole. Toute son œuvre reste historiée comme un portail roman.

La tétralogie en revanche nous montre tout au vif les défauts de la reine, qu'elle combattit souvent et dont parfois elle triomphe : moralisation à outrance, raideur, absence complète de pittoresque. Elle va jusqu'à couler la « bergerie » de la Nativité dans le même moule que les paroles de Dieu ou de la sainte famille. La crèche, le désert sont de pauvres décors mal esquissés, aussi peu naturels que les personnages qui les habitent. Là-dedans, le grand *Deus* a tous les airs d'*ex machina*.

A-t-on joué ces *Comédies*? Nous n'en sommes pas bien sûrs, tandis qu'il est certain que les œuvres théâtrales postérieures furent interprétées. A en croire Brantôme – mais qui croit Brantôme ? –, l'entourage de Marguerite, dames d'honneur et jeunes seigneurs, jouait « souvent » ses pièces et piécettes. D'autres témoignages plus crédibles nous assurent qu'ils le firent parfois.

La tétralogie demeure en tant que curiosité littéraire. La reine a ôté à ses maladroits modèles populaires ce qui en faisait le charme : la naïveté, la surprise des incidentes. Il manque ici ce qui fait ailleurs la force de Marguerite : le brûlant engagement personnel.

Les bergers et les nymphes

Vers 1535, en Europe de l'Ouest et du Sud, il y a déjà du mouton dans l'air. Le genre pastoral, qui va étirer ses rubans jusqu'au Trianon de Marie-Antoinette, rentre dans la mode. Bergers et bergeries perdront de plus en plus l'odeur des étables pour symboliser l'amour bucolique. La faute en revient à Virgile et à ses successeurs, à Théocrite avant Virgile. Or, s'il restait du réalisme dans Théocrite, Tityre et Mélibée nous semblaient déjà incapables de manier les ciseaux à tondre.

Bergers et bergères, donc, vont devenir de convention pure, de même que l' « idylle » (étymologiquement : petit tableau) ressortira aux manières de l'amour. Si nous avons présenté les bergers que Marguerite met en scène avec verbosité et maladresse dans la *Comédie de la Nativité*, c'est que bizarrement l'histoire des Enfances du Christ conforte le goût des poètes pour les « bergeries » des latins et des grecs. Nemesianus, poète chrétien du IIIe siècle, imite en ses églogues Virgile et Ovide, mais se souvient que les bergers de la crèche l'en prient. Cet amalgame durera quinze cents ans [6].

Au Moyen Âge, la « pastourelle » chrétienne prédomine. Le premier tenant sérieux de la pastorale à l'antique fut le Napolitain Jacopo Sannazaro (1455-1530). Son *Arcadie*, vers et prose mêlés (1502 et 1504), imitait à la fois Pétrarque et Virgile. Surtout, elle donnait la vie pastorale pour modèle des vertus simples, des mœurs naïvement honnêtes.

Or, par ses œuvres postérieures et son accession à la France par le canal de Lyon, Sannazaro et son *Arcadie* furent soudain célèbres tandis que s'éteignait le poète, honneur de l'Académie napolitaine. Lorsque Marguerite, son « feu mystique » tourné pour un moment en braise, décide d'adopter des thèmes « dans le vent », elle va bergeriser non pas comme tout le monde, mais *avant* la plupart. Il convient de le souligner.

---

6. La confusion de l'amour et de la pastorale garde de singulières rémanences. En argot français moderne, une femme, cela s'appelle encore « une bergère ».

La *Complainte pour un détenu prisonnier* met en scène un berger. Il est vrai qu'étant retenu en prison, ses occupations bucoliques s'en trouvent suspendues. La *Fable du Faux Cuyder* montre un assaut sylvestre de satyres contre les nymphes. Non pas bergerie donc, mais vagabondage de plein air, peuplé de personnages mythologiques. L'examen rapide de ces deux œuvres nous montrera que les concessions de la poète au genre pastoral et champêtre restent surtout de pure forme. Ses préoccupations didactiques demeurent les mêmes, sous ces dehors dramatiques ou aimables.

Parlons d'abord du prisonnier. Chronologiquement, il vient sans doute après la réussite achevée du *Triomphe de l'agneau*, qui porte les brûlures des persécutions de 1534. Un pauvre berger est en prison. Il regrette le temps où il paissait son troupeau avec un fidèle ami :

> *Te souvient-il, las! fidèle Amateur*
> *Te souvient-il de quand j'étais pasteur?*
> *Vis-tu jamais que de tout le troupeau*
> *J'eusse arraché seulement une peau?*
> *Ai-je son sang cruellement sucé?*
> *Me suis-je aussi de sa graisse engraissé?*
> *Ai-je cherché lui donner nourriture*
> *Sinon toujours de la sainte pâture?*

Ces deux derniers vers nous donnent la clé du berger-symbole. Il était le berger des âmes, le propagateur de l'Évangile. C'est pour cela qu'il fut exilé :

> *Sais-tu pourquoi il te tira de France*
> *Où tu vivais en repos, sans souffrance*
> *Dis, mon Adam, ne sais-tu pas pourquoi*
> *En ton dormir il mit le feu chez toi?*
> *C'était afin qu'avecque maints travaux*
> *Passant à pied les monts, plaines et vaux*
> *A ses Élus portasses le trésor*
> *Le diamant, la riche perle et l'or*
> *Le don heureux de la sainte Évangile*
> *Que tu avais en ton vaisseau fragile.*

Nous voyons par là que le berger est en fait un bouc Azazel, un bouc émissaire, emprisonné, après être exilé, parce qu'il « pense mal ». Comment dès lors ne pas songer à Marot, qui fuit d'abord à la cour de Ferrare, puis doit la quitter lorsque le duc d'Este s'en prend aux amis « douteux » de sa femme Renée de France ?

Je crois à la thèse qui soutient Marot pour berger, Venise pour prison. Le pauvre s'en plaint tellement, et regrette tant que sa protectrice de sang royal l'abandonne !

> *... la royale semence*
> *Qui m'accepta des siens par sa clémence...*
> *O cruauté! O maligne Marâtre*
> *As-tu osé pour me du tout [7] abattre*
> *Armer d'acier le cœur de ma princesse?*

Dès lors, le malheureux s'abandonne d'abord à la tristesse, et met son troupeau en garde :

> *Petits agneaux vêtus de blanche laine*
> *Ne venez plus pour boire à ma fontaine*
> *N'y venez plus, car son eau est amère.*

Faut-il maudire son persécuteur ? La poète le fait bel et bien, avec fougue :

> *Que le seigneur le vienne démembrer...*
> *Maudit soit-il et dedans et dehors*
> *Maudit soit-il en son âme et son corps...*

Mais en vrai chrétien – même entremêlant Médée, Circé et le diable, invoquant les Muses et les Grâces – le prisonnier recommande le pardon à ses amis. Dans le finale, il s'adresse au souverain Berger, Dieu, et lui confie son troupeau – bergers et moutons – avec confiance. Il espère de lui sa libération :

> *Et s'il te plaît encore te servir*
> *De moi, Seigneur, je suis ton instrument*
> *S(i) ainsi te plaît, dis le mot seulement*
> *Et tout soudain ces portes s'ouvriront.*

---

7. *Du tout :* tout à fait.

Comme dans *Le Triomphe de l'agneau,* la résignation et l'espérance détruisent la colère de l'opprimé. La *Complainte,* malgré ses troupeaux factices et son pseudo-réalisme très peu convaincant, est une œuvre dans la ligne des hymnes religieux de Marguerite : le cadre a changé, les symboles aussi, qui pour elles restent essentiels. Le ton, moins exalté, se mêle de chagrin : les persécuteurs sont passés. Tel, ce poème, malgré son mélange d'allusions bibliques et mythologiques, encombré comme à l'ordinaire de bavardage, compte parmi les œuvres notables de la reine, empreint non plus de « fureur poétique », mais de douceur et de pitié. La première de ses grandes réussites hors de ses dialogues avec Dieu.

Venons-en à ce que l'on a nommé la *Fable du Faux Cuyder.* Elle n'est pas originale dans son sujet, puisque Marguerite y démarque le thème d'une églogue de Sannazaro : des nymphes naïves, trompées par l'apparente indifférence d'une troupe de satyres, s'approchent d'eux. Les satyres se lèvent soudain, les poursuivent, les cernent : les servantes de Diane, sur le point d'être violées, se transforment en saules. Fable ressassée [8].

Marguerite pour sa part, charmée par le conte de Sannazaro, ne s'en sert que comme support. Voici une belle occasion de renouveler sa symbolique.

L'historiette qui pourrait être scabreuse – d'autres l'ont poussée et la pousseront ainsi – n'est que prétexte à leçon de morale. Autant la reine savait nous faire sentir la dure solitude d'une prison dans la *Complainte,* autant elle se trouve démunie quand il faut décrire l'émotion des hommes devant les beautés de la terre, les jeux de l'eau, du soleil et du vent, les exubérances végétales. Elle ne sait pas exprimer, cette Marguerite d'une sensibilité par ailleurs extrême, ce que des générations de critiques littéraires nommeront platement « le sentiment de la nature ». Jugez plutôt :

---

8. Le mélange poétique des dieux, déesses, héros et légendes de l'antiquité païenne avec des thèmes chrétiens ne choquait personne. Aussi bien eût-on dit : les fées ou les elfes. Le bon saint évêque Sidoine Apollinaire (Ve siècle) vagabondait déjà dans l'Olympe.

Faunes des bois, satyres, demi-dieux
Surent pour eux très bien choisir les lieux
Si bien couverts que le chaud en rien nuire
Ne leur pouvait, tant [9] *sut le Soleil luire.*
Sur le lit mol d'herbette épaisse et verte
Se sont couchés, ayant pour leur couverte
Une épaisseur de branchettes, issues
Des arbres verts, jointes comme tissues...

Voilà pour le décor. De la gracieuse personne des nymphes de bois, de celle inquiétante des satyres, pas la moindre description. Diane est là au milieu de ses pucelles, les autorisant à regarder le soleil :

Car sans rougir ni honte recevoir
L'œil chaste et pur ne craint pas de le voir
Ni d'être vu ni de lui ni du monde.

Tout au plus nous dit-elle que c'est un vieux satyre grisonnant (les pires!) qui conseille à ses amis non de courir sus aux petites, mais de feindre l'indifférence pour exciter leur curiosité.

Alors, sur ce thème plus symbolisé que décrit, se développe la leçon : le *cuyder* est déplorable. Cela était d'ailleurs annoncé dans le préambule :

Ce rien, lequel hors de tout faut vider
N'est plus qu'un vain menteur, et Faux Cuyder
Lequel produit un dépravé désir
Dessous l'espoir d'un inconnu plaisir.

Ainsi, les nymphes seront poursuivies parce que leur « faux cuyder », leur présomption, les assurait qu'elles ne risquaient rien. Diane leur protectrice, les ayant changées en saules pour sauver leur vertu, s'écriera :

O Cuyder, tu affoles
Par ton orgueil le cœur des pauvres folles...
Cuydant sans moi avoir telle puissance

---

9. *Tant sut :* aussi longtemps que put luire le soleil.

MARGUERITE DE NAVARRE

Et de tout bien et mal la connaissance...
Il n'a tenu à leur dire souvent
Que ce Cuyder était moins que le vent.

Dès lors, la translation est claire. Diane représente la sagesse divine, opposée à la vanité du *cuyder* humain. De même les satyres courbent le front sous cette voix, qui leur démontre l'inanité de leur propre *cuyder,* par lequel ils se croyaient capables de mener leurs mauvais desseins.

Ainsi, comme la pastorale devenait prétexte à élévation vers Dieu dans la souffrance, l'allégorie aphrodisiaque tourne à la leçon de morale : écoutez la voix d'En-Haut, non celle de votre orgueil.

Comme la *Complainte,* le *Faux Cuyder* est écrit en décasyllabes à rimes plates AABB. Ce difficile support enrichit la majesté incantatoire de l'*Oraison à Notre Seigneur Jésus-Christ* et du *Triomphe de l'agneau.* Mise au service d'une « idylle », cette structure interdit toute légèreté. Comme les comédies sacrées nous semblaient ennuyeuses, le *Faux Cuyder* tourne à la pesante prédication. Nous nous trouvons ici, dans ces textes singuliers, confrontés avec les manies de la poète, ou plutôt ses limites. Elle ne sait pas être anecdotique, plaisante, convaincante en dehors du haut ton, semble-t-il.

Avec ses comédies sur les enfances du Christ, elle monotonise les très anciennes façons de « jouer » l'Évangile : sans effet, puisqu'elle interdit à sa sauce toutes les épices de la turbulence. Dans le *Faux Cuyder,* elle montre son incapacité à suivre la mode mythologique dont Marot, par exemple, fera pâture en se jouant. N'excelle-t-elle donc que dans le chant inspiré ? D'autres chemins, qui mènent à *L'Heptaméron,* nous assureront du contraire. La *Complainte pour un détenu prisonnier* est déjà de ceux-là.

Le Malade, L'Inquisiteur [10]

Comme il hérite de la tradition des « mystères » et l'abandonne, le XVIᵉ siècle reçoit du passé la « farce », qu'il affine parfois, ou du

10. L'étude critique de V. L. Saulnier sur le *Théâtre profane* de Marguerite (1978) fait autorité (cf. Biblio.).

moins allège. Le genre durera à travers Molière jusqu'à Lesage, et la suffisance des cocus, l'un de ses thèmes favoris, s'épanouira dans le vaudeville.

Si Marguerite de Navarre, qui a choisi de nommer « *comédies* » ce qui était sous sa plume un genre majeur [11], sous-titre « farces » *Le Malade* (1535) et *L'Inquisiteur* (1536), c'est pour annoncer leur caractère mineur. La farce cependant n'est plus un interlude parfois grossier et salace entre deux pièces religieuses. Le genre a trouvé ses lettres de noblesse en 1465 avec *La Farce de maître Pathelin,* qui est du bel et bon théâtre comique élaboré.

Va pour la farce. Attendons-nous au pire, quand la reine annonce les petites couleurs. Or, surprise, *Le Malade* et *L'Inquisiteur,* malgré le sempiternel retour aux leçons de l'évangélisme, sont de petits joyaux. La logorrhée en est bannie. Les personnages, bien que tout d'une pièce, se montrent attachants. Ils font sourire de bon cœur, et accepter que pour finir leurs démêlés soient tranchés par un appel à Dieu, unique recours.

Est-ce jouable? nous demandions-nous en lisant à haute voix la tétralogie des Enfances du Christ. La réponse était en tout cas : certainement pas de nos jours, même dans les séminaires. Je suis sûr que *Le Malade* surtout et même *L'Inquisiteur,* correctement adaptés, mise en scène étoffée, effets proprement farceurs accentués, amuseraient plus d'un public contemporain.

Une Marguerite nouvelle apparaît en effet dans ces deux courtes pièces. Elle descend de ces hauteurs spirituelles où la place son dialogue avec Dieu. Elle résigne les bergers-symboles et les nymphes-prétextes. La voici vivante parmi les vivants, sachant moquer malades, médecins, bonnes femmes dans *Le Malade,* tourner au noir un inquisiteur forcené pour le laisser ensuite attendrir, humaniser par des enfants.

Œuvres mineures? Certes. De circonstance? C'est indéniable. Pourtant, voici tout un pan caché de la reine qui nous apparaît. En nous fiant à ses œuvres seules, nous pouvions en faire une combattante de la foi, une poète engagée dans la voie libérale chrétienne. Examinant sa vie et ses actes, nous la voyions reine,

---

11. Elle le prouvera en intitulant son lamento à quatre voix sur la mort de François Ier : *Comédie sur le trépas du roi.*

personnage de premier plan, mais aussi sage administratrice, protectrice de tout talent aventuré. Comment, à travers tout cela, en arriver à ce chef-d'œuvre d'observation, ce puits d'anecdotes, cet exercice de la fine raillerie, ce réalisme tantôt graveleux, tantôt grave de *L'Heptaméron*? Le chemin passe par ces farces. Est-ce seulement poussé par le respect et la reconnaissance que Rabelais dédiera le *Tiers Livre* à Marguerite en 1546? Ou s'il savait que, sous les envolées mystiques qui singularisent sa poésie, la reine cachait de la gaieté, de la malice, un don d'observation terriblement pointu? Regardons mieux son sourire et le pli de ses yeux, dans le *Portrait au petit chien* de Clouet ou son école.

Le *Malade* n'est pas de la taille du *Malade imaginaire*. Cette œuvrette a moins d'ambition. N'outrons pas notre propos jusqu'à trouver en la reine du génie comique. Mais enfin, ici, elle sait rire et partager son rire.

L'argument est court. Un homme tombe malade. Sa femme lui propose des remèdes de bonne femme. Il résiste, et l'envoie quérir un médecin. Cependant, sa servante l'assure que toute médecine est inutile: seul le recours à Dieu guérit complètement. Le malade la croit, et le voici tout à coup miraculé. Le médecin, quand il revient avec son ordonnance, s'incline devant le miracle, pourvu qu'on paie ses honoraires.

Chacun est moqué à son tour. Le malade d'abord, qui « s'écoute », et détaille son mal avec inquiétude. Nul n'a souffert autant que lui:

> *Au côté droit, sous la mamelle,*
> *Et sens une altération*
> *Qu'il n'en fut jamais une telle.*

La femme ensuite, qui partage les anciennes superstitions charlatanesques:

> *La dent de sanglier* [12] *blanche et belle*
> *Vous donnerai: c'est la coutume*
> *Et d'une herbe, je sais bien quelle*
> *Je vous ferai un cathaplume* [13].

12. *Sanglier*: deux syllabes.
13. Cataplasme.

Elle proposera par la suite « cinq germes d'œuf », du jus de pavot, et « la merde d'un tout blanc pigeon ». Le médecin mettra le holà à ces sottises. Il sait, lui. Son péremptoire « savoir » n'est pas épargné par le malicieux auteur. Le médecin dit : « Mon ami, nous vous guérirons. » Il examine l'urine du patient, déclare qu'il faut pratiquer la saignée. Plus tard, il se montrera désireux surtout d'être payé. La chambrière, tandis que l'homme de l'art se retire pour écrire l'ordonnance destinée à l'apothicaire, a convaincu le malade de chercher guérison en Dieu, ce qu'il fait avec succès. Le médecin commence par menacer la chambrière d'une gifle. Mais la femme du malade insiste :

La femme :

> *Monsieur, laissez cette coquarde* [14]
> *Mais je vous requiers, dites-moi*
> *Peut un homme par seule foi*
> *Guérir sans prendre médecine ?*

Le médecin :

> *Oui vrai-e-ment, car je crois*
> *Que Dieu fait miracles et signes*
> *C'était du temps de Jésus-Christ*
> *Que tout chacun il guérissait :*
> *Mais, de nous, dit le saint Escript* [15]
> *Que le médecin quel qu'il soit*
> *Faut honorer.*

Avec cette douteuse citation de Salomon, le médecin s'en tire. Il précise qu'il n'est de bonnes recettes qu'issues de la sagesse médicale. Il suspecte la chambrière d'avoir usé de magie, puis se retire, déclarant :

> *Santé avez, que prétendez,*
> *Et moi j'en emporte l'argent*

Si nous avons passé sous silence l'homélie évangéliste de la chambrière, c'est qu'elle contient tous les préceptes exprimés

14. Bavarde.
15. Sainte Écriture.

ailleurs lyriquement par la reine. Nous les connaissons : la foi seule sauve. Le malade en convient dans sa dernière apostrophe : la farce est jouée, édifiante mais allègre.

L'Inquisiteur, daté de 1536, procède de la même veine : courte satire moralisatrice. L'édit de Coucy semble déjà menacé par les ultras. La reine voit avec horreur le temps des persécutions non pas revenir encore, mais se préparer à le faire. Il est plus que probable que l'appel à la clémence par amour de Dieu constitue une défense des persécutés et surtout d'un exilé, Marot, qui ne pourra rentrer en France qu'à la fin de l'année.

Qu'il est antipathique dès son apparition, le « bras armé de l'Église »! Il déclare :

> *Bons et mauvais, la chose est claire et ample*
> *J'envoie au feu, quand me sont présentés.*

Y a-t-il des innocents parmi eux? Dieu reconnaîtra les siens, air connu. Ah que n'a-t-il à faire qu'à des ignorants! Il les terrifierait. Mais on lui envoie des raisonneurs :

> *Toujours leur faut alléguer l'Écriture*
> *Dont ils me font soutenir peine mainte*
> *Car je n'en fis jamais bonne lecture.*

Coup bas : les contradicteurs de l'Église connaissent mieux les textes que les inquisiteurs. Le bonhomme, ainsi moqué, alterne les traits de fanatisme et de bêtise : c'est un borné. Il fait horreur, mais Marguerite le ridiculise avec un art – inconnu chez elle – de la petite touche juste : la foi, il s'en moque. Il ne sait ce qu'il croit, sauf qu'il est bon d'en finir le soir de bonne heure. Ce « veux-pas-le-savoir » va vous envoyer tout ce joli monde au bûcher, à l'amende honorable ou tout au moins en pèlerinage. Pour finir, il veut aller se promener, car il fait beau :

> *Ça, mes souliers; ôtez-moi ces pantoufles.*
> *Contre le froid je trouve chose saine*
> *D'avoir des gants, donnez-moi donc des moufles.*

Ainsi redevenu ce qu'il est, un pauvre bonhomme, l'inquisiteur va par les rues. Son valet transi le retient : il neige. Le maître insiste :

Je vais voir s'il y a des vers
En quelque nez pour les tirer.

Il ne trouve que des enfants qui jouent au palet, et frappe
d'abord son domestique qui les prétend plus près de Dieu que ne
l'est son maître. Alors les gamins, Jeannot, Pierrot, Jacot, Tierrot,
Clérot, Thiénot, s'ébattent, jettent des pierres, jouent aux châteaux avec des noix, parlent des oiseaux.

L'inquisiteur morigène ces étourdis. Que ne vont-ils étudier?
Ils lui tiennent tête, et se moquent de lui :

L'inquisiteur :

> *Qui leur a appris à répondre*
> *Et dire chose si hautaine ?*

Jacot :

> *Qui lui a appris à se tondre*
> *Et à porter si grand mitaine ?*

Furieux, l'inquisiteur demande au garçon le nom de son père :
ce doit être un « mal-sentant ». « Mon père, c'est le vôtre », répond
Jacot. Les autres disent de même. L'inquisiteur insiste, veut savoir
la maison, la rue, l'enseigne de ce père commun. Le dialogue est
vif, juste, touchant. Dieu, le père, est joliment évoqué sans que les
enfants le nomment. Pour finir, fâcherie :

L'inquisiteur :

> *Ha, il faut que la main je mette*
> *Sur vos culs pour vous châtier.*

Jeannot :

> *Monsieur, si elle n'est pas bien nette*
> *Vous ne nous pouvez nettoyer.*

Les enfants chantent alors le psaume III de David traduit par
Marot, ce qui confirme le dessein de cette farce : libérer le poète.
Le valet s'attendrit. Il tente de raisonner son maître : « Ne tancez
plus! », dit-il.

L'inquisiteur, troublé, revient écouter les enfants. Il se convertit devant leur innocence, regrette ses péchés. Pour finir, tous se tiennent par la main et chantent un hymne. Cette fois, il est de Des Périers. La reine ne cache ni son jeu ni ses amis. Avant que l'on ne se quitte pour aller manger, l'inquisiteur sauvé par la pureté enfantine déclare :

> *Puisqu'ainsi plaît au grand seigneur*
> *Je veux en innocence vivre.*

Ainsi, tandis que l'on riait du *Malade,* de son médecin, de sa femme, on s'indigne d'abord de la cruauté outrée de l'inquisiteur, avant de s'émerveiller d'abord de l'impertinence, puis de la douce contagion de la foi naïve d'enfance. Aucune des leçons de morale de la reine n'est plus légère, plus plaisante que ce chœur enfantin plaidant la pureté du cœur devant des bourreaux obtus [16].

Deux *farces* donc élargissent singulièrement notre champ de vision sur les possibilités littéraires de la reine. Elle sait parler dru et cru, railler avec esprit, passer de l'Adam théorique à l'homme en ses états de maladie, de fanatisme, d'enfance : non par symboles enfin, mais par une approche tout à fait sensible et chaleureuse.

Deux volets de plus sont retirés sur la façade des apparences. Nous admirions les accents de Marguerite solitaire, stylite de Dieu. Nous prenions du respect pour sa lutte de tous les jours contre l'intolérance. La foi seule, la foi sans les œuvres, la quête de Dieu... était-elle une sainte laïque ? Il nous revient des farces qu'elle demeurait femme d'esprit, cette propagatrice des réformes combattues. Il nous apparaît que ses yeux, quand ils cessent de se tourner vers la splendeur divine, savent regarder le monde vivant avec tendresse et malice, et en tirer matière d'écriture.

Marguerite en 1540

Depuis que François Ier, pour répondre aux intrigues maladroites d'Henri de Navarre, a séquestré Jeanne d'Albret, Marguerite,

---

16. *L'inquisiteur* : Mon fils, comme appelez-vous Dieu ? *Le petit enfant* : Papa !

sans disparaître de la scène politique, n'y brille plus du même éclat. Certes, le roi lui marque toujours cette affection que rien ne remettra en cause. Mais enfin, dans les premières années de paix précaire, nous la voyons plus occupée de la vie de l'esprit que des affaires du royaume.

Ce qui, sans être nouveau, s'affirme, c'est le rôle d'arbitre des lettres dont la France et même l'Italie investissent la reine. Sa gloire de protectrice, non seulement des mal-catholiques mais des auteurs de toute sorte, atteint son apogée. Gloire éphémère, puisque Marguerite fera partie des vieilles lunes soudain obscurcies par le soleil de la Pléiade. Gloire durable, si l'on considère que ce qu'elle aimait – les formes anciennes au service de l'esprit nouveau – survivra avec les chefs-d'œuvre lyonnais à venir, et que si la ligne Rutebeuf-Villon mène à Marot, Marot conduit à La Fontaine [17].

Quoi qu'il en soit, Marguerite la singulière commence à faire figure d'auteur et de lettré que l'on n'admire plus seulement pour son rang et les avantages qu'il peut procurer. Le nombre et la diversité des œuvres qu'on lui envoie en témoignent : néo-Latins, Italiens et Français italianisants lui dédient ou dédicacent leurs publications. Nicolas Bourbon le premier, qui lui a donné ses *Nugae,* accompagnés de lettres dithyrambiques [18]. Jean Salmon – dit Macrinus – envoie ses *Hymnes* et ses *Odes* à la manière d'Horace [19]. Paul Paradis, un dialogue sur la façon de lire l'hébreu. De France, outre les poèmes de ses familiers, elle reçoit les œuvres d'Étienne Dolet, qui va s'installer imprimeur à Lyon à l'enseigne de « *la Doulouère d'or* » : ses *Carmina* d'abord, puis ses passionnants *Commentarii linguae latinae* et sa *Manière de bien traduire une langue en une autre* [20]. Les « blasonneurs », Vauzelles, Salel se gardent d'oublier la reine.

L'Italie l'honore de même. Nicolo Martelli lui envoie un

---

17. Cette ligne gouailleuse aimant les mots, les jeux de mots, nous la suivrons jusqu'en Victor Hugo. Elle affleure chez Apollinaire, s'épanouit dans Raymond Queneau. Quant au raton laveur de Jacques Prévert, un rhétoriqueur tel que Guillaume Crétin n'en eût pas désavoué l'*Inventaire* – tuyau de poêle.
18. *Les Nugae* valurent beaucoup d'ennemis ultras à leur auteur.
19. Valet de chambre de François Ier, Macrinus se laissait du reste surnommer : « *Horace français* ». Ses sénaires iambiques sonnent un beau creux.
20. Réédité en 1972.

sonnet, puis un recueil. Bandello, son *Hécube* avec une lettre de flatterie. L'Arétin non pas des œuvres osées, mais sa *Vie de Notre-Dame*. Luigi Alamanni, ses *Opere toscane*. Il faut s'arrêter à Alamanni, poète alors en vogue : il sert de vivant trait d'union entre la reine et sa nouvelle amie lointaine : Vittoria Colonna qui, par son œuvre et ses théories, va influencer Marguerite à cette époque et pour longtemps.

Vittoria parle de la brillante sœur du roi de France à leur ami commun, le cardinal-poète Bembo. Les deux femmes échangent des lettres pleines d'une admiration réciproque et non feinte. En 1540, jamais Vittoria la Divine ne fut plus près de venir en France, ni Marguerite de se rendre en Italie, vieux projet jamais réalisé.

A cette date, Marguerite approche de la cinquantaine. Nous n'avons d'elle aucun bon portrait de son âge mûr. Tout au plus nous la décrit-on comme « menue », de « complexion fragile », ce qui doit avoir trait à la maladresse rhumatisante qui lui vient. Depuis des années, elle a coutume de s'habiller de noir. Cela lui confère un air d'austérité, contredit par la vivacité enjouée de certaines de ses lettres. Elle n'aime plus guère paraître dans les grandes fêtes. L'avenir de sa fille la tourmente, tandis que se multiplient les deuils familiaux : sa nièce Madeleine, à peine mariée au roi d'Écosse, est morte à son tour.

Comme à l'accoutumée, le roi l'emploie à charmer par ses compliments les envoyés des puissances étrangères. Henri VIII, excommunié en 1538, s'est fort refroidi depuis que François et Charles Quint s'embrassent, et que ce dernier est reçu en France en grande pompe. Le roi use de la finesse, de l'entregent de sa sœur, mais une ombre se dessine entre eux : Jeanne. La crise couve, avant d'éclater en 1541.

Pour le moment, en 1540, Marguerite découvre Platon selon Marsile Ficin, qui lui est venu par Des Périers, mais qui surtout marque l'œuvre et les convictions de Vittoria Colonna. C'est à travers l'anamorphose platonicienne qu'elle envisage l'amour humain – il en viendra *La Coche* l'année suivante – mais aussi qu'elle ordonne sa passion toujours brûlante pour Dieu.

Quoi de plus? Elle voyage. Elle n'a cessé de voyager depuis sa jeunesse, toujours sur les routes, la plupart du temps en litière.

Voyages longs, ennuyeux souvent : sans doute occupés à écrire, dire, puis dicter des vers comme elle dicte ses lettres.

Après la guerre, avant la crise familiale, Marguerite de Navarre mûrit, aussi bien au plan intellectuel et littéraire que physique. Il n'est pas douteux que la familiarité de Marot, alors au meilleur de son génie, que les paradoxes de Des Périers, la compagnie d'Héroët tandis qu'il écrit *La Parfaite Amye de cour* la tendent vers une création proprement littéraire. Sa passion pour le Ciel demeure étale.

Nul ne peut l'accuser de manquer la messe, ni les devoirs qu'impose Rome. François a choisi la messe. Il l'a fait savoir à trois reprises : en 1538, l'édit de Coucy est rapporté. En juin 1539 une sorte de contre-édit sera proclamé, rouvrant la chasse aux « mal-sentants ». En juin 1540 enfin, c'est la curée : tout sujet du royaume se voit imposer le devoir de traquer et dénoncer les hérétiques de toute appartenance.

Marguerite se tait, s'instruit, s'allume pour ce nouvel et étrange Platon ficinien. Sans doute écrit-elle quelques-unes de ces *Chansons spirituelles* qui ne seront réunies en recueil que plus tard, et dont la plupart sont impossibles à dater. Leur principe même, nous le trouvions dans la tétralogie de la Nativité : faire chanter sur l'air de rengaines populaires des paroles de prière ou d'exaltation religieuse. Ainsi Marot dira-t-il que les psaumes de David, qu'il traduit, sont « les chansons » de Marguerite. Les chansons qu'elle écrit elle-même ont aussi des allures de psaumes allègres, faits pour être chantés, non pas marmonnés. Leur classification chronologique serait très instructive. Mais quand Marguerite les publie, elle les range dans l'ordre qui lui paraît subjectivement le meilleur. Ainsi font la plupart des poètes : la première, la plus célèbre églogue des *Bucoliques* fut écrite par Virgile après toutes les autres.

En 1540, Marguerite de Navarre, tout en demeurant d'abord passionnée de Dieu, écrit aussi des hommes, révèle un don jusqu'alors caché d'observation. Éprise de lecture depuis son enfance, elle n'est ni philologue ni vraiment érudite. Cet esprit encore « roman » conçoit mal l'abstraction philosophique, envisage le symbolisme comme une manière de statuaire mentale. Cela explique peut-être son retrait devant le culte exagéré des images de la Vierge et des saints, qu'elle remet à leur taille honorable, mais en fin de compte infime devant l'incommensurable stature de Dieu.

Nous avions écrit que quinze ans plus tôt elle priait entre deux chaires. Au fil des ans, l'intransigeance des réformés, luthériens et calvinistes, s'affirme par nécessité de survie. En 1540, Calvin et Farel sont exclus d'une Genève encore tolérante : ils reviendront y apporter l'année suivante un protestantisme autoritaire. La reine de Navarre désormais se trouve confrontée à des *credo* différents et tyranniques. Elle ne choisira que de garder les formes du catholicisme romain, sans se fermer – elle à qui Lefèvre a confié le flambeau de l'évangélisme – aux restrictions des réformistes.

Ainsi, haïe une fois pour toutes par les ultras, elle devient peu à peu suspecte aux zélateurs de l'autre camp. Deux faits le démontrent à cette époque.

Marguerite, qui partage tout avec son frère, veut lui faire goûter les sonnets de Vittoria la Divine. Elle les confie à Montmorency pour qu'il les donne au roi. Mais le connétable les garde dix jours, les fait examiner au mot près : si la reine aime ces vers, ils doivent être hérétiques! Pour finir, Montmorency est confondu, rend le livre, encourt la colère du roi et de sa sœur. Sa disgrâce approche, définitive sous ce règne.

Second fait significatif. Calvin, faisant leçon aux envoyés des princes protestants qui se rendent à la cour de France, leur recommande d'être aimables avec Marguerite, mais de ne pas écouter ses conseils. Il se méfie donc autant du réformisme « girondin » de la reine que les ultras de son orthodoxie douteuse.

Telle sera désormais sa situation : catholique de principe, suspectée par les pourfendeurs de réformés. Protectrice d'hérétiques, gagnée aux idées-force du premier luthéranisme, mais étrangère aux Églises réformées dogmatisées. Elle reste la dernière tenante du fabrisme tolérant, ouvert aux interrogations.

Marguerite en 1540? Rien de moins évident que ses intimes convictions, rien de plus complexe que ses appartenances, sinon à Dieu, son Tout, et à François, son aimé frère. Mais son portrait, si l'iconographie nous le refuse, demandons-le au témoignage de l'évêque de Capo d'Istria, Pier Paolo Vergerio. Il visite la reine, lui apportant des messages d'amitié de Vittoria Colonna. Elle lui accorde quatre heures d'audience. Vergerio en écrit, à son ami Alemanni et à Vittoria elle-même, des lettres exaltées : Marguerite est la bonté, l'intelligence, la clarté même. A lui qui ne sait pas le français, elle a fait entendre chacun de ses propos, s'aidant du latin et de l'italien. Marguerite lui a semblé admirable en son équilibre et sa profondeur de pensée : « Béni soit le Ciel, écrit-il, d'avoir donné à notre siècle un esprit, une lumière, une vérité aussi clairs [21]. »

Les ultras feraient remarquer que Vergerio allait défroquer, passer au calvinisme, devenir pasteur en Suisse. Il devait être, lorsqu'il rencontra la reine de Navarre, en pleine crise et confusion spirituelle. Il fut confronté à une croyante aussi exaltée en sa foi que discrète en son itinéraire spirituel, et tolérante envers toute conscience chrétienne. Ses éloges ont tous les accents de la sincérité. Ils nous persuadent que l'éloquence vantée, le charme indéniable de Marguerite de Navarre agissaient mieux encore lorsqu'elle n'avait pas, par devoir de reine ou de sœur, à feindre.

21. Cité par Émile Picot, *Les Français italianisants.*

TROISIÈME PARTIE

CHAPITRE XI

De guerre lasse

Un mariage tumultueux

L'influence politique de Marguerite de Navarre sur son frère, loin d'être nulle comme on l'a écrit, apparaît constamment dans le règne avant 1540. Moins marquée que celle de sa mère, de Dorat même, des Robertet et du duo alternant Montmorency-Chabot, elle s'affirme longtemps en matière de politique religieuse. Elle se montre dans mainte affaire particulière dont Marguerite prend la responsabilité : les préliminaires du traité de Madrid restent la plus personnelle de ses interventions. Il en est bien d'autres moins éclatantes, aussi probantes. François aimait sa sœur, mais l'estimait aussi. Elle sous-traitait pour lui, nous l'avons vu, avec d'illustres visiteurs, leur mentant parfois sans vergogne dans l'intérêt de son frère : de son propre chef, ou trompée d'avance par lui ? A mon avis, l'une et l'autre possibilités sont admissibles. Que François manipulât son adoratrice et sût l'embobeliner, aucun doute. Qu'à l'occasion Marguerite pût mentir et duper dans l'intérêt de la France, à grand renfort de charme, plus d'un émissaire anglais, italien ou pontifical en fit l'expérience.

Utile instrument dont François Ier sut jouer, telle fut donc – et redevint après la crise où nous entrons – la reine de Navarre. Mais si le roi paraît faible parfois devant les mauvais conseils de ses ministres, et cède à sa sœur quand cela ne le dérange pas, il reste absolument personnel dans ses choix essentiels : guerre ou paix, alliances fructueuses et, depuis l'affaire des placards, catholicisme, malgré la fugace amnistie de Coucy. Sa nouvelle intrusion dans la vie privée des Navarre le démontre en 1540-1541.

Il va s'agir de marier Jeanne d'Albret, qu'il a déjà soustraite à ses parents pour éviter une alliance non conforme à ses vœux. Le roi se montrera d'une inflexible ténacité : obstiné d'abord en son choix, se fâchant tout rouge à la fin pour l'imposer à sa sœur. Parler de brouille avec Marguerite, de disgrâce pour cette dernière, c'est travestir une vérité simple : François raffole de sa sœur, jusqu'au point précis où elle se mêle de contrarier ses décisions. Une fois qu'elle aura cédé, et compris qui était le maître même chez elle, le roi redevient frère affectueux, prêt à rendre sa place à la « mignonne » : elle peut tout oser, sauf lui tenir tête.

En février 1540, par son ambassadeur Bonvalot, Charles Quint demande la main de Jeanne d'Albret pour l'infant Philippe, son fils. Peu après le séjour de l'empereur à Paris, cela n'a rien d'extravagant. François et Montmorency, encore écouté, seraient favorables, si la dot de l'infant comprenait le Milanais. Henri de Navarre, lui, n'a cure de Milan : il veut toujours la Navarre espagnole. Le projet, comme tant d'autres visées matrimoniales, reste en suspens.

L'été de cette même année, c'est Guillaume de La Marck, duc de Clèves et de Juliers, héritier de la Gueldre, qui veut la main de la petite. Par ses parents, il est entré en possession de deux duchés empiétant sur l'Allemagne. La Gueldre, province des Pays-Bas, serait de plus un coin français enfoncé au vif de l'Empire.

François Ier accepte d'emblée. Sa sœur ? Il saura la jouer. Son beau-frère de Navarre reste plus obstiné. Le roi n'a pas oublié le petit complot des années précédentes. Il s'assure de l'acceptation d'Henri d'Albret par une promesse : attaquant Charles Quint comme il s'apprête à le refaire, il créera, dit-il, un front pyrénéen, envahira la Navarre espagnole. Henri croit François parce qu'il a envie de le croire. Le contrat de mariage entre Jeanne d'Albret et Guillaume de Clèves est signé le 16 juillet 1540, dans le vieux château d'Anet [1].

1. Les travaux de la « merveille d'Anet », après réhabilitation des vieux bâtiments, commencèrent quand le dauphin devint roi. L'architecte Philibert de L'Orme y construisit l'un de ses chefs-d'œuvre pour Diane de Poitiers, à partir de 1549.

A peine le contrat signé, Henri de Navarre se ravise. Le roi l'a endormi avec des promesses qu'il semble aussitôt oublier. Dès lors, Henri se dit qu'un contrat n'est pas un mariage. Charles Quint se montre furieux de voir la Gueldre lui échapper. De recevoir nouvelles d'une alliance entre la France, Clèves, la Saxe et la Hesse. Cela donne plus de prix à la main de Jeanne. Derechef, malgré l'acte d'Anet, le roi de Navarre propose à Charles Quint sa fille pour son fils.

Son dernier complot l'a persuadé que Marguerite ne peut sérieusement s'opposer à François. C'est donc à l'insu de sa femme qu'Henri de Navarre mène la négociation. Marguerite ignore ce que propose son mari à l'empereur : enlever sa fille par mer, et la lui livrer. La reine en est tellement peu informée qu'elle emmène Jeanne à Abbeville. Nouvelle enchère de son mari : cette fois, la fille se trouve près de la frontière de l'Empire. On peut l'enlever par voie de terre, lui faire passer la frontière, et le tour sera joué.

Charles Quint ne dédaignerait pas de jouer ce coup contre François Ier, qui renoue dans son dos avec Soliman. Mais l'enchère d'Henri est trop élevée. Il réclame la Navarre espagnole, bien entendu, mais aussi une grosse pension. Contre quoi ? Une fille qui, si elle n'est donnée par le roi de France – mieux, si elle l'est contre le gré de celui-ci –, ne devient que la rustique héritière d'un royaume minuscule.

L'empereur refuse. Il refuse avec d'autant plus de décision qu'il croit Marguerite au courant du complot. Ce tortueux imagine que la reine sait tout, et que François manipule Henri d'Albret pour le duper. Il est furieux. Le 11 octobre 1540, à Bruxelles, Charles Quint donne officiellement le Milanais à son fils Philippe [2]. La guerre devient inévitable, et le comploteur de Navarre en est pour ses frais.

Furieux à son tour, profondément déçu, il cherche à faire traîner le mariage de Jeanne avec le duc de Clèves, que François Ier exige, à la veille du conflit. Le conflit et le mariage attendront. En janvier 1541, Albret emmène sa femme à Cauterets :

2. Ce dernier, de plus, épousera en 1543 Marie de Portugal. Mais elle meurt dès 1545, et le fils de Charles Quint redevient alors le meilleur parti d'Europe.

elle souffre de rhumatismes, et doit prendre les eaux. Jusqu'au printemps, il tentera de retourner l'opinion de Marguerite à propos du duc de Clèves. Ce mariage fera-t-il le bonheur de leur unique enfant? Non, à coup sûr. Il s'y oppose, « en bon père ».

En bon frère, François écrit des lettres de plus en plus pressantes : Jeanne va épouser Clèves, un point, c'est tout. Déchirée entre amour et devoir, tiraillée entre mari et frère, Marguerite pleure, se désole, ne sait que faire. Raison d'État, amour maternel? Ses deux bourreaux ne la ménagent pas. Certains prétendent qu'elle écrivit la très sereine *Coche* pendant le séjour à Cauterets, entre janvier et avril. Les mêmes jugeaient impossible qu'elle composât des vers en 1525, durant son pénible séjour en Espagne. Tout dépend du sujet où se plonge la poète. Au début de 1541, il semble impensable que, désorientée, prise entre deux fureurs, elle pût « platoniser » d'une âme égale. Il est possible aussi que le chagrin, la détresse qu'elle avoue y aient trouvé un dérivatif. Il reste plus plausible que l'œuvre fut écrite, ou du moins mise en forme, *après* le mariage forcé.

Car François Ier, pour finir, ordonne. Henri de Navarre et sa femme doivent lui amener Jeanne et la conduire à l'autel. Vaincu par cette volonté sans appel, Henri va bouder à Pau. Marguerite seule ira mener sa fille au sacrifice.

Elle s'y résigne. Dès qu'il n'y a plus d'échappatoire, la voici consentante au bon plaisir du roi, son maître après Dieu. Puisqu'il en donne l'ordre absolu, Jeanne épousera Clèves. A cœur ou contrecœur, Marguerite s'y emploie. Entre-temps l'adolescente – Jeanne d'Albret n'a pas treize ans – montre que les leçons qu'on lui a faites contre son fiancé ont porté leurs fruits. Elle ne veut pas de Clèves. Elle le déclare tout net à François lui-même, à Clèves en personne. C'est non! Le roi la presse d'accepter, mais ordonne aux servants de la jeune personne – Madame de Lafayette, Lavedan – de ne rien révéler de ces pressions sous peine de mort. Voilà qui montre jusqu'où il s'engage. Voilà qui révèle aussi combien il est délicieux de trahir un secret dangereux : Lavedan part pour la Navarre et rend compte, au péril de sa vie.

En mai, Marguerite cède complètement. Elle arrive à Plessis-Lez-Tours, et refuse d'écouter les plaintes de sa fille. Une bonne fessée est administrée à Jeanne par sa gouvernante. Sur l'ordre de sa mère? Voire. C'est la baillive de Caen qui fesse. Dans ses protestations ultérieures, la petite accusera sa mère de l'y avoir contrainte, ajoutant qu'on l'aurait fait mourir sous les coups, si elle avait persisté à refuser Clèves. Marguerite mère indigne? Tempérons ce jugement en nous rappelant que la protestation notariée de Jeanne sera rédigée trois ans plus tard, à Alençon, où la petite et sa mère mettent en train l'annulation du mariage. On prétendra que cet acte date de mai 1541, et que Jeanne d'Albret le confia tout de suite à son père. Or celui-ci ne revint que pour les épousailles. Eût-on permis à une enfant d'officialiser ainsi une rébellion, entêtée contre tout usage? Albret en eût-il pris le risque?

Quoi qu'il en soit, Marguerite se trouve bel et bien dans le parti des fesseurs, et la petite se résigne. Fiançailles éclair, mariage le 14 juin à Châtellerault. On a si peur que Jeanne ne s'enfuie en pleine cérémonie qu'elle est chargée de parures écrasantes : drap d'or, velours cramoisi, joyaux, le tout si lourd qu'elle est incapable d'avancer dans l'église.

Du coup, le rusé François trouve un moyen de consoler sa sœur et sa favorite la duchesse d'Étampes, unies contre ce mariage. Il ordonne de porter Jeanne jusqu'à l'autel. Que fera cela? Un valet, sans doute : c'est une basse besogne. Or c'est à Montmorency en personne que le roi l'assigne. Il porte Jeanne au sacrifice, et toute la cour comprend, au vu de cette humiliation, que la disgrâce du connétable est proche.

Autre faveur faite à la mère et à la fille : bien que célébré, le mariage ne sera pas consommé. Le soir venu, Guillaume de Clèves se contente de poser son pied nu dans la couche nuptiale, puis se retire en ses appartements.

Pendant les jours suivants se déroulent de grandes fêtes. Marot, pour sa dernière grande prestation officielle, engage les seigneurs dans un grand jeu où ils figurent des chevaliers errants : *Amadis de Gaule*, déjà célèbre en Espagne, avait été traduit en français en 1540 par Nicolas Herberay des Essarts. Le dauphin Henri et les gentilshommes de sa génération allaient y puiser de nobles modèles chevaleresques [3].

3. *Amadis de Gaule* fut rédigé avant 1490 par l'Espagnol Garcia Ordonez de Montalvo, d'après un texte portugais. Ce dernier démarquait le cycle chevaleresque des « romans bretons » (*Lancelot du Lac*). « Gaule » y est mise pour

Jeanne, la duchesse vierge, gagne à tous ces émois une bonne jaunisse, et montre les premiers symptômes de tuberculose. Marguerite la soigne, achève *La Coche*, dont elle offre le manuscrit enluminé à Anne d'Étampes. L'amitié des deux femmes s'épanouit dans l'éloignement de Montmorency. La très vertueuse Marguerite préfère la belle amie du roi à la reine. Déjà sa mère Louise recueillait les maîtresses de son mari. De même la dauphine Catherine est très liée avec la favorite du dauphin, Diane de Poitiers. Évitons tout jugement moral bourgeois et anachronique.

Une fois marié, le duc de Clèves rentre chez lui, et s'apprête à soutenir une guerre dont son mariage est le prétexte. Avoir ainsi encouru la fureur de Charles Quint lui en cuira bientôt.

Jeanne blessée, Marguerite culpabilisée? François Ier ne s'arrête pas à ces détails de sentiment. Il comble de cadeaux Henri de Navarre pour le consoler, sans bien croire à sa fidélité. Quant à Marguerite, avant la guerre que l'on « criera » en juillet 1542, elle a retrouvé selon toute apparence son crédit à la cour. Nous n'avons aucun écho de son humiliation de mère contrainte. Pouvait-elle s'illusionner encore au sujet de son pouvoir réel sur François, son « second Christ »? Ignorer la profondeur de l'égoïsme royal? Ingénuement, elle continue à l'aimer. Les désillusions ne font rien à cela.

La Coche (1541)

La Coche demeure l'un des plus intéressants poèmes de Marguerite de Navarre. Il se situe à part dans ses œuvres profanes. Ces dernières en effet, qu'elles ressortissent au genre théâtral (*L'Inquisiteur*) ou mythologique (*Le Faux Cuyder*), ne sont que manières de fables dont seule se veut importante la moralité en forme de prêche. Or, *La Coche* prêche aussi, mais non le retour à

« Galles ». Célèbre en Espagne dès sa parution, *Amadis de Gaule* connut un succès foudroyant dans toute l'Europe. Il développa un genre qui durera en France jusqu'à Madame de Scudéry. Dans les premières années du XVIIe siècle, Cervantès le moquera avec son *Don Quichotte*.

Dieu, Unique Consolateur. Il s'agit d'amour humain, dont
disputent trois dames sous les yeux et en présence de la reine
elle-même : toutes trois sont amoureuses. Mais laquelle aimera le
mieux et en souffrira davantage pour mériter le prix d'honneur ?

Il s'agit donc d'un « débat », genre très ancien, devenu classique
en poésie amoureuse depuis Guillaume de Machaut. La reine
annonce ses sources dès le vers 49. Les dames paraissent, toutes
dolentes, et la poète d'écrire :

> *Lors quand je vis un si piteux objet* (v. 49)
> *Pensai en moi que c'était un sujet*
> *Digne d'avoir un Alain Charretier (Chartier)*
> *Pour les servir comme elles ont mestier* [4].

C'est donc sur le modèle d'Alain Chartier que Marguerite
écrira son débat d'amour. Non pas celui de *La Belle Dame sans
mercy*, très populaire encore, mais *Le Livre des quatre dames*,
œuvre de Chartier moins célèbre, mais profondément traditionnelle.

Qui aime plus, qui aime mieux, qui en a plus de bonheur et de
douleur, tel est le thème des débats inspirés d'abord par la *fine
amor* des troubadours de langue d'oc, et par l'amour chevaleresque qui dérive de l'amour courtois [5]. Le premier grand novateur
du genre, le duc d'Aquitaine Guillaume IX, *Guillelmus facetus* [6],
place déjà les sentiments au-dessus de l'amour charnel. Ses
successeurs créeront toute une liturgie amoureuse autour de la
femme idéale, sorte d'idole dont il faut à grand-peine et par étapes
acquérir tout, sauf les dernières faveurs.

Dès le XIIIᵉ siècle les cours d'amour abondent, la plupart gérées
par des dames : on y discute de la liturgie d'amour courtois, selon

4. Comme elles en ont besoin.
5. Au début, seul un noble chevalier avait le droit d'aimer une *domna*. Mais le
poète qui savait *trobar* (trouver), le *troubadour*, donna accès aux gens du peuple
parmi les « dignes d'aimer ». Il suffisait que l'amour restât courtois, c'est-à-dire
chaste, et la dame intouchable.
6. Ce grand ancêtre des *cansos* partit en 1101 à la tête d'une « croisade de
secours » vers la Terre sainte. Il emmenait ses familiers, ses musiciens, son
harem. Une armée aussi. Elle fondit en route. Ce qu'il en restait fut massacré par
les Seldjoukides, près d'Héraclée. Guillaume, par chance, en réchappa et put
gagner Antioche.

une casuistique digne des plus embrouillés parmi les théologiens. Le « débat », précisément, est sorti de ces « jugements d'amour ». Après *La Coche*, on ne le trouvera guère dans la poésie, mais il demeurera dans les salons mondains jusqu'au peu chaste XVIIIᵉ siècle.

A la manière d'Alain Chartier, dans la tradition de Guillaume de Machaut qu'elle a peu lu, de Christine de Pisan qu'elle connaît bien, Marguerite fait converser ses héroïnes d'une manière qui préfigure les devisants de *L'Heptaméron*[7]. De façon étrange, bien qu'il s'agisse d'un poème-débat, le décor et la mise en scène sont plus et mieux indiqués par Marguerite que dans ses comédies ou farces.

Le décor est un paysage emprunté à Alain Chartier, qui le décrivait longuement, par une envoûtante féerie verbale. Marguerite le ramène à des éléments essentiels : nous sommes dans un pré, « vert », orné de « mille fleurs », sous le soleil qui se couche « vermeil »; il ne fait ni froid ni chaud. La reine, nous l'avons vu, nous l'expliciterons, n'est pas une « visuelle ». Aussi, la chose mérite qu'on la remarque, fait-elle orner de miniatures le manuscrit de *La Coche*, tel qu'elle l'offrira à la duchesse d'Étampes. Ces tableautins sont là pour situer – le jargon moderne dit « visualiser » – les dames dans les phases successives de l'action, tandis que l'essentiel est déclaré par le texte.

La mise en scène? Elle est indiquée par le menu au fur et à mesure que le poème va. La reine nous prévient qu'en ce livre seront contées onze histoires. Au bout du pré se trouve Marguerite – « une femme accoutrée comme la reine de Navarre », dit-elle – qui parle avec un paysan. Les trois devisantes apparaissent au début de la seconde histoire. Elles sont en pleurs, et le débat commence, car la reine leur propose sa médiation dans cette tristesse collective :

> *Un mal caché va toujours empirant* (v. 90)
> *Et, s'il est tel qu'il ne puisse être pire*
> *Il s'amoindrit quelquefois à le dire.*

7. Le livre de référence sur *La Coche* est l'édition critique de Robert Marichal.

D'une histoire à l'autre, le cliché du décor est toujours présenté avant que ne soit résumée l'action à venir : « En cet endroit est la troisième histoire contenant les mêmes prés et bois »... La direction d'acteurs est mieux indiquée non au metteur en scène, mais du moins au miniaturiste. Quatrième histoire : « ... Toutes trois ont leur mouchoir chacune en sa main. Et les deux qui ne parlent pas font contenance de beaucoup pleurer. »

Nous pouvons sourire de ce qu'a encore d'allégorique la figure de la dame « figée en pleurs ». Notons tout de même un progrès : la reine se préoccupe d'animer, si peu que ce soit, ses personnages, de les humaniser par l'apparence. Il s'agit en effet de femmes bien réelles, d'amours bien terrestres, quoique montrées pures : amours en esprit, mais ressenties pour des amants, non des maris. L'adultère spirituel est la constante du *trobar*, puis de l'amour selon Pétrarque : Laure était mariée, avait des enfants de son mari. Le troubadour, Pétrarque ensuite idéalisent leur dame, l'angélisent. Quand la première dame de *La Coche* parle à Marguerite, les choses sont claires :

Or eûmes nous toutes trois jouissance (v. 159)
Du plus grand bien qui put d'amour venir
Sans faire en rien à notre honneur offense.

Toutes trois donc furent aimées par de « parfaits serviteurs », mais l'Amour finit par jouer des tours. Résumons les ennuis des deux premières dames pour en venir à la dernière, plus originale en 1541.

La première a été abandonnée par son amant. La seconde est bien près de l'être, mais se trouve de plus courtisée par l'amant de la première. Quant à la troisième, pour ne pas briser l'amitié qui l'unit à ses deux amies malheureuses, elle va rompre avec celui qui l'aime parfaitement.

Jusqu'à l'apparition de ce personnage, tout allait comme en un « débat » ordinaire. Mais la troisième dame se révèle singulière. Elle apparaît tout à fait conforme aux canons du néo-platonisme ficinien, passant de l'amour ordinaire à l'Amour sublimé et divin.

Même son que dans les poèmes de Vittoria Colonna ou ceux de Michel-Ange :

Né Dio, sua grazia, mi si mostre altrove
Piu che'n alcun leggiadro e mortal velo [8].

Nous évoquons, en lisant *La Coche*, non seulement *Le Banquet* de Platon et son *Lysis* que des Périers vient de traduire [9], mais le *Phèdre* même dont semble frottée la troisième dame. Son amant est cette *moitié* qu'elle avait cherchée et trouvée, la *moitié* de son être complet [10]. Elle n'a ni envie ni raison de le quitter. Le quittant à cause de l'alliance qu'elle a conclue avec ses deux amies, elle renoncera à l'amant pour mieux progresser dans l'Amour. Elle le dit :

Que perdez-vous ? Un mauvais et un feint (v. 977)
Et moi un bon, sans vice ni sans feinte
Lequel perdant, d'aimer je suis contrainte
Laissant le bien que perdre j'ai tant craint.

La rhétorique paraît dans les oppositions verbales, se montre au long de l'œuvre malgré sa bonne progression, les notules de mise en scène, la diversification de la rythmique. Chartier pris pour modèle ? Disons « pour cadre ». *La Coche* est une nouveauté dans le débat amoureux en France.

Achevons d'en conter l'histoire. Après l'exposé des trois dames, il faut un arbitre, bien que la reine ait fait sentir sa préférence pour la troisième. Quel arbitre choisir ? Le roi ? Marguerite en fait faire un éclatant éloge par l'une des dames, bien que ce ne soit pas, en définitive, à un homme de trancher ce cas :

C'est lui qui peut triompher en son temple (v. 1064)
Ayant passé par celui de Vertu
C'est lui que ciel et terre et mer contemplent.

---

8. *Et Dieu, par grâce, ne se montre pas autrement à moi*
    Que sous quelque gracieuse et mortelle enveloppe.
                                                        Michel-Ange, 106.
9. Il ne sera publié qu'en 1544, mais la reine dut en tenir le manuscrit.
10. Cf. *Le Banquet*.

Marguerite proteste : elle n'osera pas montrer ce « débat » au roi. Elle-même ne le tranchera pas comme le propose la troisième car, dit-elle :

Mes cinquante ans, ma vertu [11] *affaiblie* (v. 1220)
Le temps passé commandent que j'oublie
Pour mieux penser à la prochaine mort
Sans avoir plus mémoire ni remords
Si en amour a douleur ou plaisir.

La troisième, l'élue d'avance, celle qui passe de l'amour déjà épuré par la chasteté à la dimension « platonicienne » de l'Amour, désigne enfin la personne la plus apte à trancher :

Et son cœur sent mieux qu'en touchant le pouls (v. 1238)
Qui aime ou non.

Cette experte en pureté amoureuse n'est autre que la maîtresse du roi, Madame d'Etampes. Cela montre – les événements le prouvent – que la favorite et la reine de Navarre s'aiment fort. Ensuite, que le banal adultère compte peu, lorsque l'on envisage l'amour de l'Amour en ses hauteurs.

Mais, ainsi que Marguerite innovait en introduisant en littérature l'amitié d'alliance, sorte de pacte du sang plus fort que tout lien, qui réunit les trois devisantes, elle introduit une variante considérable dans l'ancien « débat ». L'Amour parfait ne se portera plus vers une dame sans merci. L'ange idéale restera humaine, ou si on la sublime, ce sera du sentiment qu'elle inspire qu'il s'agira, non d'elle-même.

Est-ce compliqué ? Que dire alors de tout le brouillamini amoureux des années à venir, frotté de chevalerie à la manière d'*Amadis* ou de l'Arioste, bientôt du Tasse ? L'œuvre finit : un orage éclate, la compagnie monte dans la voiture qui l'attend, une coche attelée de quatre juments noires. Les dames gagnent leur logis, puis Marguerite le sien. Elle le quitte bientôt pour se rendre auprès de la duchesse d'Etampes, et lui faire don du livre tiré de cette histoire. Une notule décrit les vêtements de la duchesse et même sa façon de les porter. Marguerite lui déclare qu'elle a

11. Au sens latin : courage.

honte de dédier à une si parfaite personne un récit admirable par son contenu, mais gâté par son pauvre style. Modestie réelle ou feinte? Elle recommande à Dieu son amie, pour laquelle elle écrit, après le vers 1400 et dernier, cette dédicace :

PLUS VOUS QUE MOI.

Est-ce simple complément d'amitié, façons de cour? Jamais l'union de ces deux femmes n'a été si grande : Marguerite, de par l'égoïsme du roi, se sent de plus en plus portée à l'aimer de loin, comme la troisième dame de *La Coche* fera de son amant. Ce « plus vous que moi » à la favorite n'est-il pas consciemment ou non, une affectueuse passation de pouvoir-sur-le-roi? Désormais ce sera la duchesse, non la reine qui restera en première ligne auprès du monarque aigri et malade. Elle se campera si bien contre le parti du dauphin que ce dernier, à peine devenu roi, l'exilera à jamais dans ses terres.

Telle, *La Coche*, illisible en première lecture, harassante par ses imbroglios quasi strambottistes, renouvelle en 1541 le champ littéraire de la reine. Éloigné d'une ou deux galaxies de nos modes récentes, il mérite qu'on s'y attarde. Son charme indéniable finit par subjuguer le relecteur patient.

Que Marot, les Lionnois pétrarquisants, Bembo, Pétrarque lui-même paraissent dans le pré d'Alain Chartier, cela est indiscutable. Ajoutons-y le platonisme de Marsile Ficin filtré par Vittoria Colonna et *Le Courtisan* de Balthazar Castiglione [12]. Ajoutons encore Antoine Héroët et même Des Périers en son humeur du *Lysis*. Cela fait beaucoup de monde, si l'on considère combien *La Coche* reste singulière.

Dans sa poésie religieuse, nous avons vu Marguerite de Navarre mener non un combat d'arrière-garde, mais une bataille personnelle pour greffer sur la forme des rhétoriqueurs les acquits poétiques du Trecento et du Quattrocento. C'était avant la lettre la superbe impasse d'André Chénier : « Sur des penser nouveaux, faisons des vers antiques. » Dans *La Coche*, la voici qui libère le

---

12. Diplomate et fin lettré, le comte Castiglione écrivit en 1528 *Le Courtisan*, dialogue qui fit longtemps fureur. C'est le bréviaire de l'homme de cour raffiné à l'extrême et, dirions-nous, « dans le vent » de la Renaissance. Le portrait de Castiglione par Raphaël est au Louvre.

débat médiéval en le « modernisant ». Il reste que, malgré la liberté nouvelle de la métrique utilisée, le charme se cache sous un peu de raideur.

N'oublions pas que cette barrière de la langue, qui nous rend ces vers difficile d'accès, est le fruit d'une recherche de la poète. Comme les grammairiens qui vont envahir la littérature et condamner Marguerite, celle-ci sent la nécessité de rajeunir le « maternel langage », le dépouiller de ses lourdeurs. Poète idyllique, elle versifie entre ancien et moderne. C'est sans doute la raison pour laquelle la troisième dame, la meilleure, qui va de l'amour à l'Amour, se déclare en bons vieux quatrains de décasyllabes, où la reine se sent à l'aise.

La Coche n'est pas un chef-d'œuvre, mais un poème singulier, portant de grandes promesses qui seront tenues par d'autres. Paradoxalement, nous y voyons un auteur occupé de Dieu seul élargir, par le jeu d'influences littéraires, son talent au moyen d'une incursion dans le jeu des amours profanes. Le temps est passé où la reine n'avait qu'une plume, en poésie, pour écrire seulement du tourment de Dieu et du *faux cuyder* de l'Adam.

La quatrième guerre

François Ier, une fois de plus, cherche un brûlot pour rallumer la guerre contre son vieil ennemi. Nous le voyons piaffer depuis 1540 : moins gaillardement que lors du dernier conflit, car sa santé reste obérée. En 1539, de nouveaux abcès l'ont torturé. Il reste sujet à des accès de fièvre, et ne retrouvera jamais sa bonne condition physique. Une fois de plus, Michelet exagère, et décrit les maux très réels du roi par une de ses phrases foudroyantes, même si la foudre tombe à côté de la vérité : « Il meurt huit ans d'avance d'une horrible maladie, dont la médecine ne le sauva qu'en l'exterminant. »

En fait, le roi « craque » de temps en temps, en de brèves crises. Rien de commun pourtant avec les « morts successives » de Louis XII, entrecoupées d'ambitions italiennes et d'accès de luxure. François demeure gaillard la plupart du temps. Il mange et boit, chasse et festoie à sa façon exagérée. Surtout, il continue son œuvre double : en politique, par la quatrième et dernière guerre contre Charles Quint; en mécénat, parachevant à Fontainebleau et sur la Loire l'avènement du premier, du plus élégant baroque, le français, moins italien en fin de compte, au plan architectural, que l'ordre classique.

Au début de 1542, nous trouvons Marguerite à Fontainebleau. Aima-t-elle l'admirable galerie d'Ulysse du Primatice, dont Rubens puis Poussin, en leurs dilections différentes, raffolèrent, et qu'heureusement ils copièrent [13]? Cela n'est pas certain. Nous verrons que l'œil de la reine, si prompt à lire, n'était guère ouvert à la peinture en son évolution.

Le 10 juillet 1542, François fait « crier la guerre » dans le royaume. Cette fois, le prétexte choisi a quelque consistance : l'ennemi impérial a fait tuer un ambassadeur français pour saisir ses dépêches.

L'ambassadeur, c'est un personnage assez trouble, espagnol d'origine, italien en Italie, qui a obtenu la « naturalité » française : Antonio Rincon. Tandis que notre ambassadeur à Venise, l'évêque Guillaume Pellicier, essayait de réconcilier Soliman et la Sérénissime République, le roi de France renouait avec le sultan. Il y fallait de la persuasion. Soliman avait été furieux de la fugace crise d'amitié entre François Ier et l'empereur, du voyage triomphal de ce dernier en France. L'habile Rincon, porteur de lettres explicites, alla lui proposer une nouvelle alliance française. De retour à Blois au printemps de 1541, il repartit pour Constantinople au début de l'été. Un autre agent secret de la France, le Génois Cesare Fregoso, l'accompagne. Tandis qu'ils traversent le Milanais, le marquis del Vasto, qui tient Milan pour l'infant Philippe, les fait assassiner tous deux.

François Ier ne réagit pas, sinon par une indignation non feinte, et la demande d'une enquête. Il s'inquiétait au sujet des dépêches qu'il avait confiées à Rincon. Un troisième larron, Polin de la Garde, parvint à les transmettre tout de même à Soliman. Ce fut après son retour en France, porteur d'un message du sultan assurant l'alliance turque, que François déclara la guerre. Que

13. Heureusement, car elle fut détruite au XVIIIe siècle.

l'on en juge par les dates : Polin de la Garde revient au roi de France le 3 juillet 1542. Sept jours plus tard, la guerre est « criée ».

Parlons d'abord de ce traité entre le Turc et la France. L'année précédente, la flotte de Charles Quint avait subi devant Alger une défaite sévère. Soliman veut faire plus. Il met au service de la France une flotte de cent navires et reprend sur terre ses hostilités contre la Hongrie. Il y avait déjà, l'année précédente, gagné la bataille de Bude. En Hongrie, la lutte s'enlisera au nord durant des années. En 1543, la flotte franco-turque s'empare de Nice à l'exception de sa citadelle. Ensuite, on dut regretter d'avoir mis le loup dans la bergerie : les corsaires de Kheir ed-Dinn se conduisent sur la Côte d'Azur en pays conquis. Il faudra pour finir les assigner à résidence dans Toulon, qui en souffrit beaucoup. Acheter ensuite leur départ définitif, au printemps 1544, moyennant beaucoup d'or.

Le roi, comme à l'accoutumée, a pressuré ses contribuables avant de partir au combat. Son plan d'action, pour une fois, laisse l'Italie de côté. Il prévoit deux zones de guerre : l'est et le nord-est d'une part, et par ailleurs la frontière pyrénéenne. Dès juillet 1542, la guerre commence.

Le plus fort de l'armée se porte sur le Roussillon, sous les ordres du dauphin Henri : près de quarante-cinq mille hommes, dont cinq mille cavaliers. Le meilleur de ses lieutenants est Charles de Brissac, le fils du vieux duc qui dirigeait la maigre maison des enfants de France, lors de leur captivité en Espagne. Les troupes françaises assiègent Perpignan, ville bien défendue. Brissac y fait merveille, mais rien de décisif n'intervient. Dès septembre, le roi, que Marguerite a dissuadé d'aller rejoindre son fils, ordonne de lever le siège et de faire retraite.

Sur le front du nord et de l'est, en effet, les affaires ne vont pas fort. Le second fils de France, Charles d'Orléans, prend d'abord Luxembourg avec l'aide du duc de Guise et de son fils François d'Aumale. Il quitte cette armée pour rejoindre son frère sous Perpignan. Un déluge de pluie, l'hiver précoce arrêtent les opérations. Deux mauvaises nouvelles vont aggraver l'échec roussillonnais : les garnisons françaises du Piémont sont menacées. Henri VIII s'allie à Charles Quint.

Le roi d'Angleterre, tant qu'il eut près de lui le remarquable chancelier Thomas Cromwell, le suivait dans ses desseins de s'allier aux princes protestants allemands et à la France. Mais Cromwell tombe en disgrâce. Il est exécuté en 1540, comme avant lui Thomas More. Dès ce moment, Henri VIII se rapproche de Charles Quint, et en 1543 déclare la guerre à la France.

Le début de l'année 1543 est marqué par des opérations confuses. Mais enfin Charles Quint passe d'Espagne en Italie [14], puis gagne le front de l'est. En septembre, coups décisifs. Contre le duc de Clèves d'abord, gendre de Marguerite. Charles Quint l'assiège dans Venloo, le met à genoux, l'oblige à signer un acte par lequel il rentre dans la mouvance de l'Empire. Jeanne d'Albret s'est mariée pour rien.

Du coup, François Ier, jusque-là étranger à la guerre, part au combat. Il assiège et prend Landrecies. Les armées n'auront pas l'occasion de s'affronter dans une vraie bataille. L'hiver survient et tout s'arrête, sauf dans le sud, où Soliman continue ses ravages.

En Italie cependant le jeune duc d'Enghien, qui faisait campagne avec les Turcs, va épauler les troupes françaises du Piémont. Le chroniqueur Montluc contera dans ses *Mémoires* comment son frère, envoyé par François Ier, réussit à contenir la Sérénissime de Venise, outrée de voir les Français guerroyer auprès de Soliman.

Le printemps de 1544 commence mal pour la France. Les Anglais vont débarquer à Calais. Charles Quint masse sous Luxembourg une puissante armée. L'embellie viendra, bonne surprise, d'Italie. Enghien s'y trouve en position de force. Il supplie François de le laisser attaquer Carignan [15], qui est à sa main. François cède : Carignan est près de Turin, Turin pas bien loin de Milan... Le 14 avril 1544, lendemain de Pâques, la bataille s'engage à Ceresole (Cérisoles). Succès complet pour la France. Les impériaux se débandent. On n'y gagnera que du butin. Ce

14. Il rencontra le pape Paul III, qui refusa de s'engager contre François Ier : Charles n'était-il pas désormais l'allié de l'excommunié Henri VIII ?

15. Blaise de Montluc, qui s'entremit pour obtenir la permission du roi, conte l'affaire de plaisante façon dans ses précieux *Commentaires* (éd. Société de l'Histoire de France, Paris, 1854-1872).

succès réel ne sera pas exploité. Carignan n'est pas Marignan.
Tout va trop mal en France pour que l'on ouvre un vrai front
italien.

Début de l'été 1544. Les Anglais débarquent, Charles Quint et
ses troupes se fraient de vive force un passage par la Lorraine. Il
ne cesse d'avancer, prend Saint-Dizier, progresse sans véritable
opposition. Le dauphin, qui a remplacé son père, dispose d'une
forte armée. Les impériaux poussent jusqu'à Château-Thierry.
Les rumeurs les plus inquiétantes circulent dans Paris : l'empereur et ses soudards vont prendre la ville qui ne saurait se
défendre. La peur saisit la population parisienne. Des chariots
escortés emmènent hors les murs les trésors des couvents. Les
particuliers empilent sur des charrettes ou à dos de mules leurs
meilleurs biens. Ils partent, moqués par les optimistes qui refusent
l'exode aveugle. Prend-on Paris ?

On ne le prend pas cette fois. Les événements donnent raison
aux optimistes. L'armée du dauphin, qui attend le choc décisif
devant La Ferté-sous-Jouarre, ne cesse de se renforcer.

Celle de Charles Quint, au contraire, s'émiette selon le proces-
sus ordinaire : maladies, désertions, soldes impayées. Le roi
anglais, qui avait promis de participer à la curée, ne quitte pas les
côtes de la Manche.

Voyant cela, et que l'empereur se décourage avant de combattre, les Français retrouvent courage. Le dauphin a envie de se
battre : il le pourrait désormais à armes égales. Le roi François
préfère négocier.

Pour cela, il requiert sa femme Éléonore, qui sort de son
effacement dans cette circonstance : n'est-elle pas la sœur de
Charles Quint ? Elle engage des pourparlers pour une paix
séparée. Henri VIII en effet, s'il ne veut que prendre pour lui des
ports continentaux, reste sur pied de guerre.

Pour finir, la paix entre François Ier et Charles Quint, la
dernière qu'ils concluront, est signée dans le bourg de Crépy-
en-Laonnois (14-18 septembre 1544). La France retirera ses
troupes de Savoie et du Piémont, rendra la Flandre et l'Artois.
Charles Quint renonce une fois de plus à la Bourgogne. Une
alliance – cette fois réelle – est conclue contre le Turc.

Rien de nouveau, rien sinon l'aveu de part et d'autre que cette quatrième guerre n'a servi à rien, que des plaies restent à vif, que les enfants des souverains devront poursuivre la vieille querelle de leurs pères.

Une fois de plus, l'imprévoyance et le désordre ont empêché un affrontement définitif, la désignation d'un vainqueur et d'un vaincu.

Charles Quint fait refluer ses troupes. Le grand perdant de la paix de Crépy est le dauphin Henri, désavantagé au bénéfice de son frère Charles. Avant que le combat ne reprenne contre l'Angleterre, il va manifester clairement sa mauvaise humeur.

Marguerite hors la guerre

Marguerite, après le mariage de sa fille, retrouve donc la faveur entière de François Ier. Sur leur amour fraternel, les heurts des années précédentes ont laissé des traces. Pour aider son mari, pour soutenir sa fille, la reine de Navarre a osé – timidement – tenir tête à César. Ce dernier est magnanime. La « mignonne » se montre tout émerveillée de cette longanimité, et en profite d'abord. Jusqu'à la fin du siège de Perpignan, elle reprend à la cour sa place de seconde, qu'elle partage non avec la reine Éléonore, toujours aussi effacée, mais avec Anne d'Étampes.

A la cour, elle fait le beau temps : ainsi prend-elle sous son aile le jeune Orazio Farnèse, petit-fils du pape Paul III. Ce jeune homme devait épouser plus tard la fille naturelle mais légitimée d'Henri II et de Diane de Poitiers. Le protéger, c'était faire honneur à son père, fait duc de Parme par le pape sans l'aval de Charles Quint. François y tenait, Marguerite y pourvut : nous la retrouvons bien là dans son rôle de complice du roi.

Pour la même raison, elle continue à fréquenter les ambassadeurs étrangers, à écrire aux envoyés français en Europe. Sa correspondance avec Guillaume Pellicier à Venise ne cesse pas. Il est vrai que ce remarquable prélat, humaniste méconnu, s'endettait pour enrichir de manuscrits la bibliothèque royale. Mais il prêchait aussi pour l'allié Turc auprès de la Sérénissime, qui n'aimait pas les corsaires de Barberousse [16].

Nous avons vu Marguerite de la même façon caresser l'émissaire d'Henri VIII tant que la rupture n'est pas consommée entre l'Angleterre et la France. Cette rouée, qui sert le pape en protégeant Orazio Farnèse, critique la papauté devant les schismatiques, pour servir à sa façon.

Le marotique Victor Brodeau mourut en 1540. Il avait été remplacé auprès de Marguerite par Jean de Frotté, que le roi prend à son service comme secrétaire en 1542. Quant à Marot lui-même, son ami Étienne Dolet, imprimeur à Lyon en ce temps, lui joue un mauvais tour, en publiant en 1542 une édition de ses œuvres où figure L'Enfer. On se souvient que ce texte, écrit naguère en prison, s'en prenait avec une mordante ardeur à la justice et à ses sbires. C'était le pavé de l'ours : l'admiration du très suspect Dolet acheva de perdre le poète : Marguerite elle-même n'avait déjà pu l'empêcher de fuir. La traduction française de trente Psaumes (1541) l'avait condamné à l'exil. Il part pour Genève. La tyrannie moralisatrice de Calvin convient mal à cet épicurien. Il passe donc à Chambéry, puis à Turin.

A son habitude pourtant, Clément Marot reste en correspondance avec ses émules et sa protectrice. Il prendra part à la querelle des favorites, l'Anne de François contre la Diane du dauphin. Il donne la pomme d'or à Anne, amie de Marguerite.

Cette dernière, au demeurant, ne se conduit guère en sainte femme auprès de ceux qu'elle n'aime pas. En 1543, la voici qui prend part à la disgrâce du chancelier Guillaume Poyet, ancien conseiller de sa mère, mémorable inspirateur ensuite de l'ordonnance de Villers-Cotterêts, où le roi ordonnait que tout acte légal fût rédigé en français, langue maternelle. Mais la duchesse d'Étampes hait Poyet, qui a fait disgracier Chabot. Marguerite la soutient en ses menées, qui écartent le chancelier de la faveur du roi : il perd sa charge, et se trouve condamné à cent mille livres d'amende. L'attitude de la reine en cette affaire nous la montre

---

16. Consulter le précieux document, le monument d'hypocrisie que constitue le procès de Pellicier après la mort de François Ier (cf. Biblio.).

fidèle en ses amitiés (Anne d'Étampes), farouche en ses inimitiés (Poyet a toujours été la créature de Montmorency).

Durant le siège de Perpignan, elle objurgue le roi de ne pas se rendre sur place. Il s'établira à Sallèles d'Aude, non loin du théâtre des futiles opérations. Dès l'automne 1542, Marguerite part pour Nérac, où François Iᵉʳ vient lui rendre visite à la fin d'octobre. Il la quitte pour aller à La Rochelle. Révoltés contre l'impôt, les Rochelais tiennent tête à la loi. Le roi les fait dompter sans effusion de sang, déclarant qu'il ne veut pas, tel Charles Quint à Gand, avoir sur les mains le sang de ses sujets.

Marguerite l'en félicite, dans l'une de ces longues et fades épîtres en vers qui ne constituent pas – et de loin – le meilleur de son œuvre :

> *Mais en son cœur a le contentement*
> *D'avoir gardé sa Foi fidèlement*
> *Envers chacun, tant amis qu'ennemis*
> *Qu'à ses sujets sous sa puissance mis*
> *... Demandez-en ceux de La Rochelle*
> *Desquels le pied était jà sur l'échelle* [17].

Le roi lui répondra, mirlitonnant de la même façon, ou le faisant faire par quelque rimailleur hâtif. Il lui adresse un portrait de sainte Catherine pour ses étrennes, comme elle lui envoyait un David (l'auteur des *Psaumes!*). Il déclare ses péchés, et répond à l'allusion au traducteur incriminé des chants de David par une allusion à la Vierge Marie, que l'on croit trop mal honorée en Navarre :

> *L'honnête Vierge m'a prié de vous dire*
> *Qu'elle aidera, par sa force, réduire*
> *Vos ennemis, comme elle a fait des siens.*

Le roi conclut en faisant allusion au bruit que Marguerite a fait répandre : elle est enceinte malgré son âge. Cette grossesse – les faits l'affirment réelle, et qu'elle accoucha de deux jumelles mort-nées – la tient à Nérac jusqu'au printemps 1543.

C'est à cette époque 1542-1543 que la reine, éloignée de la

---

17. L'échelle de la potence.

guerre et des intrigues de cour, se divertit avec ses familiers, leur faisant dire ses vers, jouer les pièces qu'elle a composées.

Jusqu'à sa fausse couche, au printemps 1543, la reine se révèle encore optimiste, et reste passionnée par les péripéties de la politique. François, pour montrer qu'il n'en veut pas à Henri d'Albret de ses complots dérisoires, l'a confirmé dans sa charge de lieutenant général non seulement de la Guyenne et du Languedoc, mais du Poitou au nord, de la Provence à l'est : cela le remet au plus haut des honneurs. Quand il s'absente, sa femme devient en quelque sorte régente de ses devoirs provinciaux, et s'acquitte de ces tâches avec zèle.

Jamais peut-être elle n'a écrit autant de lettres ni d'épîtres en vers que durant ce premier long séjour à Nérac, Pau, Mont-de-Marsan. La plupart de celles qui ont été conservées traitent de ses intérêts, de ses interventions en faveur des couvents, des institutions charitables, des personnes lésées, ou menacées par l'intolérance. D'autres démontrent que Marguerite suit de près encore les affaires du royaume. Elle s'inquiète des progrès ou des rémissions de la drôle de guerre, surtout quand François s'en mêle. Quand il se rend sous Landrecies, elle tremble d'abord, puis se réjouit :

Moi tout ainsi, après douleur mortelle [18]
Oyant de vous la très bonne nouvelle
Que mise à fin aviez votre entreprise
Que Landrecies de l'Empereur n'est prise
Que vous avez, en dépit de ses dents
Devant ses yeux tirés hors de dedans
Vos bons soldats, leur faisant tant de biens...
... De tous mes maux reçus auparavant
Je n'en sens plus, car mon Roi est vivant.

Épître de circonstance, et redoublement de marques d'amour à son frère. Elle le souhaite à ses côtés pour l'un des derniers combats qu'elle-même veut engager : le retour et la libération de sa fille.

Au moment même où François Ier décide de passer sur le ventre

18. *Les Marguerites de la Marguerite des princesses*, tome III, Épître III au roi.

des impériaux pour munir la garnison assiégée de Landrecies, le duc de Clèves a la tranquille audace de demander qu'on lui envoie sa femme Jeanne.

Il a tout à y gagner, certes. Charles Quint vient d'envahir ses terres, de le contraindre de changer de camp. Si Clèves, grâce à Jeanne d'Albret, gardait un lien avec la couronne de France, il pourrait jouer sur les deux tableaux, établir un chantage.

Marguerite ne l'entend pas ainsi. Jeanne n'a rien eu de son mari, sinon un pied nu dans son lit le soir des noces. Le mariage n'est pas consommé. Rien ne le justifie plus. Il faut le rompre.

A cette époque, notons une heure de vrai bonheur. Par la grâce de Dieu et du médecin Fernel [19], la dauphine Catherine met au monde un fils, François, le 19 janvier 1544. La joie de la grande-tante fait plaisir à lire. Marguerite, qui se reposait à Mont-de-Marsan, recouvre soudain ses forces, fait allumer des feux de joie, écrit épître sur épître. Le roi l'invite à regagner la cour, mais Henri d'Albret est absent, Marguerite régente ses provinces.

Fin mars 1544, trois semaines avant Cérisoles, la voici qui se met en route vers le nord, en compagnie de l'évêque d'Oloron, Gérard Roussel.

Le roi est en guerre, même s'il ne guerroie pas en personne depuis Landrecies. Si Marguerite passe à la cour, c'est pour y embrasser ce neveu dont la naissance lui a donné tant de joie. Aucun document n'atteste ce détour probable, rapide s'il eut lieu réellement.

C'est en Normandie qu'elle va d'abord, en son château d'Alençon où se trouve Jeanne. François s'était opposé à ce que la fille suivît la mère à Nérac. Les deux femmes, moins brouillées qu'il n'y paraissait après le mariage forcé, n'ont cessé de correspondre. Clèves en tout cas a perdu cette guerre inutile. Obligé de se soumettre à l'empereur, réclamant Jeanne comme un otage politique, il resserre les liens relâchés entre la fille et la mère. Elles vont s'occuper ensemble de ce mari fantôme, de cette union de pure forme qu'il s'agit maintenant de renier légalement.

---

19. Voir l'anecdote dans le très passionnant *Henri II,* d'Ivan Cloulas.

CHAPITRE XII

Le désabusement

La « querelle des Amies »

Nous avons suivi, de 1535 à 1544, deux séries de signes qui permettent de comprendre l'évolution de la reine : ouverture littéraire, « aménagement » de sa passion aveugle pour François Ier. La troisième piste, la plus importante, concerne son voyage spirituel proprement dit : elle recoupe les deux premières en maint endroit. Elle aboutit à une retraite au monastère de Tusson durant l'hiver 1547, au moment de la dernière maladie du roi. Nous essaierons bientôt de suivre ce cheminement-là.

D'abord, l'amour du frère. « Aménager » est un mot bien prosaïque quand il s'agit d'amour fou, mais il correspond à une indéniable réalité. La passion sororale demeure inchangée. L'enthousiasme confiant a pris de si rudes coups qu'il semble terni. Après 1542, la reine en use avec son frère comme un croyant envers Dieu qui l'a jeté dans des peines extrêmes : la foi aveugle demeure, le mystère de foi. Il s'exprime en des actions de grâces non plus joyeuses et spontanées, mais sublimant une rancune que l'amour refuse. Du coup, les protestations de tendresse se haussent jusqu'à l'idéalisation du méchant aimé, ce « second Christ » qu'il faut chérir quoi qu'il vous fasse endurer. Elles ont aussi, dans les épîtres en vers, quelque chose de geignard. Moins d'amour ? Certes non. Le roi défunt, Marguerite se déclarera « morte-vivante ». Une partie d'elle-même sera enterrée avec ce frère ingrat.

Il reste qu'après le ralliement de François aux ultras passé 1540, après le mariage forcé de Jeanne, Marguerite doit trouver une façon d'idéaliser son frère, puisqu'elle ne peut le haïr. La procédure est toute simple, depuis que Platon, Ficin et Vittoria ont montré à la reine comment s'élever au-dessus de la réalité sensible et même sentimentale.

N'allons pas jusqu'à dire que l'amour qu'elle porte à François devient « platonique » au nouveau sens du terme. Elle tient à lui par les liens très fort du sang, de l'enfance et du nid, des combats partagés, des vieux rêves communs, même brisés par le roi. Soulignons que, si elle ne croit pas détruite sa propre influence, Marguerite ne s'abuse plus sur ce qu'elle a de pouvoir. Son alliance devenue étroite avec la duchesse d'Étampes montre bien qu'elle sent un avantage évident à se trouver du côté de la favorite qui règne sur le roi.

La longue absence de Marguerite (septembre 1542 à mars 1544) n'est pas, comme certains l'ont écrit depuis, le fruit d'une disgrâce. C'est la reine elle-même qui prend ses distances. Elle ressemble en cela à la troisième dame de *La Coche*, qui délaisse son amant parfait pour l'aimer davantage.

Ces subtilités sentimentales sont liées, ne l'oublions pas, à l'enrichissement du domaine littéraire de Marguerite. Avec Héroët, avec Antoine du Moulin, la « muse lionnoise » restera présente près d'elle et dans ses œuvres. On ne saurait mieux le prouver qu'en montrant la part que prend la reine à la « querelle des Amies », qui renouvelle après 1542 la « querelle des Femmes ».

La « querelle des Femmes » date de plus d'un siècle. Quand il avait entrepris de donner une suite à l'illustre *Roman de la Rose* de Guillaume de Loris, Jean de Meun y avait déclaré un « sexisme » outrancier. Contre cela, Christine de Pisan partit en guerre. Sa profession même de femme de lettres l'autorisait à s'opposer aux contempteurs de son sexe, qui le vouaient aux tâches familiales ou à la galanterie. Dès les débuts du christianisme, les auteurs avaient abaissé la condition féminine : Ève avait perdu Adam. Qu'Adam s'élève, et qu'Ève demeure sage, à la cuisine et au lit! Ainsi Tertullien, en l'an 200, écrit un livre sévère *Sur la tenue des femmes*. Un concile tenu à Agde au VIIIe siècle leur reconnaît une âme, ce dont Nietzsche paraît douter au XIXᵉ [1]. La première Renaissance, je veux dire celle qui parut au XIIᵉ siècle en la cour des comtes Raimond de Toulouse, s'inscrivit contre cette bestiale discrimination, dans la tradition de ce Guillaume IX, duc d'Aquitaine, qui préfigurait les troubadours. Au XVIᵉ siècle, la *fine amor*, source avouée de Pétrarque, passe à travers les filtres des *Azolani* de Bembo (1505), des strambottistes, de Vittoria Colonna, de Marguerite : *La Coche* nous l'a montré [2].

Ce qu'il faut souligner, c'est que *la Coche*, œuvre de confidence, reste inaperçue. Une autre en revanche va obtenir un succès considérable en France : *La Parfaite Amye de cour*, d'Antoine Héroët. Or c'est sur les instances de Marguerite que fut écrit ce texte [3] qui sera publié en 1542. Il ouvre ce que l'on a appelé la « querelle des Amies ». Il répond en effet à l'œuvre de Bertrand de La Borderie, *L'Amie de cour*, dont l'héroïne est une courtisane cynique et dépravée.

La Borderie, détail amusant, est un marotique convaincu. Mais qui peut soupçonner Marot d'avoir limité ses appétits à l'amour « platonique », même s'il met du sien à s'en piquer parfois ? La Borderie déclare qu'une femme peut et doit par ambition se servir de son corps.

La Parfaite Amye de cour d'Héroët lui donne une belle réplique. Cet auteur confus savait raffiner sur les affinements pétrarquiens et pseudoplatoniciens. La reine de Navarre joue auprès de son protégé le rôle d'un excellent agent de publicité. Les amis, les obligés qu'elle a partout en France, chantent les louanges de l'amie d'Héroët, et condamnent La Borderie. D'autres textes moins dignes d'intérêt s'élèvent déjà contre ce paillard : *La Contre-Amie de cour* de Charles Fontaine, le *Nouvel Amour* d'Almanque Papillon. Rabelais, entre les deux camps, goguenardera dans le *Tiers Livre*, qu'il dédiera à Marguerite. Dès 1544, les

---

1. « Quand tu vas chez les femmes, emporte ton fouet », *Ainsi parlait Zarathoustra.*

2. Au début du XVIᵉ siècle, Érasme, puis Cornelius Agrippa, déjà cité, prirent la défense de la femme en sa condition sociale. Les littérateurs et poètes assurèrent le relais.

3. Héroët, ami de Marot, introduit à Lyon, deviendra évêque de Digne sous le règne suivant. Notons que le succès de son œuvre fut très au-dessus de sa qualité. Ainsi en avait-il été de son *Androgyne*.

œuvres marquant la « querelle des Amies » seront rassemblées en un recueil : *Le Mesprit de la Cour.*

La reine ne se contente pas, sur ce sujet qui est au centre de sa « manière » profane, d'inciter Antoine Héroët à écrire, ni de faire lire son œuvre. Elle apporte sa pierre au camp des « idéalisateurs » en écrivant une comédie, dont le titre n'est pas défini par l'auteur. Les éditions ultérieures l'appellent *Les Deux Filles* ou *La Vieille.* Préférons avec V.L. Saulnier [4] *Comédie des Quatre Femmes*, bien que l'œuvre soit nommée « farce » dans le manuscrit original.

Cette œuvrette n'est en fait que le prologue d'un bal, sinon d'un ballet, et fut représentée devant le roi et la cour en février 1542, en pleine « querelle des Amies », après *La Coche*, avant la parution de l'œuvre d'Héroët, au milieu des rumeurs de guerre.

Deux filles et deux femmes parlent, sans qu'il s'agisse d'un « débat ». Chacune définit sa conception de l'amour. La première fille refuse d'aimer pour rester libre. La seconde lui répond que l'amour seul donne la liberté. La première femme, fidèle à son mari, est pourtant en proie à sa jalousie. La seconde est jalouse, car son mari en aime une autre.

Survient une vieille, sortie tout droit de l'iconographie théâtrale du XVe siècle. Elle a été libre pendant vingt ans. Elle a aimé durant les vingt années suivantes. Soixante ans ont passé depuis, pendant lesquels la centenaire a regretté ces deux longues expériences. Les quatre femmes lui exposent leurs soucis. Ses rudes réponses n'ont rien de « courtois ».

La première fille ? La vieille l'assure que l'amour saura bien la saisir. La seconde ? Le temps aura raison de son amour. La dame jalousée ? Soyez patiente, ou trompez votre mari. La dame jalouse ? On ne fera pas d'enfant à son époux volage :

N'ayez peur que tant il s'écarte (v. 489)
Qu'au logis gros d'enfant revienne.

Le temps, là aussi, arrangera tout.

S'en tiendrait-on aux propos de la vieille que la morale semblerait très peu margaritienne. Mais les deux filles, les deux

---

4. Cf. Biblio.

dames reprennent la parole pour blâmer ces affreux conseils, dignes d'un La Borderie. La seconde fille surtout, celle qui trouve sa liberté dans un amour pur, et devient ainsi championne des idées de la reine, persiste :

> *Que mon ami me laissera ?* (v. 683)
> *La fausse Vieille aura menti*
> *Jamais ne sera départi*
> *Moi de son cœur, ni lui du mien.*

Entrent ensuite un vieillard, puis quatre jeunes hommes, qui évitent le « débat » en emmenant au bal, qui va commencer, les deux filles et les deux femmes :

Le quatrième homme :

> *Menons-les danser toutes quatre* (v. 741)
> *Et vous les verrez bien tencer* [5].

Le vieillard :

> *Tencer non : mais bien vous combattre* [6]
> *Ma Vieille et moi de bien danser.*
> *Or, dansons sans plus y penser :*
> *Vous verrez leur orgueil rabattre.*

Petite pierre que cette farce – ou comédie – dans le mur des œuvres de Marguerite. Témoignage pourtant d'une époque qui s'achève : celle où la reine, malgré ses épreuves, se mêle aux querelles littéraires de son temps, rit en moralisant, et ouvre le bal. Mieux, elle jouait sa partie dans cette représentation. L'ambassadeur anglais en écrit à son roi : devant la cour, avant le bal, les rôles de la *Comédie des Quatre Femmes* furent tenus par la fille du roi – Marguerite, duchesse de Berry –, la duchesse de Nevers, Madame de Montpensier, Louise du Bellay – ennemie personnelle de La Borderie – la duchesse d'Étampes, et Marguerite de Navarre elle-même.

La chronique ne dit pas comment la cour accueillit la pièce.

5. Quereller.
6. Convaincre.

Écrite et jouée par la sœur du roi, jouée aussi par la fille et la maîtresse de ce dernier, parions que cette œuvrette obtint plus de succès qu'elle n'en mérite. Seule sa variété rythmique y montre le « métier » de l'auteur.

Marguerite à Nérac

A ce point de l'histoire de la reine de Navarre, il est d'usage chez ses biographes, les plus hâtifs comme les scrupuleux, de montrer la vie de Marguerite au quotidien dans son petit royaume et les provinces qui lui appartiennent. Tradition utile, si l'on passe des énumérations de personnes et de mobilier à l'art de vivre à Pau, à Nérac, à Mont-de-Marsan. Utile, si l'on cherche en ces lieux les apports personnels de la reine, pour mieux connaître ses goûts et ses couleurs.

Henri d'Albret, s'il n'obtint pas de régner au-delà des Pyrénées, fut un bon administrateur de ses vastes domaines. Il profita des ressources que lui assurait un beau mariage pour mettre en valeur son héritage paternel et maternel. Que Marguerite l'y ait aidé, la chose semble vraisemblable. Ainsi, quand Henri décide de rendre cultivables de vastes étendues laissées en jachère par ses prédécesseurs, il importe des laboureurs et agriculteurs angoumois : ceux-là mêmes que Marguerite avait vus, habiles à cultiver leurs champs, durant son enfance et sa jeunesse. De même Sully, cinquante ans plus tard, s'adressera à des spécialistes hollandais pour « labourage et pastourage ». Le résultat obtenu par les Navarre fut notable, le niveau de vie de leur paysannerie augmenté.

Le roi aimait Pau. La reine aussi, tout en préférant Nérac. L'une et l'autre de ces résidences seront son séjour ordinaire. A Mont-de-Marsan, elle ne fait que de rares haltes, presque toujours liées à la politique locale : convocation des édiles, assemblée du ban et de l'arrière-ban [7].

C'est donc à Pau et surtout à Nérac qu'il nous faut essayer de

7. Ensemble des vassaux du seigneur suzerain.

voir vivre la reine : dès 1529, mais surtout en ses dernières années, après l'automne de 1542.

Durant le siècle précédent, Gaston IV de Foix (1436-1472) a renoncé à son titre de comte-par-la-grâce-de-Dieu, mais il a épousé Éléonore de Navarre, marié son fils à la fille du roi de France. C'est lui qui transporte d'Orthez à Pau la capitale du Béarn [8]. Il reconstruit le château guerrier de Gaston Phébus, le coiffe d'ardoises, lui enlève son air rébarbatif sans rien gâcher de sa splendide apparence. Dès 1529, Henri et Marguerite humanisent l'intérieur de ce splendide castel, ajoutant les grâces de la Renaissance à la beauté abrupte de la construction médiévale. Ils percent des fenêtres, ouvrent des galeries, bordent d'une longue terrasse tout le premier étage.

Pau capitale régionale? Il faudra deux siècles pour y parvenir. Pour l'instant « Paou » n'est qu'un village à longue rue unique, coupée d'infectes venelles, bordée de maisons de pisé au toit de chaume ou de bardeaux. La richesse de ce petit bourg viendra peu à peu du château. Déjà Catherine, la grand-tante d'Henri, avait développé des artisanats de luxe liés à sa présence, celle de ses gens d'honneur et de ses gardes : orfèvres, horlogers, fabricants d'arquebuses.

Marguerite, qui aime le château et va pourvoir à sa riche ornementation, ne semble guère s'être souciée d'urbanisme. Sa fille Jeanne s'en chargera, quand elle héritera de la couronne de Navarre : la première, elle édictera un règlement d'hygiène municipale, tracera et fera naître une vraie ville avec l'aide d'un ingénieur italien, Scipion.

Henri d'Albret et sa femme, pour les aménagements architecturaux « modernes » du château, font appel à des artisans français, venus des bords de la Loire. Les maîtres maçons locaux « ne savent ». Un seul Italien de renom prend part à cette rénovation : Richard de Mantoue, ferronnier, qui forge les grilles des fenêtres.

Plus liée à Marguerite se trouve la décoration intérieure. Nous y voyons sa main. Elle couvrit les murs de tapisseries. Sans doute

8. Jeanne d'Albret en revanche, ayant introduit la Réforme en Navarre, fondera à Orthez l'Académie protestante, constituée ensuite en université jusqu'à sa disparition (1620).

travailla-t-elle à certaines d'entre elles. Brantôme, qui ne l'aime guère – peut-être lui tira-t-elle les oreilles quand il était enfant – déclare que la reine écrit et « compose lits et tapisseries » de la même main adroite. Les marguerites bien entendu émaillent le décor de ces tentures, qui représentent des scènes champêtres ou agrestes. Le souci, fleur-emblème de la reine (*Non inferiora secutus!*), y paraît aussi. Elle aime le velours, la soie, le satin, la couleur violette, le vert, le noir, mais le rouge par-dessus tout. Nous retrouverons ces couleurs à Nérac, mêlées à beaucoup de dorure.

Les tableaux? Il y avait, paraît-il, un cabinet de peintures, orné des portraits de la mère et du frère-roi. Aucun de ces trésors du Quattrocento que François Iᵉʳ importait à prix d'or ne figure dans le catalogue. Cela nous conduit à expliciter ce que la poésie de Marguerite – et même son théâtre à un degré moindre – nous avait appris : elle n'est pas une « visuelle ». En sa jeunesse, on lui offre un tableau d'Italie. Lequel? La chronique ne le dit pas. De qui? « Du plus grand peintre qui fut. » Or, vers 1520, la lutte pour la palme d'or était serrée. Nous n'osons pas citer de noms [9]. Les sujets de ses tapisseries sont de classiques « scènes de genre ». Elle, qui a la chance de voir naître Fontainebleau, n'écrit jamais une ligne sur l'enfantement qui s'y fait : après le passage du génie quattrocentien, la perfection des techniques. François Iᵉʳ est un grand mécène du meilleur aloi, je veux dire de type médicéen : comme les Médicis majeurs, il encourage non seulement les arts, mais leur progression. Rien de tel chez Marguerite. Ses descriptions de paysages ou de costumes ressemblent à des inventaires. Quant à ses personnages, d'abord simples automates (la tétralogie), ils ne se différencient vraiment que par le fonds de leurs propos.

Est-ce dire qu'elle reste insensible à la beauté? Certes non. Elle raffole des beaux objets, en emplit les pièces du château de Pau : vases et flacons, statuettes et drageoirs, menus assemblages d'or, de bijoux précieux et de pierres dures. Son goût pour le travail d'aiguille d'après la règle du « canevas », des objets et bibelots sensibles en volume nous le démontrent. Nous la voyons surtout

9. Certains penchent pour une madone de Raphaël, sans preuves.

éprise de la beauté assemblée par un orfèvre, ou née de la soie au « point de la reine ». Myope? Assurément. Regardez le pli de ses paupières. Myope comme son frère le roi, mais résignée à l'être. Infirme devant la peinture de chevalet.

Marguerite en revanche aime les jardins où s'ordonnent de beaux arbres, les logis commodes, le mariage des maisons et des frondaisons. Cela paraissait à Nérac, et n'y paraît hélas plus : ses arbres sont morts, son château ruiné aux trois quarts. Il ne reste que le charme du lieu.

Nérac avait eu jadis un puissant castel féodal dominant la Baïse. Dans son enceinte, Marguerite occupera le château neuf, tout en galeries et ouvertures au jour. Sa fille le gâtera, bâtissant un troisième édifice avec les pierres que cette militante calviniste tirera des églises et des couvents. Henri et Marguerite, derrière le jardin planté d'ormeaux en quinconce, devant la promenade de la Garenne [10], ornée de marronniers, avaient fait construire une tour carrée, entre l'eau et les arbres. Terrasse, perron, tout se prêtait à la promenade et la méditation. Tout sauf peut-être la fontaine qu'Henri avait dédiée à sa maîtresse, mais Marguerite en avait-elle ombrage [11]?

Une cour relativement nombreuse accompagne les Navarre de Pau à Nérac. En ce dernier lieu, nous avons vu vieillir Lefèvre d'Étaples, passer Marot en fuite, Calvin en disgrâce, nous voyons l'évêque Roussel célébrer – peut-être – la très hérétique « messe à sept points » : elle abolit la notion d'adoration de l'hostie consacrée. Réel, feint ou de pure tolérance, le catholicisme affiché par la reine ne l'empêchera pas de recevoir, de traiter, de pensionner à Nérac ou depuis Nérac tout ce qu'il put se trouver de réformés, hérétiques, contestataires du dogme romain. Jeanne fera de cette ville un haut-lieu du protestantisme.

Reste à parler d'argent. Vivait-on largement en la cour de Navarre? Il le semble, d'après les récits des hôtes successifs. Les revenus des deux époux sont considérables : 24 000 livres de

10. La superbe « Garenne » fut plantée par Antoine de Bourbon, second mari de Jeanne.

11. Elle se nommait Marianne Alépée. Jeanne d'Albret protégea son bâtard. La fontaine était de marbre blanc, reposant sur un socle figurant des animaux couchés.

pension royale pour elle, la même somme pour son époux comme gouverneur de Guyenne [12]. N'oublions pas les impôts levés sur le royaume de Navarre et les comtés, les revenus d'Alençon, les innombrables dons faits par François Ier et les notables provinciaux. Marguerite est donc riche, mais elle dépense à proportion de ce qu'elle reçoit. Ses besoins personnels sont modestes, malgré son goût pour les beaux objets et les bijoux. Henri prélève de grosses sommes pour son train et ses plaisirs, la reine pour son inépuisable charité, pour ces œuvres dont elle n'attend rien au ciel. Ils ont de plus, l'un et l'autre, une « maison » de secrétaires, médecins, dames d'honneur, juristes, gentilshommes et gendarmes qu'il faut équiper, payer, nourrir. Je ne crois guère à la fable de Marguerite empruntant quelques pièces d'or à une suivante pour envoyer une aumône à Des Périers ruiné, mais enfin les dernières années furent financièrement difficiles.

Tels vivaient en leurs états les époux de Navarre. La reine, seule la plupart du temps avec ses dames : la vieille fidèle, sénéchale de Poitou, et sa fille Madame de Bourdeilles, mère de Brantôme, Mesdemoiselles de Saint-Pather, de Caumont, de Clermont. Peu de lettrés à la cour même, mais Bandello, le grand conteur, n'était pas loin, qui vivait paisiblement au château de Bassens chez la veuve de Cesare Fregoso, l'infortuné ami du malheureux Rincon [13].

Vie paisible, joyeuse, nous dit-on, où Marguerite pouvait s'épanouir après la crise de 1541, écrivant, lisant : elle avait fait venir à Nérac une partie de sa bibliothèque. Boccace y figure. Un autre exemplaire du *Décaméron* est noté à Pau : dès 1542, sans doute, Marguerite de Navarre travaille à ce qui pour elle dut être un jeu, et sera son chef-d'œuvre : *L'Heptaméron*.

Rien de plus nourrissant pour cette engluée d'allégories que le contact de la vie rustique. Elle marche dans la campagne, regarde vivre les gens. Citons une fois de plus ce passage de *La Coche* dans

12. Il garda ce titre et les revenus y afférant depuis son mariage jusqu'à la mort de François Ier.
13. A Bassens se trouvait réunie une véritable cour italienne pétrarquisante et platonisante. Bandello y écrivit la plupart de ses *Nouvelles* dans le goût de Boccace. Publiées en 1554. Nous nous interrogerons sur lui à propos de *L'Heptaméron*.

lequel elle se présente avec malice en bonne reine-fermière, que fatiguent les conversations courtisanes :

Par une sente où l'herbe était plus basse (v. 23)
Me dérobai comme femme non lasse
Hâtivement, pour n'être point suivie
Car de parler à nul n'avais envie.
En mon chemin je trouvai un bon homme
Là m'arrêtai en lui demandant comme
L'année était, et qu'il en espérait
Qu'il avait fait, qu'il faisait, qu'il ferait
De sa maison, femme, enfants et ménage
De son repos et de son labourage...

Bucolique ? Retraite champêtre et douceurs de la cinquantaine ? Cet aspect de la vie à Nérac existe à coup sûr, et donna des joies à la reine. Cependant, sa vie la poursuivait. Tous ceux pour lesquels elle s'était battue l'avaient quittée, ou pis, reniée. Le prodigieux égoïsme du roi la frappa encore. Les persécutions iront se multipliant, et l'intolérance se diversifiant. Elle reste l' « hérétique » aux yeux de l'Église : à Condom, tout près de chez elle, l'évêque Gérard de Grossolles la hait si fort qu'elle a peur d'être empoisonnée par ses spadassins. Le roi fera muter ce prélat à Blois. L'incident pourtant nous montre un ciel bien noir au-dessus des ormeaux de Nérac. Le long séjour qui se prolonge jusqu'en mars 1544 sera la dernière période paisible, blessures pansées, livres ouverts, espoirs gardés. Ensuite viendra le temps du désabusement.

Jeanne : libre et tenue

Au printemps de 1544, quand elle quitte ses terres, c'est vers Alençon que se dirige Marguerite : Jeanne l'y attend. Il faut aussi ouvrir l'œil du maître sur ces terres normandes trop longtemps délaissées pour les délices de Nérac, l'enchantement de Pau, le calme de Mont-de-Marsan.

Marguerite et Jeanne se retrouvent avec affection, et tout de suite vont au fait : l'épouse vierge du duc de Clèves doit redevenir célibataire. Il faut pour cela obtenir l'annulation de son mariage en cour de Rome. Les deux femmes ont un atout majeur : la non-consommation. Un argument de réserve : la contrainte qui a présidé à cette union.

C'est à ce moment que Jeanne, en compagnie de sa mère, rédige sa demande de cassation au pape. Elle produit le document enregistré – ou non – la veille de ses noces, et remis – ou pas – à son père. Les termes en sont clairs, toute équivoque bannie. Les rois de France et de Navarre ont ordonné, Marguerite les a soutenus en fessant la fiancée récalcitrante :

« Moi, Jeanne de Navarre, continuant mes protestations auxquelles je persiste encore par cette présente que le mariage que l'on veut faire de moi au duc de Clèves est contre ma volonté, que je n'y ai jamais consenti ni consentirai, et que tout ce que je pourrai faire et dire ci-après, dont l'on pourrait dire que j'y ai consenti, ce sera par force, contre mon gré et vouloir, et par crainte du roi de France, du roi mon père et de la reine ma mère, qui m'en a menacé et fait fouetter par la baillive de Caen ma gouvernante, laquelle plusieurs fois m'en a pressée par commandement de la reine ma mère, me menaçant que, si je ne faisais au fait dudit mariage ce que ledit roi de France voudrait, je serais tant fessée et maltraitée qu'on m'en ferait mourir, et que je serais cause de la perte et destruction de mes père et mère et de leur maison... »

Marguerite assume le rôle de la fesseuse puisque cela peut aider le pape à trancher. La protestation est envoyée aux autorités ecclésiastiques. Un peu plus tard, au début de l'année suivante, elle sera redoublée depuis Plessis-lez-Tours. Le 15 novembre 1545, le pape Paul III, qui réunit à Trente le concile d'où sortira la Contre-Réforme, déclare nul et non avenu le mariage de Jeanne d'Albret. Voici donc la fille de Navarre prête pour un nouvel hymen, et ses parents à nouveau pleins d'espoir : le fils de Charles Quint, l'infant Philippe, est devenu veuf!

Pendant que Marguerite et sa fille rejoignent la cour en janvier 1545, l'entourage du roi se trouve tout agité par deux affaires d'importance : la révolte du dauphin et la guerre qui va reprendre contre les Anglais.

Henri de France, d'abord, proteste contre les décisions de la paix de Crépy-en-Laonnois : elles avantagent scandaleusement son cadet Charles d'Orléans.

Charles, en effet, se voit promettre en mariage soit la fille, soit la nièce de l'empereur. Laquelle au juste ? Cela reste à débattre. Si c'est la fille, elle apportera en dot les Pays-Bas et la Flandre. Si c'est la nièce, fille de Ferdinand [14], archiduc d'Autriche puis roi des Romains, elle aura dans sa corbeille de mariage ce Milanais tant désiré par François. Si l'on ajoute que Charles, outre Orléans, se voit assurer trois duchés en France, on conçoit la colère d'Henri.

Qu'a-t-il donc fait de spécial, ce bon frère, pour mériter de tels avantages ? En 1543, après la prise de Luxembourg, il promettait aux princes allemands de tolérer la Réforme dans les territoires conquis. Pis, il demandait à être admis dans la ligue de Smalkalde ! Un an plus tard, la paix signée, fallait-il l'élever de façon scandaleuse au-dessus du dauphin de France ?

C'était hélas ! affaire de femmes. La favorite Anne d'Étampes, que le roi aime toujours, déteste Diane de Poitiers, favorite du dauphin. Aussi incite-t-elle François Ier à l'injustice. Marguerite, qui a fait avec elle amitié d'alliance (*La Coche*!), préfère aussi Charles à Henri.

Ce dernier se fâche tout net. Catherine de Médicis lui a donné un fils. Doit-il, lui, héritier du trône et pourvu de descendance mâle, laisser avantager son cadet ?

Le dauphin proteste si mal que la duchesse d'Étampes obtient l'exil de Diane de Poitiers à Anet. Henri alors perd toute mesure. Le 12 décembre 1544, il dépose une plainte en bonne et due forme contre les décisions de la paix de Crépy, qui aliènent certains biens de la couronne. Les Parlements de Paris et de certaines provinces enregistreront l'acte.

Va-t-il sortir de cet incident une crise dynastique ? Certains le croient, lorsque Marguerite revient à la cour en janvier 1545. La reine de Navarre ne jette pas d'huile sur le feu. Elle est tout heureuse de retrouver François qui, une fois encore, souffre d'un abcès. Elle écrit à Vittoria Colonna pour lui recommander l'un de

14. Il deviendra empereur à la mort de Charles Quint (1558).

ses protégés qui part pour l'Italie, le cardinal d'Armagnac. Elle reçoit d'Étienne Dolet une lettre pressante. Ses traductions lui valent la haine des ultras. Il fuira cette année-là. Il serait sauvé, s'il restait en exil au lieu de revenir pour tenter une impossible justification.

Marguerite intervient pour que le privilège d'édition soit accordé au *Tiers Livre* de Rabelais. En ce début d'année 1545, un malentendu l'oppose à l'ambassadeur anglais William Paget, avec lequel elle échange des lettres très sèches.

De l'amertume du dauphin, rien ne paraît en ses écrits ni en ses actes. Apparemment, son frère l'a rassurée. Il réunira ses deux fils dans la guerre qu'il faut terminer avec Henri VIII, et la fraternité des armes restaurera entre les frères celle des cœurs.

C'est bien ce qui se passe. Une flotte française dirigée par Annebault traverse la Manche, tandis que les troupes de François Ier, commandées par ses deux fils, assiègent Boulogne que tiennent les Anglais. Plus trace de rivalité entre eux pour le moment.

Plus jamais de rivalité. Le 9 septembre 1545, Charles d'Orléans entre dans une maison infectée par une maladie contagieuse. Il en meurt presque sur-le-champ. Les Français, qui avaient réussi à débarquer sur l'île de Wight, n'exploitent pas leurs avantages, mais Henri VIII en a assez. A son tour, il demande la paix, pour laquelle Marguerite, réconciliée avec Paget, s'entremet. Par le traité d'Ardres (7 juin 1546), l'Angleterre cède Boulogne à la France contre deux millions de livres : payables, il est vrai, à tempérament.

Le dauphin Henri, qui verra bientôt augmenter sa descendance, reste héritier sans conteste de tout le domaine royal. Son père et sa tante, pourtant, ont été foudroyés par la mort de Charles. Des sept enfants de la reine Claude, il ne reste plus que le dauphin et la jeune Marguerite, que la reine de Navarre a choyée toute sa vie, et qui par bonheur lui survivra.

Elle a déclaré, cette jeune Marguerite de France, qu'elle n'épouserait jamais un sujet de son père. Ainsi fera-t-elle. Portant le titre de duchesse de Berry, elle restera vieille fille jusqu'à l'âge de trente-six ans. Après Cateau-Cambrésis, son frère le roi

Henri II la donnera pour femme à Emmanuel-Philibert de Savoie, qui recouvrera ses terres dans cette occasion.

Mais Jeanne, toujours célibataire? Mais la Navarre espagnole, toujours aux mains de l'empereur? Jusqu'au début de 1546, Marguerite et Henri d'Albret entretiennent en vain leurs espérances. Il est clair que les prétentions du roi de Navarre restent sans écho dans la volonté du roi. Quant à Jeanne, ce sont des partis de seconde importance que François propose pour elle.

Les malheurs, nous allons le voir, se multiplient autour de Marguerite, et l'assaillent de toutes parts sans répit.

Les souverains de Navarre quittent la cour de Fontainebleau en février 1546. La reine a heureusement engagé les pourparlers de paix avec l'Angleterre. Ce sera le dernier acte politique important de sa vie. Il faut noter que, depuis sa rencontre avec Wolsey au Camp du drap d'or, Marguerite a toujours été écoutée, recherchée par les Anglais. Elle en a profité pour les « intoxiquer » souvent, leur disant ce qu'ils souhaitaient entendre plus souvent que la vérité. D'où la courte brouille avec William Paget en 1545, vite dissipée. Marguerite a mis en route la paix d'Ardres.

Albret et sa femme rentrent chez eux. La Navarre n'a rien gagné au traité de Crépy. Henri, en quittant Fontainebleau, jure pourtant qu'il n'a pas dit son dernier mot à propos de Pampelune. Marguerite, elle, vient de se voir proposer le prince de Piémont pour Jeanne redevenue libre. Elle se battra pour obtenir mieux. Chacun des deux époux persistera dans sa volonté. Lui, d'annexer la province espagnole qu'il convoite. Elle, d'unir sa fille à un fils de grand roi. Nous verrons comment, devenant contradictoires, ces deux desseins échoueront l'un par l'autre. Jeanne en sera réduite à un médiocre parti. Contre toute vraisemblance, les plus grands rois de la France sortiront de cette union sans éclat. Il y a dans ces péripéties tous les éléments d'une comédie.

Une impuissance inébranlable

Tandis que les années passent, les coups vont pleuvoir dru sur la reine de Navarre. Nous avons dit comment ses déceptions de

l'année 1541 avaient été allégées, oubliées dans le séjour champêtre de Nérac. Le séjour à Alençon avec sa fille, qui suivit, était
lui aussi porteur d'espérance « profane » : Marguerite croit que
Jeanne, redevenue libre, épousera quelque prince important. Elle
a beaucoup lu dans sa retraite, mis au net cette synthèse entre
« platonisme » et paulinisme qui désormais imprégnera ses
œuvres. La période de réconfort va prendre fin. Elle sera suivie
par un temps où les déceptions et les épreuves ne cesseront de
s'accumuler, de 1544 à 1547. Nous la voyons alors non pas
changer, mais s'établir dans une position de défense contre
l'abattement, puis le désespoir après 1547.

Jamais en effet ni les malheurs ni les deuils, ni la mort même
de son frère ne nous la montreront désespérée. Le mot « désen-
chantement » lui-même est impropre pour qualifier son retrait.
Les grands croyants ignorent le désert du cœur. Leur foi hors du
commun les garde proprement « enchantés ». L'attitude déraisonnable de « la foi [15] » est l'une des constantes de l'âme qui
traversent intactes la révolution permanente des mentalités. En
considérant après 1544 Marguerite humiliée, suspectée, endeuil-
lée mais jamais vraiment vaincue, j'ai envie d'évoquer une phrase
tout à fait paulinienne de Bernanos : « Il n'y a pas de chrétien
triste [16]. »

La mort frappe autour de la reine. Son insularité augmente non
parce qu'elle le désire, mais parce qu'on la met partout hors de
jeu. Son impuissance démontrée, tout en la désabusant de ses
illusions, ne fait qu'augmenter son élévation spirituelle, aiguiser
son talent d'écrivain.

Elle n'a pu retenir Des Périers à Nérac. Il est probable qu'elle
le suit de loin. Après avoir vécu misérablement les dernières
saisons de sa vie, il meurt de façon suspecte [17]. L'été de la même
année 1544, c'est au tour de Marot de quitter ce monde. Genève,
désormais capitale des vertus tristes, n'a pas plu à ce bon vivant.
C'est à Turin qu'il mourra. Avec lui, Marguerite perd non

15. L'attitude métaphysique de la foi, bien entendu, non ses variables
manifestations.
16. In *Les Prédestinés*, Seuil, Paris, 1983.
17. Son suicide est probable, non tout à fait prouvé. Ses ennemis ultras avaient
intérêt à ce que cet « incrédule » commît pour finir « le crime » de suicide.

seulement un vieil ami fidèle, mais le plus doué des écrivains qu'elle ait jamais approchés, estimés, suivis en leurs choix littéraires. Dernier des grands rhétoriqueurs ou premier d'une longue lignée, il l'éclairait du moins, la rassurait, l'aimait.

Étienne Dolet est en fuite. Pourtant, comme naguère Berquin, il croit pouvoir se justifier, oubliant qu'il est jugé d'avance. Le voici qui revient, va se mettre aux mains des inquisiteurs. Marguerite renonce, pour le sauver, à un combat désormais inutile. L'édit de 1540 a mis les ultras en position de force. Paul III, si conciliant au début de son pontificat, s'est résigné à la Contre-Réforme. Marguerite lui en voudra jusqu'à sa mort, mais à qui en appeler? Dolet s'est livré, cet original, ce grimacier de génie étriqué dans sa veste espagnole, jetant tous les feux d'un talent irrecevable. Il est condamné. Il sera pendu et brûlé en 1546.

L'année précédente, la reine avait subi un rude coup à la mort subite de Charles d'Orléans, second fils de François Iᵉʳ. Jeanne est retenue, Albret papillonne, François lui-même, malade, s'assombrit. La solitude du cœur, contre laquelle personne n'est armé, menace Marguerite. De plus, ses amis réformés sont contraints par l'exaspération des persécuteurs à préciser, à proclamer leurs croyances. En 1544, le roi a demandé à la Sorbonne de rédiger un *Credo* détaillé, dont chaque proposition doit être acceptée sous peine de poursuites. Calvin répond en complétant l'exposé de ses propres croyances.

L'escalade commence, qui conduira trente ans plus tard à la Saint-Barthélemy, le massacre aveugle. Au milieu de cette guerre de religion larvée, Marguerite demeure impuissante. La terrible preuve va lui en être administrée en avril 1545 par le massacre des vaudois. Calvin, lui, venait de publier le *Petit Traité montrant ce que doit faire un homme fidèle connaissant la vérité de l'Évangile quand il est entre les papistes*. La Sorbonne a répondu d'avance, créant un « Index » des livres interdits, dont la possession même est punie de mort ou de confiscation des biens.

Au printemps 1545, la force publique massacre. Les victimes? Ceux qui, dans les montagnes dauphinoises, sont restés fidèles à l'hérésie de Pierre Valdès, dont les disciples furent excommuniés en 1184 par le pape exilé Lucius III. Contemporains des cathares, persécutés comme eux [18], les vaudois essaimèrent dans leurs montagnes, et l'hérésie dura. Après cinq années d'instruction (1540-1545), le procès des vaudois conclut à une nécessaire répression. Le baron d'Oppède, premier président du Parlement de Provence, reçut la permission d'agir. Il semble qu'au Conseil du roi le cardinal de Tournon eut l'habileté de présenter les pacifiques *barbes* [19] vaudois comme des sujets révoltés. Même perfidie qu'après l'affaire des placards, et même consigne : « Tuez! »

Par malheur pour les non violents vaudois, des troupes revenaient d'Italie en France. Oppède les utilisa, et la répression tourna vite au massacre organisé. L'horreur. Dans un village qui résiste, femmes et enfants sont brûlés vifs avec l'église. Trente communautés dépeuplées par le fer, récoltes et greniers incendiés, arbres fruitiers coupés. L'indignation de l'Europe protestante fut indescriptible.

Il est facile d'imaginer la réaction de Marguerite, quand elle apprit cette abomination. Si elle en appela au roi, il ne fit rien, et pouvait-il punir des assassins accomplissant un ordre?

La reine de Navarre entend le récit des massacres de Mérindol et de Cabrières par le gendre d'Oppède. Folle de colère, elle oblige l'homme à rester à genoux durant une heure, écoutant ses vaines imprécations.

Vaines. Marguerite ne peut plus rien pour réanimer la tolérance. Dolet sera supplicié malgré les prières de la reine, l'année suivante. Mieux, elle recevra cette année-là un camouflet tout à fait personnel. A Meaux, où était né l'évangélisme vingt ans plus tôt, la Réforme s'est installée. Le pasteur et ses ouailles, saisis au corps, sont déférés à Paris : sur soixante, quatorze sont torturés et brûlés, les autres bannis ou emprisonnés à vie. La reine de Navarre n'a rien pu obtenir pour eux. Ses protestations ne font qu'assurer de sa « fureur hérétique » les ultras revenus en faveur.

Reste-t-il au moins à Marguerite l'appui et l'amitié des protes-

---

18. La confusion du dualisme cathare et de la doctrine vaudoise (rejet de la messe, des sacrements, vœu de pauvreté et de non-violence) fut faite au XIIe siècle par les massacreurs, non par les théologiens. Tout fut mis dans le même panier, et le panier au feu.

19. Nom donné par les vaudois à leurs pasteurs.

tants ? Non. C'est en 1545 précisément qu'elle rompt avec Calvin, contre lequel elle ne s'était jamais élevée, qui avait dix ans plus tôt trouvé refuge à Nérac. *L'Institution chrétienne* ne soulève aucun commentaire critique de Marguerite : un silence que chacun, catholiques et protestants, considère comme approbateur. Calvin pourtant se méfie de la « tiédeur » de la reine. Nous l'avons vu mettre en garde contre elle les émissaires qu'il envoie en France : souriez-lui, n'écoutez pas ses conseils.

Jusqu'à la publication par Jean Calvin d'un pamphlet au vitriol contre « les libertins spirituels », Marguerite n'avait ni dit ni écrit un mot contre le calvinisme. Mais en 1545, la voici qui prend position et, par une lettre sans équivoque, se dresse contre le réformateur genevois. Elle n'admet pas le *Traité contre la secte phantastique et furieuse des libertins qui se disent spirituels.* C'est la rupture.

Peu auparavant – sans doute en 1543 – Marguerite avait reçu à Nérac deux de ces « phantastiques » : Pocques et Quintin. Qui étaient-ils, ces marginaux du protestantisme, ces libertins spirituels [20] que les Églises réformées poursuivent de leur colère ? Des isolés, des rêveurs, croyait-on d'abord, qui faisaient la part belle de l'individualisme dans la pratique de la religion : Dieu a créé l'homme, l'homme doit laisser Dieu agir en lui.

S'agissait-il réellement de francs-tireurs de la liberté de conscience ? Certains ont rapproché avec quelque vraisemblance les « libertins spirituels », haïs par Rome et Genève, d'un courant de pensée qui traverse le XVIe siècle sans jamais éclater en déclarations condamnées d'avance : celui que propagèrent à mi-voix Pomponazzi (1462-1525) et les « Paduans ». L'immortalité de l'âme ? Cela se discute. La dépendance absolue de la science par rapport à la foi ? Cela se refuse, mais à mi-voix. En fait, le *De anima* de Pomponazzi fut très lu, accessible dès 1530 [21]. Certains, comme Jules César Scaliger, se vantaient d'en être revenus, sans

---

20. Le mot *libertin* ne prit que beaucoup plus tard son sens d' « homme aux mœurs déréglées ». Le libertinage, au XVIIe siècle, sera le refus d'amalgamer la religion et la morale. Le « libertinage érudit », qui tente Gassendi, évoluera vers le scepticisme scientifique. Le matérialisme y plonge ses racines.
21. Pomponazzi restait si actuel qu'il devait être condamné, vingt ans après sa mort, par le concile de Trente.

être tout à fait crus [22]. D'autres susurraient l'abominable hérésie de bouche à oreille, l'édulcorant parfois en « libertinage », foi individuelle coupée du dogme. La proclamaient-ils ? Ils étaient brûlés, tel Quintin aux Pays-Bas en 1546. D'autres en faisaient seulement une règle intérieure de foi individualisée. La doctrine flottante de cette école fut fixée sur sa liturgie – son absence de liturgie – par un padouan de la génération postérieure à Marguerite, Cesare Cremonini (1550-1631) : *Intus ut libet, foris ut moris est* (« Au-dedans de toi, ce qu'il te plaît. Au-dehors, selon les usages »). Cynique aveu de ce que peut-être Marguerite croyait confusément en continuant à pratiquer un catholicisme formel.

Quoi qu'il en soit, la voici en 1546 fâchée avec Calvin sans aimer davantage ce pape Paul III qui vient de mettre en place le concile de la répression. Cinq de ses neveux sont morts. Morts la plupart de ses amis poètes, et bien maltraités les autres.

D'année en année, après 1544, nous voyons s'éteindre non pas sa force, son endurance, son espoir même, mais la certitude qu'elle avait d'être utile en s'engageant. Peu à peu s'installe en son cœur, tandis qu'elle vieillit, non le désespoir, répétons-le, non la démission : le désabusement.

En 1524, elle commençait sa carrière dans les lettres et dans la politique avec l'enthousiasme du néophyte : elle allait chanter ses hymnes de la créature à Dieu-Tout, et faire partager au roi, à la France, à la chrétienté son beau rêve de tolérance. Dès 1544, vieillie, souvent malade, elle ne s'abuse plus sur son pouvoir en ce monde. Un monde qu'elle dépeindra d'une plume aiguisée, mêlant Boccace à l'encre de ses propres souvenirs. Elle donnera à ses chants d'union avec Dieu-Tout la force d'une expérience amère du Rien, et ce que des années de pratique ont apporté de brillant à sa véhémence.

Désabusement d'une part, recherche personnelle de l'Absolu d'autre part. Si l'on n'admet l'étrange fusion de ce retrait et de ce regain de foi, il est impossible de comprendre comment Marguerite de Navarre pourra écrire simultanément les textes profondément dissemblables de sa maturité. *La Navire* et *Les Prisons* d'une part, ses meilleures pièces de vers. Par ailleurs *L'Heptaméron,* l'un des chefs-d'œuvre de la jeune langue française.

22. Ce bon apôtre fut l'un des premiers à taxer Rabelais d'athéisme. L'auteur de *Pantagruel* lui renvoya durement la même accusation.

CHAPITRE XIII

La mort de César

Le retrait

Le désabusement de Marguerite après 1546 n'est pas seulement provoqué par la mort de ses amis de talent et de son neveu. Sur le plan spirituel, il résulte du hiatus qui s'élargit entre ces chrétiens de bonne foi que l'évangélisme voulait rapprocher. Sur le terrain politique, il provient de la certitude où nous la voyons que les menées de son mari n'aboutiront pas cette fois encore.

Albret, en 1546, constate avec amertume qu'on n'a rien prévu pour lui dans la paix de Crépy. Il voit se renouveler le scénario de 1541 : sa fille est « démariée », libre, mais François Ier s'oppose à ce qu'elle accompagne ses parents dans leurs terres. Marguerite comprend tout de suite qu'il la garde une fois de plus en otage. Elle conserve pourtant l'espoir de fléchir ce frère égoïste, de marier Jeanne le plus haut possible. Pourquoi pas à Philippe, fils de l'empereur, veuf et libre lui aussi ? Elle laisse Henri de Navarre en parler ouvertement à Saint-Mauris, l'ambassadeur de Charles Quint. Elle l'y encourage, n'ignorant pas qu'il ne donnera sa fille qu'en échange de la province de Pampelune.

Ce qu'elle ignore, c'est que Charles Quint serait d'accord sur le principe du mariage. Dans un testament rédigé en 1548, il recommandera à son fils Philippe d'épouser Jeanne d'Albret, belle, vertueuse et bien élevée. Il met une condition : ne rien céder de l'Espagne à la Navarre pour sceller cette union.

La comédie est ainsi nouée. Marguerite veut l'infant pour gendre. Albret aussi, à condition qu'il apporte en dot la Navarre espagnole. Charles Quint est d'accord, à condition qu'il ne l'apporte pas. Situation sans issue. En fait, quand Albret quitte Fontainebleau en février 1546, c'est sous le coup de la colère. François Ier ne veut pas lui faire rendre cette terre sur laquelle, par Foix, il a des droits? Tant pis. Il la saisira lui-même, tout seul.

Dès le mois de mars, un tumulte guerrier se fait entendre en Navarre, Béarn, Foix et Bigorre. Henri d'Albret fait relever des fortifications en ruine, engage une milice de mercenaires, bref s'identifie de plus en plus par ses airs bravaches au Rodomont de l'Arioste. Prévenu, François Ier hausse les épaules. Charles Quint fait de même, lorsque Saint-Mauris, renseignements pris, l'assure qu'Albret fait cavalier seul, sans le moindre encouragement de la France.

Marguerite prend soin de minimiser les sottises de son mari. Dans ses lettres, nous la voyons à cette époque en dire tout le bien qu'elle en pense par charité chrétienne.

En septembre, la voici à Cauterets, dont les eaux lui font du bien, dont les paysages l'enchantent. C'est la saison des brusques et splendides orages pyrénéens. Un orage servira de musique de scène à l'*Heptaméron* en son prologue. L'œuvre elle-même est-elle avancée? Il est permis de le croire, étant donné son ampleur, même limitée aux « Sept journées » qu'elle aura le temps d'en écrire.

Intervenant avec passion pour Dolet peu d'années auparavant, la voici qui le laisse mourir en ne l'aidant que de ses larmes et de ses prières. Marguerite est un esprit positif, quand l'amour de son frère n'est pas en cause. Elle comprend bien à cette époque que si François a couvert les assassins des vaudois, s'il vient d'approuver la rafle de Meaux, il n'y a plus à lui parler d'union évangélique et de tolérance.

Paul III? Comme il l'aimait au début de son pontificat, ce pape Farnèse! Marguerite se souvient des lettres qu'il lui envoyait en 1534, la félicitant de sa grande piété, l'exemptant de carême et de jeûne tandis qu'elle soutenait Roussel contre Bédier. Mais les temps ont changé. François Ier n'a plus besoin des princes protestants. Paul III lui-même, effrayé par les progrès de la Réforme, a abandonné la voie de l'œcuménisme. Dès 1543, quand elle l'appelle « le diable » devant un émissaire anglais, c'est sans doute pour tromper ce dernier par ordre de son frère. C'est peut-être aussi par une rancœur qui va s'affirmant.

Depuis 1540 le pape a choisi la Contre-Réforme : les commandos naviportés de la Compagnie de Jésus vont s'élancer sur toute terre nouvelle, mais aussi en chaque pays d'Europe pour propager la doctrine catholique romaine. Depuis le Ve concile de Latran (1512-1518), Rome reprend la haute main sur tous les conciles. Or le 13 décembre 1545 est solennellement déclaré ouvert le concile de Trente. Il durera dix-huit ans par intervalles. A peine commence-t-il qu'on en connaît les buts : réformer l'Église romaine de l'intérieur. En 1512, cette moralisation interne aurait pu éviter les emportements de Luther. Fin 1545, elle ne peut se définir que contre toute déviation protestante. Durant chaque messe, il est ordonné de prier pour le pape. En 1546, Marguerite de Navarre le faisait-elle de grand cœur, ou du bout des lèvres? Nous la savons bien rancunière.

Tandis qu'Henri d'Albret, entre deux crises de goutte, arme des miquelets pour « effrayer » l'Espagne, Marguerite songe au beau temps où elle était « seconde ». Désormais, qu'en est-il?

La duchesse d'Etampes dispute l'oreille du roi au dauphin Henri, déjà complètement subjugué par Diane de Poitiers. Catherine de Médicis, la dauphine, n'est pourtant pas sans pouvoir. Marguerite, l'éternelle obéissante, se trouve à peine classée dans les utilités : lorsque Henri II régnera, elle se trouvera reléguée à la onzième place parmi les personnalités de la cour. Il est vrai qu'elle ne s'intéressait plus guère à cette cour-là.

Que fait-elle à la fin de 1546? François Ier l'appelle auprès de lui, mais elle le prie de l'excuser : elle se sent vieille, elle est malade, un long voyage en hiver l'effraie. Pour Noël, elle envoie à son frère un pourpoint qu'elle a brodé pour lui. Il est accompagné d'une lettre importante, déclarant qu'elle ne fait plus qu'écrire.

Car tel est en fin de compte l'effet du désabusement sur cette âme et sur cet esprit. Elle s'ancre dans une piété profonde, digne de ses premiers élans de jeunesse vers Dieu. Elle s'établit dans l'écriture, menant de front *L'Heptaméron*, les *Chansons spirituelles* et peut-être la trame et la conception des *Prisons* : la mort de son frère, dont il sera question au livre III de cette œuvre, semble n'être qu'un ajout imposé par les événements, par cette douleur brutale et totale.

En février 1547, elle reçoit la visite d'un émissaire de l'empereur, et le charge de ses bons vœux pour Charles Quint et pour son fils : l'espoir de marier Jeanne à ce dernier ne la quitte pas. Récitons, faute de la chanter, cette 29ᵉ chanson où l'on parle déjà d'aimer la mort :

> *Pour être bien vrai chrétien* [1]
> *Il faut à Christ être semblable*
> *Renoncer tout bien terrien*
> *Et tout honneur qui est damnable*
> *Et la Dame belle et jolie*
> *Et plaisir qui la chair émeut*
> *Laisser biens, honneurs et amie :*
> *Il ne fait pas le tour qui veut*
>
> *De la mort faut être vainqueur*
> *En la trouvant plaisante et belle*
> *Voire l'aimer d'aussi bon cœur*
> *Que l'on fait de la vie mortelle ;*
> *S'éjouir en mélancolie*
> *En tourment, dont la chair se deult* [2]
> *Aimer la mort comme la vie*
> *Il ne fait pas le tour qui veut.*

Si l'on excepte des lettres à Izernay, qui veille toujours sur Jeanne à la cour, elle ne prend plus guère d'intérêt à la lutte au couteau qui oppose, près de François Iᵉʳ malade, favoris et contre-favoris. Elle va de place en place sur ses terres, avec une prédilection pour Nérac toujours, mais séjournant à Pau et à Mont-de-Marsan. Là, elle ne loge guère au château, mais dans le couvent de Sainte-Claire qui le jouxte.

Marguerite écrit et prie. Il semble qu'elle veuille s'étourdir, s'élever par la poésie et la prière au-dessus de cette vie qui – elle

1. *Chré-ti-en :* trois syllabes.
2. Souffre.

le sait par des lettres et dans son cœur – est en train de quitter
François Ier. Tout se passe comme si elle s'anesthésiait d'avance
contre cette issue inévitable. Le 28 janvier 1547, Henri VIII
meurt, cet ogre envers lequel elle avait toujours nourri une
manière d'affection. Les nouvelles de la santé de François Ier sont
de plus en plus alarmantes. Le colosse, rongé de l'intérieur, se bat
pour survivre, continue à errer de château en château. Non à
cheval : il ne peut plus monter. En litière. Il chasse même. Il lutte,
et chacun le sait perdu.

De cette époque date la poignante chanson qui sera placée en
tête du recueil des *Chansons spirituelles*, qui figureront dans la
première édition, toute proche, des *Marguerites de la Marguerite
des princesses, Pensées de la reine de Navarre étant dans sa litière
durant la maladie du roi*.

L'alternance enfin choisie des rimes masculines et féminines
donne au texte une allure plus « moderne », et le meilleur talent
de la poète soutient son inexauçable prière. Que Dieu guérisse le
roi! Cela se chantait sur l'air de *Ce qui m'est dû et ordonné*.

> *O dieu qui les vôtres aimez (v. 25)*
> *J'adresse à vous seul ma complainte;*
> *Vous qui les amis estimez*
> *Voyez l'amour que j'ai sans feinte*
> *Où par votre loi suis contrainte*
> *Et par nature et par raison*
> *J'appelle chaque Saint et Sainte*
> *Pour se joindre à mon oraison.*

Et pour finir, supplication de sauver ce roi par lequel Dieu « est
connu en France » :

> *Vous le voulez et le pouvez (v. 129)*
> *Aussi, mon Dieu, à vous m'adresse;*
> *Car le moyen vous seul savez*
> *De m'ôter hors de la détresse,*
> *De peur de pis, qui tant me presse*
> *Que je ne sais là où j'en suis.*
> *Changez en joi-e ma tristesse;*
> *Las, hâtez-vous, car plus n'en puis.*

La litière de la reine de Navarre l'a conduite au couvent de Tusson en Angoumois. Elle y arrive dans le courant du mois de mars 1547.

L'abandonnée

Les plus zélés parmi les annalistes de la reine n'ont rien à dire d'elle durant l'hiver 1546-1547, sinon qu'elle fut clouée dans ses terres par le froid, particulièrement vif de décembre à février. Je voudrais, avant de la retrouver en mars au monastère de Tusson, revenir sur la Noël de 1546, au cadeau qu'elle envoya au roi, à la lettre qui l'accompagnait.

Nous avons nommé ce cadeau : un pourpoint, bien peu de chose en vérité entre les deux plus grands personnages de la France. Un pourpoint entièrement brodé et orné par la main de Marguerite, cependant. Rien de plus touchant que cette attention. Que de temps fallut-il à la reine pour exécuter ce minutieux et délicat travail de broderie! Elle aurait pu envoyer un tableau peint par d'autres, mais elle n'aimait pas les tableaux. Une pièce d'orfèvrerie? Nous voyons encore à Pau qu'elle raffolait des beaux objets. A-t-elle pris garde à la vieillesse de Léonard de Vinci au bord de la Loire? C'est douteux. Nous la voyons en revanche défendre le caractériel Benvenuto Cellini contre une colère de la duchesse d'Etampes. Cellini fait de si belles salières! Pourtant, elle n'enverra pas à François – qu'elle sait mal en point – l'une des merveilles d'or et de pierres précieuses qu'ont exécutée pour elle Henri Lebougue ou Guillaume Hérondelle. Ni le chef-d'œuvre d'une des grandes broderesses du temps, qui lui dépêchaient à la fois le produit admirable de leurs travaux et des canevas. Marguerite met ce qu'elle a d'amour dans un long travail de ses mains arthritiques : un pourpoint brodé. François Ier en a cent peut-être. Il dut reconnaître la valeur de celui-là : de si nombreuses heures à travailler aux aiguilles, pensant et repensant à lui. Il y a dans ce présent si modeste et si méritoire plus de tendresse qu'en poèmes et comédies.

La lettre de Noël, pour sa part, est révélatrice de la fébrilité d'écriture que nous avons mentionnée, et qui ne quittera plus jamais la reine.

En 1547 se situe un événement qui n'est pas assez souvent considéré sous l'angle biographique. Le « secrétaire littéraire » de Marguerite, après Marot et Antoine du Moulin [3], est alors Jean de La Haye. Il donne à l'imprimeur lyonnais Jean de Tournes *Les Marguerites de la Marguerite des princesses*. Cet ouvrage regroupe en deux volumes (dont une suite) des œuvres antérieures à l'été 1547. Il fallait obtenir un privilège royal : c'est le Parlement de Bordeaux, favorable à Navarre, qui donne l'*imprimatur* : non celui de Paris. C'est dire deux choses : d'abord que la reine tenait à ce que l'ensemble de ses textes fût publié; ensuite qu'elle se hâtait de le faire tant qu'elle jouissait encore de la faveur royale.

La reine, avant son départ pour Tusson, a lancé l'opération. Elle y veillera ensuite, même le roi mort. La seconde *Chanson spirituelle,* datée d'un mois après la disparition du monarque, figure dans la première édition. *La Navire* en revanche n'y est pas. Cette œuvre pourtant devait être achevée en octobre 1547, date de la parution des *Marguerites.* Sur cette omission volontaire, nous reprendrons plus loin la très vraisemblable hypothèse de Robert Marichal. Quoi qu'il en soit, *La Navire,* la *Comédie sur le trépas du roi, les Prisons,* c'est-à-dire le meilleur des œuvres poétiques de la reine ne furent exhumées que trois cent cinquante ans après leur création, en 1896, par Abel Lefranc. Nous tenterons de comprendre les raisons de cet ensevelissement.

L'Heptaméron connaîtra un meilleur sort. Pour commencer, une version tronquée en sera donnée anonymement par Pierre Boaistuau sous le titre *Histoire des amants fortunés.* Jeanne d'Albret charge Claude Gruget, en 1558, de l'éditer de façon plus honnête, bien qu'encore expurgée. Il sera repris en de nombreuses éditions, soulevant un intérêt très vif à partir du XIXe siècle.

Les lecteurs de Marguerite – dont Michelet – ignoraient donc ses dernières poésies, le sommet de son lyrisme, sa manière finale de pratiquer la foi. Nous ne devons pas l'oublier.

---

3. Du Moulin, rappelons-le, fit publier Marot et Des Périers à Lyon l'année de leur mort (1544).

Au début de 1547, avec les précautions qu'elle sait nécessaires, Marguerite se prépare à faire éditer ses œuvres. A Lyon, comme pour y marquer sa reconnaissance, le souvenir de l'ouverture qu'elle y reçut. Maurice Scève va y publier sa douce *Saulsaye*. Passé le premier foudroiement du chagrin, Marguerite reviendra en 1548 dans la « Florence française ». Ce séjour lui redonna le sourire, le regret du temps des amours. On lui doit sans doute cette *Comédie du parfait amant* [4], l'un des derniers textes de la reine.

Mars 1547. L'opération « édition des *Marguerites* » est lancée. La reine, ne tenant pas en place, vient faire sa retraite pascale dans le monastère de Tusson, non loin de son pays d'enfance. A peine arrivée, elle envoie courrier sur courrier pour s'enquérir de l'état de son frère.

François agonisait debout. Toujours fuyant devant la mort qu'il sent venir, il va de Saint-Germain à Villepreux, à Dampierre, à Limours chez la duchesse d'Etampes. A Rambouillet enfin, où la maladie et la douleur l'immobilisent le 1er mars. Son apostume, son abcès périnéal, a pris des proportions effrayantes, le pus en coule par cinq ouvertures, dont quatre ont été cautérisées. Le 20 mars, les médecins s'acharnent encore sur cette purulence, en vain. Le 29, François demande à sa favorite de s'éloigner, s'inquiète de son testament, reçoit les derniers sacrements de l'Église. Le jeudi 31 mars 1547, il meurt. Au dauphin, agenouillé près de son lit, François déclare : « J'ai vécu ma part. » Ce sont ses dernières paroles.

La nouvelle de la mort du roi parvient au monastère de Tusson. L'abbesse prend sur elle de n'en rien dire à Marguerite, tant la reine est défaite, malade, sombre. Elle passe ses nuits dans une cellule monacale, erre dans le parc durant le jour, toujours de noir vêtue, enveloppée dans sa vaste cape pyrénéenne.

Quinze jours passent. Marguerite ignore encore le décès de son frère. Pour finir, c'est une religieuse un peu folle qui le lui apprendra. La malheureuse pleurait. A la reine qui lui demande pourquoi, la nonne répond : « C'est votre fortune que je déplore. »

---

4. Découverte en 1926 par l'inlassable Pierre Jourda, la *Comédie du parfait amant* a reçu ce titre – tout à fait justifié – dans l'édition critique de V.L. Saulnier, *Théâtre profane*.

Marguerite a compris. César est mort. A peine fait-elle quelques reproches à celles qui lui ont caché la nouvelle. Elle retourne dans sa cellule. Elle demeurera à Tusson jusqu'au mois de juillet.

Le deuil de cour? Contre tout usage, elle n'y paraîtra pas. Elle ne saura pas que le corps du roi, ouvert pour être embaumé, a révélé aux médecins une véritable horreur : tout l'arbre urinaire infecté d'abcès, un poumon hors d'usage, tant de raisons de mourir qu'ils ne discernent pas la principale. Cet homme de fer dut endurer d'inimaginables souffrances.

Le 11 avril, le corps embaumé du roi est porté à Saint-Cloud, chez l'évêque de Paris. François Clouet prend un moulage du visage, le peint, y appose une barbe et une perruque. Un mannequin complète le « simulacre », devant lequel la cour défilera durant près de trois semaines. La chambre de parade est ensuite transformée en chapelle; le cercueil y remplace le simulacre.

24 mai. Pour finir, le cortège funèbre, qui comprend outre le cercueil du roi ceux de ses fils François et Charles que l'on a exhumés, se dirige en grande pompe vers Saint-Denis. Le dauphin, je veux dire Henri II, n'a pas le droit d'être là. La règle l'interdit. Il regarde passer le convoi par une fenêtre de la rue Saint-Jacques, avec ses favoris qui soupirent de délivrance.

Marguerite reste à Tusson, où l'on respecte sa douleur et sa solitude. Écrit-elle, passé les premiers jours de désespoir? Ce qui est certain, c'est que le désespoir ne paraît jamais dans ses attitudes, ne demeurera pas dans ses œuvres à venir. La reine de Navarre s'est forgé une âme capable de surmonter les douleurs terrestres, d'aimer au-delà de la mort.

Voilà du moins ce que démontreront, à peine quelques mois plus tard, La Navire et la Comédie sur le trépas du roi. Nous lisons dans le premier que l'âme de François, dans son paradis, ordonne à Marguerite de ne plus pleurer :

Aime-moi donc, ma sœur, de telle sorte (v. 1333)
Que connaissant l'heur et le bien que j'ai
Jamais de toi larme de deuil ne sorte.

Tandis que nous entendrons, dans la *Comédie* Paraclesis – la voix même de l'Esprit consolateur de Dieu – rassurer Marguerite. Pan (le roi) est heureux au ciel :

> *Car assurer vous peux qu'au beau domaine* (v. 376)
> *Des plaisants Champs Élysé-es demeure*
> *Votre doux Pan, hors de douleur et peine,*
> *Qui ne veut point que sa gloire l'on pleure.*

Il est probable que *La Navire* fut commencée à Tusson même. La *Comédie sur le trépas du roi* date de fin 1547. Moins « distanciée », plus à vif apparaît cette chanson spirituelle (n° 2) : *Autres Pensées faites un mois après la mort du roi*, sur le chant de : *Jouissance vous donnerai*. Elle sera d'ailleurs reprise par Amarissime (Marguerite elle-même) dans la *Comédie sur le trépas du roi*, mais comme cri de douleur instinctif, que la sagesse de Paraclesis calmera. Elle y perd son accent original, d'autant plus émouvant qu'il n'est pas encore tempéré de résignation.

> *Las, tant malheureuse je suis* (v. 1)
> *Que mon malheur dire ne puis*
> *Sinon qu'il est sans espérance...*

Et plus loin, ces beaux vers sans coloration religieuse ni littéraire recherchée. Si près du meilleur Marot, pourrions-nous dire :

> *Mort qui m'as fait si mauvais tour* (v. 49)
> *D'abattre ma force et ma tour*
> *Tout mon refuge et ma défense*
> *Tu n'as su ruiner mon amour*
> *Que je sens croître nuit et jour*
> *Qui ma douleur croît et avance* [5].

Ainsi Marguerite à Tusson, loin de la pompe funèbre royale, des défilés et des cortèges, de ces futiles obligations qu'elle renie, pleure d'abord, s'affermit ensuite en la sublimité qu'elle s'est fixée pour idéal : l'Amour qui dépasse l'amour. *La Navire*, la *Comédie sur le trépas du roi*, *Les Prisons* naîtront de sa plume maîtrisée et

---

5. Les deux verbes sont transitifs : « augmente et amplifie la douleur. »

infatigable (1547-1548). Cependant, dans quelque cabinet de Nérac, la suite des nouvelles de *L'Heptaméron*, cette extraordinaire façon d'écrire en riant ses mémoires, attend que le sourire lui revienne.

La Navire

> *Navire loin du port assablée* (v. 1)
> *Feuille agitée de l'impétueux vent,*
> *Ame qui est de douleur accablée,*
>
> *Tire-toi hors de ton corps non savant*
> *Monte à l'espoir, laisse ta vieille masse,*
> *Sans regarder derrière viens avant.*

Tel est le superbe début de *La Navire*, ainsi nommé par son premier mot, sa première image [6]. Nous entrons comme portés par un coup de vent dans une œuvre exaltée mais adroite, au lyrisme puissant. Le titre véritable, rejeté en sous-titre, devrait être : *Consolation du roi François Ier à sa sœur Marguerite*. Cette préférence de l'image au thème, dès la première publication des *Dernières Poésies* par Abel Lefranc, est justice rendue. *Consolation?* Encore une œuvre rhétoricienne? *La Navire* fait déjà rêver à un romanesque voyage en avance sur son temps. Il y a dans ce poème tous les ingrédients éventés qui pourraient le rendre médiocre. Nous y trouvons pourtant avant – peu avant – la mise au net des *Prisons*, l'accent lyrique qui singularisait Marguerite dès le *Dialogue* et dans *Le Miroir* : avec cette fois, en plus, l'expérience de l'écriture, le mûrissement du talent, un sujet à mesure de la « fureur poétique ». Avec *Les Prisons* précisément, *La Navire* place Marguerite de Navarre parmi les très grands oubliés du XVIe siècle poétique.

Oubliée pourquoi? faut-il d'abord nous demander. Si la Marguerite d'après *Les Marguerites* resta obscure aux siècles suivants, c'est qu'ils ne la connaissaient pas. Ni l'un ni l'autre de ces

6. *Navire* au féminin comme *navis* en latin, *naus* en grec, *nef* en français.

poèmes majeurs ne sont publiés, tandis qu'après la mort de la reine (1549) sa fille prend soin de faire mettre en forme son œuvre en prose. Marguerite elle-même avait gardé *La Navire* et *Les Prisons* sous le boisseau. Pourquoi?

Le mot clé reste : prudence. François Ier est mort en bon catholique déclaré. Son fils Henri II ne cache pas ses intentions : demeurer ferme allié de Rome. Le fossé entre catholiques et réformés ne peut plus être comblé. Que Calvin et la reine soient en froid, cela serait bon pour elle, si les ultras acceptaient son catholicisme formel. Cela n'est pas le cas : voyez les vipères qu'elle nourrit dans le sein de Nérac, et jusqu'en l'évêché d'Oloron!

Rallumer les querelles de 1533 avec la Sorbonne en publiant un autre *Miroir* ? Exaspérer le sectarisme des nouveaux Bédier qui pullulent? Si la reine y songea, elle dut être désabusée par l'accueil réservé à l'oraison funèbre [7] de son frère, prononcée par Pierre Duchâtel la veille de la mise au tombeau (23 mai 1547) : il fut reproché à Duchâtel, évangéliste prudentissime, d'avoir placé le roi défunt directement au paradis, sans passer par ce purgatoire que nie chaque tendance protestante.

Prudence, réserve aussi. Nous savons en quelle aversion Marguerite a toujours tenu l'exhibitionnisme sentimental. Les accents tout spirituels du *Dialogue* nous l'ont prouvé : la mort de sa nièce aimée ne lui arrachait que des rythmes divinisés. Cette fois, le mort est ce frère qu'elle aima plus que sa mère, sa fille, ses deux maris, plus qu'elle-même, écrit-elle souvent. Chez les poètes de talent, les grandes douleurs sont rarement muettes, comme le prétend le proverbe. Elles demeurent en revanche pudiques. Le plus beau poème du torrentiel Victor Hugo est sans doute ce chef-d'œuvre de sobriété que lui inspira la mort de sa fille :

Demain, dès l'aube, à l'heure où blanchit la campagne...

Dans *La Navire*, Marguerite ne rime pas un lamento sur la mort de François : c'est François qui lui apparaît en songe, et la convainc pour finir, au nom de l'Amour, de ne pas pleurer.

---

7. Ce « sermon funèbre » est intégralement reproduit dans l'édition critique de *La Navire* par Robert Marichal (p. 309).

Certes, la douleur presque furieuse qu'éprouve chaque être humain devant la mort des aimés paraît d'abord. La « vision » de François le lui reproche :

> *Or, cesse donc un peu l'extrême deuil* (v. 19)
> *Que pour moi fais, et en moi t'éjouis*
> *Que vrai amour fait saillir du cercueil.*

Alors commence ce qui pourrait s'appeler encore un « dialogue en forme de vision nocturne », sur le même mode, le même tempo que celui de 1524. Le frère, cette fois, presse la sœur de ne pas pleurer sur ce destin entre tous enviable : avoir quitté la compagnie des hommes pour la communion des saints. La poète doute d'abord. Est-ce bien François qui lui parle ?

> *Es-tu celui par qui l'eau trouble et noire* (v. 16)
> *Sans nul espoir, il y a quatre mois*
> *Parfaite amour de larmes m'a fait boire ?*

L'apparition se nomme clairement :

> *Ton frère suis, lequel plus tu ne vois* (v. 64)
> *Ni ne verras, que par l'étroite porte*
> *Viennes à moi, car la passer tu dois.*

Dès ce moment s'établit entre le mort délivré et la vivante captive un dialogue où l'on a trop cherché – et trouvé – les réminiscences mêlées, parfois contradictoires de saint Paul interprété par les réformistes, de Platon revu par Cuse, corrigé par Ficin, du fabrisme surtout, dont semblent demeurer les leçons premières. Cette étude au fond de chaque racine oublie le feuillage de l'arbre, c'est-à-dire la beauté touchante du poème. Les camps divisés qui se partagent encore la chrétienté pour une part, et d'un autre côté le zèle des exégètes littéraires trouveront du noir, du blanc et toutes les nuances de gris. Or Marguerite de Navarre n'est ni une théologienne ni une sectatrice. Plusieurs tentations sont venues infléchir sa prime obédience évangéliste : Luther certes, le Calvin de *L'Institution chrétienne*, les libertins spirituels dont l'équanimité ne paraît guère dans cette œuvre brûlante. Elle était, elle est devenue plus encore après 1540, un poète. Je crois que l'exégèse théologique ou littéraire ne doit pas

MARGUERITE DE NAVARRE

nous priver du son, du rythme, de la magie verbale du poème. Même si l'on peut lire la trame sous la tapisserie, nommer la soie et les aiguilles, le lecteur d'abord doit se laisser emporter par l'œuvre créée, sa magie. Si la connaissance vient à l'esprit qui approfondit, la beauté reste « dans l'œil qui la regarde », la voix qui lit les vers, l'enchantement avant l'entendement. Disons le chant du roi sauvé :

> Prépare-toi maintenant ma mignonne (v. 610)
> A t'en venir avec moi recevoir
> Le bien que Dieu aux élus abandonne.
> Nul cœur mortel ne le peut concevoir
> L'œil regarder, ni bien ouïr l'oreille
> Il est si grand qu'il passe humain pouvoir.

La survivante peut concevoir cette félicité surhumaine, non l'éprouver. Elle lutte contre la consolation. « L'« échelle » platonicienne du sensible à l'Idée est toute semblable à la corde que Briçonnet trouvait dans Denys-l'Aréopagite. A l'échelle de Marguerite, entre la chair et le paradis, il manquera toujours les barreaux du milieu :

> Mais fort'amour le corps me vient contraindre (v. 652)
> A regretter, à pleurer, à crier
> Et le dehors ne peut le dedans feindre.

Lutte émouvante et sonore entre le regret de ce frère doté de tant de vertus, qu'il était si agréable d'aimer vivant, et ce qu'il prêche : non pas même la résignation, mais la joie. Le roi répond, introduisant déjà le thème de l'âme captive en son corps, qui définira Les Prisons. Dieu a gagné :

> Si j'ai vaincu ma prison constamment [8] (v. 826)
> Ce n'était rien de moi qu'un instrument
> Où le travail du maître se découvre.

Marguerite ne se rend pas à la voix qui lui demande d'oublier son roi vivant. Elle en appelle tour à tour à Éléonore, à Catherine de Médicis, à Henri II enfin : l'épouse, la bru, le fils. La reine

8. Avec constance.

n'oublie pas, en passant – sincère ou prudente? – de parer le fils, désormais régnant, de toutes les vertus filiales :

> *Quand de ses bras il te fallut sortir* (v. 1132)
> *Ayant reçu sa bénédiction*
> *Je crois que pis que mort te fit sentir.*

La reine ensuite recommence à dire son extrême douleur, si bien que le doux François béatifié se met presque en colère contre la pleureuse :

> *Lors il me dit : « Tu te travailles en vain* [9] (v. 1315)
> *En travaillant d'autres fais travailler*
> *Sans obéir à ton frère germain. »*
>
> *Ce qui te fait ainsi émerveiller*
> *Plaindre et pleurer comme pressée éponge*
> *C'est que tu dors, et ne veux t'éveiller.*

La vision va s'évanouir. Marguerite, d'un geste futile et touchant, tente de la retenir après le dernier adieu. Elle déclare, quand il est parti, être convaincue que la Vérité rend en elle « facile l'impossible » et pour finir met son espoir en Dieu :

> *Ta Déité sur toute seigneurie* (v. 1461)
>
> *Sera louée en la fraternité*
> *De tous élus, pour qui ton fils te prie*
> *Dieu tout en tous, un seul en Trinité.*
>
> (Fin)

Le coup de cymbales de ce dernier vers vient tout droit des rhétoriqueurs. Ils paraissent encore dans mainte antithèse, répétition, presque écholalie du récitatif. Quoi de pire ? Le genre de la complainte pour un défunt est aussi vieille que la poésie de langue française, qui ne l'a pas inventée. Elle ne durera que dans les « oraisons funèbres » dont certaines orneront les lettres à venir. A cette époque, elle agaçait les novateurs.

Si *La Navire* est oubliée pour la plus simple des raisons, parce qu'elle reste enfouie dans une malle, lui aurait-on trouvé mérite

---

9. *Travailler* : se tourmenter.

et rendu justice dans les années qui ont suivi sa composition ? La « brigade » de Ronsard piaffe déjà. Du Bellay taille ses plumes pour écrire la *Défense et illustration* d'une langue française en progrès sur celle de la reine. Elle eut pourtant soin, durant sa vie, de rénover et, surtout, de codifier une nouvelle grammaire nécessaire, alors insuffisante. N'oublions pas que le sulfureux *Miroir*, en son édition de 1533, est suivi – dans l'édition d'Augereau – d'une *Brève Doctrine pour dûment écrire selon la propriété du langage français*, rédigée peut-être sur les instances de Marguerite.

En ce temps, par bonheur, par malchance pour elle, les brasseurs de langage, dont le plus grand est Rabelais, réaménagent le français, préparent son nouvel arroi poétique. Marot a donné son âme à Lyon, Lyon à Marguerite : ni Scève, ni Louise Labé, ni la reine de Navarre ne survivront aux Jacobins de Dorat. S'il faudra des siècles pour retrouver *La Navire* dans son armoire, ni Marot, ni les lionnoises, ni Marguerite elle-même ne sont encore sortis de leur splendide impasse. Les modernes seiziémistes, estimables érudits, rassurants au XXe siècle, font mieux connaître la métrique et la prosodie de ces héros sans gloire que la beauté de leurs vers.

Il y faut revenir d'un œil naïf. La *terza rima* imitée de Pétrarque, non de Dante, tient avec *La Navire* (1547) les promesses du *Dialogue en forme de vision nocturne* (1524). C'est, au-delà des richesses qu'il propose aux mineurs de la foi et des lettres, un très beau poème, qui montre un art achevé à travers ses réminiscences.

La Comédie sur le trépas du roi

C'est à Tusson même, où elle demeure inerte jusqu'à juillet 1547, que Marguerite a écrit *La Navire*. Les critiques s'accordent à penser qu'elle s'attaqua ensuite à la *Comédie sur le trépas du roi* sans presque désemparer. De même enchaîna-t-elle sur la rédactionou la fin de la rédaction – des *Prisons*. Ces trois œuvres constituent ce que V. L. Saulnier appelle le « cycle du grand deuil ».

Saulnier justement refuse à la *Comédie* le sous-titre d' « églogue » que beaucoup lui prêtaient. L'églogue en effet est un petit poème de forme pastorale. Certes, Dieu est ici le souverain berger. François Ier reçoit le nom de Pan : non qu'il puisse tout, ni qu'il faille parler de panthéisme. Le dieu Pan, dans le Panthéon grec, régnait sur les bergers d'Arcadie. Les grands immortels se moquaient de sa queue, ses sabots, ses cornes, mais il régnait sur le peuple des satyres et lutinait les nymphes : accessoirement, protégeait troupeaux et pasteurs.

Pan-François sera donc le maître perdu de la bergère Amarissime (très amère), sans doute équivoque avec la célèbre Amaryllis virgilienne [10]. Amarissime, c'est la bergère qui a perdu son Pan : entendez Marguerite qui a perdu son frère. Le berger Agapy partage sa douleur extrême (*agapètos*, en grec, signifie : bien-aimé). Nous voyons Henri II sous ce travestissement : le fils chéri privé du père qui le guidait en tout. Auprès d'eux Securus (le sûr, le fidèle) n'est autre qu'Henri d'Albret. Plus calme que les deux pleurants, il modère leurs transports. Paraît le souverain consolateur, Paraclesis (en grec biblique : consolation – le *Paraclet*, c'est le Saint-Esprit).

Amarissime introduit par un long « tunnel » la *Comédie sur le trépas du roi*. A peine a-t-on dit trente vers de ce monologue qu'on en ressent la monotonie verbeuse, la médiocrité soudain redevenue rhétoricienne : accumulation de termes, redondances, pathos :

> *Ce lieu désert j'ai choisi pour mes pleurs* (v. 25)
> *En délaissant pastourelle et pastours*
> *Je hais les bois les verdures et fleurs*
> *Prés et ruisseaux, palais villes et tours.*

Églogue ? Complainte plutôt, comme eût été *La Navire* sans le talent qui la porte et le feu qui la brûle. On dirait d'une de ces pièces de complaisance déclamée devant les cercueils par des rimailleurs appointés. La douleur de la reine l'avait conduite à enlever comme de force *La Navire* au déplorable genre des « consolations ». Un peu plus tard, bergerisant à la lyonnaise, la

---

10. Équivoque aussi entre *amare :* aimer, et *amarus :* amer.

voici qui retombe ici dans les pires défauts de la « tétralogie ». Tous les poncifs s'accumulent. Le grand Pan a laissé son troupeau à l'abandon, quitté pour toujours ses fidèles bergers, les vouant au désespoir le plus cliché.

Du théâtre cela, comme le titre de *Comédie* le propose? Il semble difficile de définir ainsi les entrées successives et non « amenées » de Securus, puis d'Agapy, du grand consolateur enfin. Aucun des ressorts du théâtre n'est mis en action : ni mouvement, ni intrigue, ni nécessité d'aller d'une scène vers l'autre. L'apparition de Paraclesis est de pure convention : ainsi la conclusion tombe-t-elle du ciel dans les plus figées des pièces allégoriques oubliées. La *Comédie sur le trépas du roi* n'est pas une églogue, car son attirail bucolique sent le magasin de vieux accessoires. Ce n'est pas non plus une comédie, puisque l'action y fait défaut. Le décor à deux plans, la fin en extérieurs? Carton-pâte.

Nous sommes donc bien devant une complainte « vieux style », mais à plusieurs voix inégales. Elles manquent certes d'originalité, mais la diversité de leur ton, l'utilisation de plusieurs sortes de vers rend l'œuvre moins plate, si on l'imagine comme une sorte de chœur avec solistes. Marguerite – je veux dire Amarissime – chante la très belle *Chanson spirituelle* n° 2, que nous avons citée plus haut.

Las, tant malheureuse je suis...

sur un air populaire. Elle enchaîne sur un autre chant, en chœur avec Securus. Ce dernier s'aide à son tour d'une mélodie. Dès lors, une hypothèse nous vient à l'esprit. Et si la médiocrité du texte, le rassurant appareil des déclamations rhétoriques étaient non pas faiblesse de l'auteur, mais volonté de « jouer bas » pour « jouer public »?

Sans avoir la moindre preuve, une partie des critiques prétend que la *Comédie sur le trépas du roi* ne fut jamais représentée. Et si elle avait été écrite assez humblement, assez traditionnellement pour toucher au contraire un public populaire, fidèle à ses habitudes, allant au théâtre pour voir et entendre ce qu'il a l'habitude d'entendre et voir? Si nous croyons cela – qui est difficile à soutenir, mais non exclu –, nous comprenons l'attitude hiératique des acteurs, figés comme les allégories d'hier : la mode n'a pas gagné les campagnes, les villes même du Sud-Ouest. La reine ne tente-t-elle pas de populariser un chant funèbre à l'usage de spectateurs ignorant tout du mouvement des lettres ? Nous comprenons en ce cas l'usage d'airs connus pour des paroles nouvelles, l'éloge du roi *ad usum populi*, celui du dauphin qui accède au trône et devra être aimé.

Je donne cette charitable explication pour ce qu'elle vaut. Il en est deux autres.

La première, c'est une sorte de retombée d'enthousiasme après la flambée superbe de *La Navire* : la reine arrachait en quelque sorte à sa douleur ce grand poème. Réduite ensuite à cette douleur brute, elle tente une fois encore, très vite, de reprendre la plume. Le cœur y est, l'inspiration se brise. Je songe une fois encore à Hugo veuf soudain de sa fille : en face de l'admirable « A Villequier », certains pièces des *Contemplations* seront fausse monnaie.

Autre explication qui rejoint la précédente : entreprenant une « comédie » sur la mort récente de son frère, la reine de Navarre se trouve soudain démunie de l'arme qui rendait percutants *Le Malade* ou *L'Inquisiteur* : la malice, le persiflage. Elle ne peut avoir recours aux artifices de la thématique amoureuse néo-platonicienne qui fait la valeur de *La Coche*.

Avec la tétralogie, elle devait jouer selon les règles d'une histoire fixée dans les Écritures, et ne savait en tirer bergerie originale. Sur le thème d'une mort qui la brise, elle ne peut « théâtraliser » larmes et consolations de façon singulière. Tous les efforts auxquels elle s'astreint depuis 1535 pour détruire les idoles de la rhétorique dont son éducation avait été ornée s'arrêtent d'un coup : la voici replongée dans sa désuète imagerie d'enfance.

Cette rechute est d'autant plus lisible qu'elle se place entre une farce, *Trop, Prou, Peu, Moins* (1544) et la *Comédie de Mont-de-Marsan* (1548) que nous analyserons ensemble, et qui ont toute la force, l'habileté, l'efficacité qui manquent soudain à la *Comédie sur le trépas du roi*. Nous y lirons, plus aisément que dans cette œuvre manquée, le chemin spirituel de Marguerite entre catholicisme et réforme, entre forme médiévale dépassée et vigueur théâtrale moderne. J'entends « moderne » pour cette époque, évidemment.

De la mort du roi, la *Comédie* donne l'image la plus convenue.

Piètre fantaisie, à laquelle la musique apportait peut-être quelque émotion à partager. Comment ne pas préférer aux leçons briçon-nettiennes sur le Bon Pasteur ce tragique rondeau, contemporain de la *Chanson spirituelle* n° 2, c'est-à-dire écrit un mois après la mort de François, en avril 1547 ? Citons sa seconde strophe, qui vaut à elle seule une longue et plate « comédie » en disant – mieux – la même chose :

> *La mort du Frère a changé dans la sœur*
> *En grand désir de mort la crainte et peur*
> *Et la rend prompte avec lui d'avaler*
> *   L'odeur de mort.*

Paraclesis dit le contraire, et que l'Amour chasse cette odeur-là. Marguerite, ni consolée, ni guérie, ni même résignée, va repren-dre le fardeau de sa vie, et trouver dans sa solitude cette double fontaine de mémoire : chaude, dans *Les Prisons*; fraîche, avec *L'Heptaméron*. La *Comédie sur le trépas du roi,* si elle mérite d'être citée par sa place chronologique et non pas négligée comme nous le ferons pour d'autres pièces mineures – poésie et théâtre de circonstance – reste ce que les grands peintres désignent sous le nom de « fonds d'atelier [11] ».

Il reste que le principe de la « comédie musicale » demeurera au fond de l'encrier. La « bergère ravie » de la *Comédie de Mont-de-Marsan* chantera sa « bienheureté » dans le chef-d'œuvre théâtral de la reine de Navarre.

---

11. Stéphane Mallarmé disait de ses essais manqués : « Exercices pour bec de plume. »

CHAPITRE XIV

La prisonnière délivrée

La dernière défaite

Au mois de juillet 1547, Marguerite quitte Tusson pour Pau. L'exercice d'une poésie passionnément lyrique lui a permis de dépasser son chagrin. Elle vient d'écrire *La Navire*, qui pourrait porter en épigraphe : « Mort, où est ta victoire ? »

Voilà pour la couleur de l'âme non pas consolée, mais élevée. La mort en revanche gagne la bataille de succession, comme il est d'usage. Tout à coup, sans avertissement ni préparation, voici Marguerite privée d'un appui formidable. Les murailles dont l'entourait la protection de son frère tombent. Le maître en France n'est plus ce César qui, avec quelque condescendance, la chérissait, mais un neveu réticent. Il faut passer sans transition des hauteurs de l'Amour spirituel aux embarras d'une réalité nouvelle : la tante du roi n'est qu'une vieille dame mal pensante, mariée à un vague roi immodérément ambitieux.

De cela, Marguerite a tout de suite conscience. Sa vie durant, elle tenta toujours de savoir jusqu'où pouvait aller son impunité, retraitant lorsque le roi se fâchait, avançant quand il la couvrait de son autorité. Il y avait de la prudence dans cette aventurée. Ne risquant pas sa vie quand elle osait affronter les ultras ou préférer Navarre à la France, elle se savait protégée absolument jusqu'à certain point, et ne cessait de rester en deçà. Où François Ier ne la suivait pas, elle tentait d'abord de l'entraîner – par exemple, la réconciliation des chrétiens, puis faisait repli devant la colère royale – par exemple après l'affaire des placards. Sa situation privilégiée de « mignonne » étant sans cesse remise en cause depuis 1524 par des engagements déviants, Marguerite, femme avisée, aidait les désobéissants autant qu'elle le pouvait. Fâcher François complètement, elle ne le voulait pas. Cet immense amour fraternel fut traversé par des crises qu'elle provoquait, puis se hâtait de calmer. Il n'est pas impossible de croire Brantôme – une fois n'est pas coutume – quand il fait dire à François Iᵉʳ parlant de Marguerite : « Elle m'aime trop. Elle ne croira jamais que ce que je croirai [1]. » Sans doute en restait-il persuadé, alors que la rouée essayait incessamment d'infléchir les croyances royales.

Mais enfin, cet amour fraternel agaçait le prince héritier et sa favorite, sinon sa femme. Marguerite n'était pas sans le savoir. Sitôt quitté la brûlante solitude de Tusson, elle doit se remettre à ses affaires de Navarre. Une priorité s'impose à l'évidence : garder ou plutôt reconquérir l'affection d'Henri II, le nouveau maître, ou du moins conserver son appui.

Il sera le très affligé Agapy de la *Comédie sur le trépas du roi*, mais cela n'est que littérature. La première question, vitale, est bien simple : « Va-t-il maintenir notre pension ? » Agapy – Henri II – avait souffert de l'autoritarisme de son père, de son écrasante supériorité affichée. Dès la mort de « César », son fils rappelle Montmorency aux affaires et le comble de bienfaits. Marguerite tremble. Montmorency oubliera-t-il l'affront de Châtellerault, et que lui connétable a dû, pour venger la « mignonne », y accomplir à l'église besogne de valet ?

Or, si la reine couvre ses arrières en écrivant une épître en vers à son neveu le roi et une lettre à Montmorency, elle a tort de s'inquiéter vraiment. L'épître, qui ne brille que par d'excessifs compliments, n'est pas à inscrire au tableau d'honneur [2]. La lettre au connétable, compte tenu des sentiments qu'inspire à Marguerite l'intransigeance confessionnelle du personnage, respire l'hypocrisie. Abaissements inutiles.

1. *Vies des dames illustres, françaises et étrangères*, VI.
2. *Dernières Poésies*, éd. Abel Lefranc.

Inutiles, car Henri II n'est pas entouré que d'ennemis de sa tante. Son épouse Catherine l'aime autant que sa maîtresse Diane lui en veut. Certes, il n'oublie pas que Marguerite lui préférait ses frères disparus. Elle lui a pourtant toujours montré de l'affection. Lui couper les vivres? Il n'y songeait pas. Consulté, Montmorency l'encourage non seulement à maintenir la pension de la reine de Navarre, mais à l'augmenter jusqu'à 58 000 livres.

A-t-il donc tant de charité chrétienne, le richissime et ultra-dévot connétable? La question n'est pas là. Fleuranges est mort en 1537. Chabot de Brion en 1543. Retiré à Chantilly depuis sa disgrâce, le connétable avait eu loisir d'évoquer ses souvenirs d'enfance : le « jeune adventureux » comme l'amiral Chabot s'y trouvaient sans cesse mêlés, et le roi, et sa sœur. Les quatre amis, pris ensemble à Pavie, avaient connu les geôles espagnoles. Qu'une radicale brouille ait opposé l'amiral et le connétable par la suite, l'histoire le montre. Mais Marguerite? Le souvenir de son équipée espagnole, de la réconciliation sous Avignon lors de la troisième guerre pesaient aussi lourd que les querelles intermittentes qui les précédèrent et les suivirent. Il put, dès l'enfance, y avoir rivalité entre le sémillant Chabot et le laborieux Montmorency. Le roi mort, ce dernier ne veut accabler la « mignonne », tout « mal-sentante » qu'elle soit. Augmentez la pension, et réprimez ses écarts religieux.

Il reste que, disparu le grand mécène, les Navarre doivent serrer les cordons de leur bourse. Nous voyons Marguerite, par l'intermédiaire d'un secrétaire, contracter un emprunt pour honorer non ses échéances, mais ses engagements envers ceux qu'elle comble. Jusqu'à sa mort, la reine n'oubliera pas qu'elle dépend financièrement de son neveu, et de Montmorency qui désormais règne sur lui. Cela explique aussi pourquoi elle ne fait pas éditer ses œuvres majeures après 1547 : ses ennemis d'Église doivent être ménagés, sous peine d'irriter le connétable, donc le roi bienfaiteur.

Il s'agit bien d'irriter le roi, alors que la question du mariage de Jeanne reste toujours posée! Henri II a bien apporté à Marguerite les assurances qu'elle demande : on ne donnera pas sa fille à un simple sujet de la couronne. Mais le fils de François est un sournois. Il a pris le parti de marier Jeanne d'Albret à Antoine de Bourbon-Vendôme, et pour finir n'en démordra pas.

Marguerite ignore cela, et que deux faits nouveaux sont seuls à la traverse de la décision royale.

D'abord un autre parti d'importance s'est présenté : François d'Aumale, fils du premier duc de Guise. La famille de Lorraine commence à prendre du poids dans le royaume. L'unir à une parente du roi serait non de bonne guerre, mais de bonne paix avec ces puissants frontaliers. Aumale, de plus, a guerroyé à l'Est et dans le Midi en compagnie d'Henri, alors dauphin.

Autre obstacle à un mariage : Jeanne d'Albret présente en 1547 les symptômes du terrible mal des écrouelles [3]. On sait que le roi de France est censé les guérir en les « touchant » le jour de son sacre. Henri essaya-t-il, lors de la cérémonie ? En tout cas, Jeanne souffrit bel et bien des séquelles de cette scrofule.

Les collets montants et les jaserans d'orfèvrerie, véritables carcans précieux enveloppant le cou jusqu'aux mâchoires, dissimulent à cette époque les vilaines cicatrices [4]. Jeanne est à nouveau « présentable », même non guérie des « auripeaulx », comme l'on appelait cette maladie.

« Touchée » ou non par le roi guérisseur, elle assiste au sacre en compagnie de son père. Henri II signifie alors à Albret sa décision : il donne sa nièce à Bourbon.

Marguerite reste terrée dans le Midi. On ne l'a pas encore vue à la nouvelle cour. Elle décline l'honneur de devenir marraine d'une fille qui naît au roi. Elle pousse son mari à une dernière tentative auprès de Charles Quint pour qu'il donne son fils à Jeanne.

En février 1548 tombe enfin un ordre royal sans réplique. La reine gagne un mois encore, doit se résigner enfin. Sa fille – et un dernier espoir de triomphe politique à travers elle – lui échappe. C'est à Mont-de-Marsan qu'elle finit par abandonner la lutte, au

---

3. Adénite cervicale d'origine tuberculeuse, développant des abcès froids. Certains pensent que le mal existait chez les Valois par transmission héréditaire. Ils y voient la cause première des tourments de François Iᵉʳ aggravés par d'autres causes.
4. La mode des *jaserans* allait de pair avec celle des *cottoires,* simples chaînes de pendentif où les dames et les seigneurs accrochaient des joyaux de prix.

début du printemps 1548 : il en sortira la comédie qui porte le nom de cette ville, et démontre non seulement le talent de Marguerite à son plus haut niveau, mais sa position spirituelle définitive.

Pour finir c'est à Lyon qu'elle rejoindra la cour. Les semaines qu'elle y passa n'ont guère laissé de traces écrites. Nous sommes seulement fondés à imaginer la joie qu'elle eut à retrouver « la Florence française » bien près de son apogée. Pernette du Guillet, la tendre aimée de Maurice Scève, est morte. Il y paraît dans cette *Saulsaye* qu'il écrit en hommage à la défunte. Pernette, l'égérie, toute tournée vers Marot plus que vers Pétrarque : Pernette du Guillet qui écrivait en ses *Rymes* (1545) :

> *Si j'aime cil [5] que je devrais haïr*
> *Et hais celui que je devrais aimer*
> *L'on ne s'en doit autrement ébahir*
> *Et ne m'en dut aucun en rien blâmer [6].*

La « Perronnelle » est morte, mais Louise Labé paraît, l'éblouissante cordière. Marguerite dut passer des jours bien consolés dans ce nid de poésie où la femme était reine en amour – vieille chanson – mais aussi reine en littérature. L'accueil qui fut fait par la ville, sans hypocrisie, à la poète des récentes *Marguerites* éclipsa le pauvre éclat de la tante, perdue dans le cortège d'Henri II.

Abandonne-t-elle ses espoirs, une fois le roi décidé à disposer de Jeanne ? C'est mal la connaître que de croire cela. Elle luttera jusqu'au bout, tandis qu'Henri d'Albret s'empêtre dans d'inutiles marchandages, flatte le roi sans finesse. La partie est perdue. La reine en veut à ce mari balourd, à ses ambitions qui ont tout fait manquer. Une lettre d'Henri II à Montmorency nous éclaire sur la colère de Marguerite envers son époux : « La reine de Navarre, écrit le roi à cette époque, est le plus mal possible avec son mari pour le bien de sa fille, laquelle ne tient compte de sa mère [7]. »

Le mariage de Jeanne et d'Antoine a lieu le 20 octobre 1548 à

5. Celui.
6. Voir l'édition critique des *Rymes* par Victor E. Graham.
7. Cité par Abel Lefranc, *Dernières Poésies.*

Moulins. Marguerite bute alors sur une évidence qui restait cachée à son désir d'établir sa fille plus haut. Bourbon, duc de Vendôme, n'est ni prince étranger ni parti de premier rang, quoique de très haute noblesse. Mais il est beau, nonchalant, assez réservé pour sembler intelligent quand il se tait. Il est tout ce que Clèves n'était pas, et la petite Jeanne, privée toujours de vraie tendresse, est tombée amoureuse de lui. Marguerite, qui tint tête à un empereur, irait-elle contre l'amour ?

La reine vieillit, percluse de douleurs, détachée des ambitions terrestres, absente – par prudence, mais surtout par désabusement – des engagements religieux. Exacte à la messe, elle se retranche pour finir dans une position qu'il nous faut bien reconnaître proche de ce qui sera nommé, cent ans plus tard, le quiétisme [8].

Les Prisons

J'ai affirmé que *Les Prisons*, ce poème oublié pendant des siècles, constitue le sommet de l'œuvre poétique de Marguerite de Navarre. Il est plus difficile de le déclarer. Je déconseille à tout lecteur ignorant les textes de la reine de commencer par celui-ci. La surprise, puis l'égarement qui s'emparaient de nous quand nous psalmodions le *Dialogue* ou *Le Miroir* se trouvent poussés parfois, dans *Les Prisons*, à un point de confusion extrême. Le goût de l'auteur pour les diversions, parenthèses, changements de cap et déraillements contredit à chaque page – mais surtout dans le livre III – une construction préalable définie et apparente. La complexité de la trame dénote à la fois l'habileté de la poète et son goût pour le primesaut, l'antonomase, le coq-à-l'âne même, qui pour un mot dévieront cent vers.

Trame. L'image du facteur de tapisseries qu'elle était me vient toujours à l'esprit quand je considère de façon critique un grand poème de Marguerite. Chaîne et fioritures, les unes cachant l'autre.

8. Le mot a été justement prononcé par V.L. Saulnier, *Théâtre profane*. Il l'avait déjà été dès 1857 par Charles Schmidt.

En apparence, la trame des *Prisons* est simple : un gentilhomme se délivre tour à tour des prisons qui l'enserrent pour gagner enfin la vraie liberté. Depuis que le texte est connu (1896), les examens du contenant et du contenu du poème n'ont pas manqué. Après Abel Lefranc et Pierre Jourda, Simone Glasson a donné, en 1978, un intéressant commentaire des *Prisons,* édition très savamment annotée, riche en recherche de sources, plaisante par la réserve de ses affirmations.

Cette fois encore, nous irons au plus court en renvoyant le curieux et l'érudit à cette étude en profondeur [9]. En quelques pages, nous nous proposons de « donner un air » du poème, une silhouette plus qu'un portrait fouillé en ses arrière-plans. Une sorte de préface à relire en post-scriptum, et corriger par impressions personnelles. Je suis de ceux qui ne croient pas à l'interprétation collective des œuvres poétiques. Comme le regard individuel crée un arc de beauté avec l'œuvre peinte ou sculptée, chaque esprit de lecteur accepte ou nie l'enchantement que proposent les vers. Les critiques professionnels ont le très grand mérite d'être des débroussailleurs, et nous devons les révérer, s'ils ne posent, ici ou là, des écriteaux à leur façon. La tentation est grande d'apporter ses propres signes dans l'auberge espagnole des *Prisons.*

Livre I. Le plus simple, le moins dévoyé de ses sources médiévales (*Prisons de l'amour*, dans la littérature courtoise) [10]. Le prisonnier d'amour de son Amie, libéré, confesse à la dame le plaisir qu'il a eu à se défaire de ces liens doux mais contraignants. Il décrit les charmes de la captivité amoureuse :

Tout seul disais : « Hélas gens sans raison (I, 21)
Si vous saviez le bien de ma prison
Vous laisseriez armes, chiens et oiseaux
Prés, bois, jardins et trouveriez plus beaux
Mes forts li-ens et ma ferme cloture
Que tous les biens qu'a su créer nature.

9. *Les Prisons* (cf. Biblio.).
10. Le thème carcéral – ami prisonnier de l'amie – est une constante dans la poésie des diverses langues romanes avant le XVIe siècle. L'image du corps-prison de l'âme est déjà banale chez les sophistes grecs. Cicéron la reprend comme allant de soi (*Rép.,* VI, 14).

Le prisonnier aime sa sujétion. Le talent de la poète lui donne de purs accents pour dire sans amphigouri de l'amour terrestre :

> Car être grand et puissant ter-rien (I, 175)
> Sans être aimé ni aimer, ce n'est rien.

Un jour pourtant le soleil envoie ses rayons entre les barreaux d'une grille de la tour-prison. Le captif éprouve à le voir la nostalgie d'un monde sans entraves. Enfin la tour prend feu. Le prisonnier voit son amie non pas l'aider à fuir, mais lui jeter des brandons sur la tête. Brûlé d'abord, glacé ensuite, noyé, enchaîné dans un torrent d'images superbement incohérentes, le prisonnier se délivre de la tour détruite et dit adieu avec quelque mélancolie, aux douces souffrances, aux émouvants délires de l'amour passionnel entre créatures, qui leur suffit insuffisamment et les emprisonne hors de la vraie liberté.

Livre II : exercice d'une liberté nouvelle qui va se révéler prison différente, prison tout de même dont il faudra s'évader. Le prisonnier de la tour abolie ouvre ses yeux – en véritable homme de son temps – sur les merveilles de la terre et du ciel, les paysages, les animaux, les arbres, la mer. Il contemple ensuite l'œuvre des hommes, châteaux, églises et leur décor. A l'église, il prend le goût de faire ses dévotions. L'amour de l'Amie lui suffisait jusqu'alors, et lui rendait la prière inutile. « Ma prison m'était temple. »

> Vous seule étiez mon autel mon image (II, 227)
> Le but et fin de mon pèlerinage.

Ayant prié, il rencontre l'Hypocrisie, qui lui chuchote :

> Que j'acquerrais l'honneur (II, 233)
> Si à l'église étais dévot donneur.

Il a tout vu : l'univers étoilé, les merveilles de la terre, le négoce et les travaux des hommes. Paraissant à la cour, le voici en fêtes et tournois, et fréquentant ces dames dont l'amour ne vaut rien devant l'Amie. Il connaît tout des plaisirs mondains du courtisan, dont le portrait accuse l'autosatisfaction d'un Castiglione « mondain ». Enfin paraît un vieillard doué de sagesse mais souffrant –

hélas! – de logorrhée. Allons au plus court : il démontre au prisonnier libre, élevé, riche et aimé que trois maux constituent la prison réelle des mondains : l'Ambition, l'Avarice, la Concupiscence allégoriquement majuscules, mais fort humainement explicités. Il faut briser ces liens, mater ces tyrans : en images toujours incohérentes mais efficaces, les ennemis de la vraie liberté sont montrés. Les liens – les tyrans – sont tranchés – vaincus – et la seconde prison évitée. « Amie, dit-il, relisez Dante que je vous contais, et qui mentionne ces tyrannies » :

> *Je m'en tairai, de peur d'ête repris* (II, 1053)
> *Comme j'étais lorsque je vous appris*
> *Tout le discours de Dante et son histoire*
> *Impossibl' est que n'en ayez mémoire.*
> *Mais voulez-vous livre plus authentique ?*
> *Lisez Saint Jean dedans sa canonique*
> *Comment il dit qu'en sujétion*
> *Des trois puissants va à perdition*
> *Le monde, et tout ce qu'il enclot et tient.*

Du coup, le prisonnier deux fois libéré finit ce chant en déclarant son amour toujours plus épuré à l'Amie « ficinisée » :

> *Vous assurant qu'il n'y eut onc* [11] *personne* (II, 1084)
> *Qui sut aimer si fort amie ou dame*
> *Qu'aimer vous veut l'Amy vrai de votre âme.*(Fin)

Le livre III est celui qui a suscité le plus de discorde entre ses exégètes. Il occupe les deux tiers du poème. Il le fait déboucher sur une apothéose, si l'on entend ce mot au sens chrétien : non pas admission parmi les dieux (sens grec ancien), mais liberté en l'amour parfait du Dieu unique.

Le prisonnier deux fois libre se bâtit pour commencer une troisième prison volontaire : celle de la science. Ses fortes murailles sont soutenues par des piliers fabriqués en un étrange matériau : des livres classés par genre. Piliers de Philosophie, Poésie, Droit, Mathématiques, Musique, Médecine, Histoire, Rhétorique, Théologie. Des piles en papier les flanquent, haus-

11. Jamais.

sant Grammaire et Cosmographie. Voici le trois fois prisonnier enclos dans la Science.

> *Puis ça, puis là, par les livres me fourre* [12] (III, 360)
> *Et me semblait que j'étais bien à l'aise.*

Dans sa chaude retraite, le béat prisonnier se trouve en fait captif de son Cuyder, son outrecuidance. Il est persuadé que sa fourrure de science suffit à lui donner le bonheur. N'est-il pas délivré préalablement des péchés, liens et tyrans du cœur, et des illusions mondaines ?

Le prisonnier réfléchit plus loin. Il passe de l'attrition à la contrition, considérant qu'il pèche en ces fausses délices studieuses :

> *Car plus péché ressemble à la vertu* (III, 431)
> *Et plus il est de ses habits vêtu*
> *Plus dangereux il est à décevoir*
> *Car pour vertu il se fait recevoir.*

Alors, le Dieu tout-puissant rappelle au prisonnier repu de sciences la parole de Jésus-Christ : « Béni soyez-vous, mon Père, qui, tout en cachant ces choses aux savants et aux intelligents, les avez révélées aux enfants [13]. »

Suit une longue méditation sur le « Je suis celui qui suis » du Christ. Le Saint-Esprit, telle est la seule référence de la sagesse. Socrate le reçut, dit la poète :

> *Croyant si bien que l'âme est immortelle* (III, 701)
> *Que pour avoir cette vie éternelle*
> *La mort reçut comme en allant aux noces.*

Platon, son disciple, « a suivi sa doctrine ». L'Esprit agit dans le prisonnier, et fait écrouler les piliers. Toute science pavanée par le Cuyder ne vaut rien. Tout l'édifice croule, y compris poésie et littérature, dont le mérite (exposé par citations érudites) n'existe pas devant le « Je suis » divin. A terre, la Rhétorique, l'Histoire, les Lois humaines aussi, qui se mêlent parfois de condamner les

---

12. Me couvre de fourrures.
13. Mathieu, 11, 25. Luc, 10, 21.

justes, alors qu'il n'y a qu'un seul Législateur, maître de la mort!

A bas, la Théologie à la langue de bois :

Lui qui le ciel jusqu'à la terre abaisse (III, 1173)
Qui fit parler mieux que l'homme l'ânesse [14]
Fait parler ceux qui n'ont langue ni bouche
Et des parleurs si fort la gorge bouche
Que seulement la voix n'en peut sortir.

Il faut pourtant, déclare le prisonnier, garder quelques livres : les Écritures, mais aussi tout ce qui y mène. Ainsi les écrits d'une sainte femme de naguère, qui nomma Dieu, rhétoricienne avant la lettre, le « Gentil Loin-Près [15] ».

Le Gentil Loin-Près nous vaut une très longue digression qui, avec verbosité mais grand art, nous amène à la vieille antithèse des premiers poèmes margaritiens : Dieu-Tout, la créature-Rien. Le Tout est loin-près du Rien. Alors paraît une notion nouvelle, très importante, que nous verrons plus au clair, hors de la fougue lyrique, dans la *Comédie de Mont-de-Marsan* : le ravissement de l'âme en Dieu. Voici « l'amour parfait », « le ciel sans terre », « l'esprit sans chair », « foi sans douter »

Par quoi ce Rien va courant et sautant (III, 1876)
Ravi d'amour et transporté de joie
Dedans son Tout, Vérité, Vie et Voie
Il vit ayant sa vi-e recouverte[16]
Il croit, voyant sa voi-e tout ouverte
Il est savant trouvant la vérité.

---

14. XIIe siècle avant J.-C. : l'ânesse du prophète mésopotamien Balaam se fit tuer plutôt que d'avancer, quand parut l'ange de Yahvé. Avant de mourir, elle fit leçon à son maître qui se convertit. D'après cette légende, les Pères de l'Église ont diversement jugé ce Moabite : prophète biblique ou sorcier ? L'ânesse en tout cas resta révérée.

15. Cette formule est due, selon Jean Dagens, à la traduction du *Miroir des simples âmes*, de la religieuse Marguerite Porete (v. 1280) que la reine de Navarre a pu tenir dans un monastère. Dans son commentaire des *Prisons*, Simone Glasson adopte cette origine du « loin-près ». Non sans reconnaître là – à l'évidence – une antithèse employée dès 1524 dans les lettres de Briçonnet.

16. Recouvrée.

Voici ouverte par le ravissement intérieur la porte de cette attitude quiétiste que discernait bien V.L. Saulnier dans les mois qui terminent le « Cycle du grand deuil ».

Le Rien trouve le Tout par le ravissement. La troisième et dernière prison, celle des Sciences et donc du Cuyder, est détruite. En bonne logique, le poème devrait finir. Il n'en est rien.

Suit la leçon morale de ces emportements et de ces libérations successives. Des exemples de martyre pour la foi sont proposés. Ils introduisent une méditation sur la mort tout à fait étrangère aux stéréotypes du temps. Morts « joyeusement », ceux dont la poète nous conte les derniers moments : sa belle-mère d'Alençon, son premier mari Charles, sa mère Louise, enfin son frère François, que le prisonnier propose pour modèles à son amie.

Il convient, lisant ces oraisons funèbres, de remarquer d'abord que le ton s'y fait moins véhément, que le récit s'allège, sinon par excessives laudations. Nous découvrons ensuite, dans ces scènes mortuaires dépourvues de tristesse viscérale, la face cachée de la reine. Jamais elle ne pleura ses morts avec l'emportement ni le cérémonial qui allaient avec les usages. Elle gardait secrète sa peine dans les deuils. Secrète mais intacte, pour la montrer ici transcendée dans un climat de béatitude. Deux fois seulement – le *Dialogue* pour sa nièce, *La Navire* pour son frère – elle se jeta vers la poésie pour calmer la brûlure d'un deuil récent : ce fut, dans l'un et l'autre cas, pour oublier ses larmes par une élévation lyrique.

Le « tombeau » de François surtout nous frappe par la manière apaisée dont Marguerite évoque la mort du frère. Les convulsions douloureuses qui marquaient le début de *La Navire* sont passées. Marguerite se réfère à la sereine oraison funèbre de Pierre Duchâtel (*Castellanus*, dit-elle). Idéalisé certes, sanctifié par l'amour, François Ier meurt sereinement, comme il continue à vivre en l'esprit serein de la ravie.

C'est tout naïvement que la narration reprend ensuite :

> A ce Rien donc, que longtemps j'ai laissé (III, 2865)
> Retourner faut...

Le prisonnier reprend alors, dans une manière douce et persuasive, l'andante du Rien, désormais sauf [17] :

O léger Rien, volant du fond d'Enfer (III, 2957)
Jusqu'au plus haut dont partit Lucifer
Puis d'Orient jusques en Occident
Le bien et mal t'est montré évident.

Après de longues – très longues – circonlocutions, après détours et belles redites, la leçon de l'ex-prisonnier à son Amie est déclarée pour finir : « Où est l'Esprit divin, là est la liberté parfaite » (III, 3215 et fin).

A lire et relire ce poème immense et harassant, considérant sans pouvoir le dater exactement le peu de temps qui délimite son écriture – six mois, un an ? –, on ressent de l'admiration pour le souffle de la poète, sa prodigieuse facilité à « faire grand ». Facilité qui a son revers : les longueurs, et ces arabesques verbales que certains traiteraient de rabâchage. D'autres, dont je suis, acceptent tunnels et digressions dans la mouvance baroque du rythme incantatoire. La « fureur poétique », enfin nommée [18], s'est affinée au cours des années. L'usage des constantes rhétoriciennes fait mouche : il nous montre qu'avant leur usure il s'agissait de très beaux procédés. Quant au pari du rythme lent, AABB, il envoûte qui lui cède et endort qui le refuse : aucun poème n'est fait pour tout le monde.

Le critique littéral de ces vers croule sous des tâches ingrates : origine et interprétation des thèmes, examen de tous les diverticules qui s'entrecroisent, reviennent à l'action ou finissent en cul-de-sac. Le livre I doit sa thématique à une très durable allégorie : nous disons encore « les liens de l'amour ». Le livre II reste plein des leçons de l'évangélisme, de Briçonnet et de Lefèvre : fidélité à des trouvailles dans le cheminement spirituel. Les clichés même y demeurent : la corde de l'Aréopagite, avec

17. L'allégorie du prisonnier semble bien oubliée dans les derniers développements du livre III. Pourtant, même non reprise, elle les sous-tend. La liberté, l'usage que l'on doit en faire : question essentielle pour l'Ami trois fois mis en prison. La captivité menaçante sert de toile de fond au récitatif incantatoire.
18. III, v. 854.

laquelle Dieu tire les âmes à lui [19]. La question des œuvres en face de la foi n'est pas oubliée. Quant au livre III, il constitue à lui seul une montagne à creuser de tous côtés, tant nous le voyons complexe et confus dans ses élans stratifiés. Fut-il augmenté et revu après la mort de François Ier? Peut-on ou non parler d' « abstraction » dans les derniers emportements du prisonnier sauvé? Tenons-nous-en à la qualité du poème. C'est le plus ambitieux qu'ait écrit Marguerite. Le plus réussi dans sa manière arborescente, diffuse, faussement relâchée : si l'on remonte son cours, chaque feuille mène à la brindille, la brindille à la branchette, à la branche, au tronc. L'incantation emporte ceux qui sont prêts pour elle.

Dante? Des réminiscences, des coïncidences, des citations même, et une révérence notée en cours de poème lui prêtent Dante pour modèle. Modèle lointain. Plus lointain que ne l'était Pétrarque dans les poèmes précédents. Moins présent que ne le sont Catulle, Horace ou Théocrite chez Ronsard. Nous devons nous rendre à cette agaçante évidence. Marguerite reste d'autant plus originale que ses textes-sources, ses imitations, ses plagiats ponctuels nous apparaissent. Platon est cité comme bon chrétien. Ficin, son *traduttore-traditore*, paraît dans les rapports entre le prisonnier et l'Amie. Tout cela est latent ou patent, mais le charme vient d'une originalité obtenue comme par catalyse – par distillation? – d'une bibliothèque bien lue, des catéchismes divers assimilés.

Les Prisons, bâties sur des stéréotypes, encombrées de citations, plus gênées qu'aidées par les réminiscences, sont un aboutissement poétique personnel. Marguerite n'a jamais fait, ne fera jamais rien qui la désigne aussi clairement à notre enthousiasme ou notre refus.

Intus (en elle), il marque, en sa superbe confusion et profusion, une avancée spirituelle de la reine vers la paix intérieure si longtemps recherchée.

Foris (pour les lecteurs), il pavane sa beauté inclassable,

19. Cf. la note pertinente (n° 71) de Simone Glasson dans son commentaire. A ce sujet, se reporter aux vers III, 1589-90. En III, 1818-1819, *corde* a son sens concret.

fatigante. Qui oserait le comparer à *La Divine Comédie*, même à *Orlando furioso*? Nous avons assez parlé de la maladresse de la reine à construire les arbres. Mais enfin celui-ci est grand, haut, à feuillage persistant. C'est le meilleur d'une poésie qui a quitté les rhétoriqueurs sans savoir vraiment innover. Or les novateurs accourent. Ronsard va écrire un épithalame pour le mariage de Jeanne et d'Antoine [20].

Ambitieux et gauche, fascinant et déroutant, le poème des *Prisons* demeure une singularité importante dans les lettres du XVIᵉ siècle. Depuis 1896, les érudits vont à lui. Il est à souhaiter que la louable foule des curieux les imite, une fois familiarisée avec Marguerite de Navarre, son vocabulaire, ses excès verbaux et ses obsessions, sans parler de sa rythmique.

Plus ses poèmes vont, plus la reine laisse leur force lyrique les étoffer, mais aussi les éparpiller. Ils deviennent – *Les Prisons* en sont le meilleur exemple – difficiles à suivre linéairement. Confusion ou effusion? Le déroutage permanent qui va devenir de règle dans les récits de type picaresque, pourquoi le taxer de désordre dans l'envolée poétique? La réponse est d'une bêtise toute naïve : parce que cela n'a pas été, ne sera plus guère habituel. *Aventurier* en français, comme *picaro* en espagnol, va prendre un sens péjoratif [21]. Disons pourtant que la reine est une âme en quête, pionnière, s'aventurant dans la recherche hasardeuse de Dieu comme les explorateurs de son temps sur les mers, les terres inconnues. Le personnage des *Prisons* est un explorateur de la liberté, démuni de cartes et de boussole. Cela justifie maint détour dans un labyrinthe sonore.

« Vivent les enfants sans souci! »

Après *Les Prisons*, la reine va écrire la *Comédie de Mont-de-Marsan*. Elle sommera son œuvre théâtrale. Nous allons, avant

---

20. Il était client, ou plutôt *cliens* des Vendôme, et espérait une pension.
21. Au contraire d'*adventurer*, qui garde en anglais un sens noble : coureur d'aventures.

de l'évoquer, non pas en chercher les sources, mais trouver la ligne dans laquelle s'inscrit cette conclusion optimiste du « Cycle du grand deuil ».

Il nous faudra remonter au *Malade* et à *L'Inquisiteur*, étoffés vers 1544 par *Trop, Prou, Peu, Moins*, sous-titré *farce* : œuvre percutante et alerte, satire des mentalités religieuses. Cette pièce, que l'on aimerait voir reprendre – traduite et dépoussiérée – dans le contexte chrétien de la fin du XXᵉ siècle, garde son pouvoir, sa pointe acérée. Elle use en effet de ces armes qui font défaut au grand lyrisme. La malice, la goguenardise même y accompagnent les coups de griffe et les accès de tendresse. *Trop* et *Prou* (beaucoup) sont les puissances reconnues de l'Église catholique sûre d'elle-même, armée de tenailles et de bûchers. Ce sont aussi les puissances temporelles qui établissent leur pouvoir sur l'assiette romaine. Ce sont aussi désormais les farouches et intraitables législateurs protestants.

« Trop » et « Prou ». Chaque exégète depuis Jourda essaie de mettre un nom sur ces adverbes : l'empereur, le pape, Bourbon, le Dieu de colère opposé au Dieu de bonté ? Cette dernière hypothèse du moins me semble inadmissible. Si l'évangélisme retient la leçon de la douceur de Jésus plutôt que les foudres de Yahvé, il laisse Dieu en son inimaginable pouvoir hors du jugement humain. Dieu le Père a envoyé aux hommes le Fils, qui en mourant leur a laissé l'Esprit. *Les Prisons* là-dessus sont affirmatives. S'en prendre au Christ ? Seul Des Périers l'osa dans le *Cymbalum*. Blasphémer contre l'Esprit, déclarent les Évangiles, c'est pécher sans pardon possible.

Trop et Prou sont donc bien des hommes, des hommes riches, possesseurs du pouvoir temporel. Après une lumineuse analyse des hypothèses les concernant, Saulnier hésite à en faire des masques sans modèle précis : à la fois Charles Quint, Paul III et les décideurs ultras défendant l'orthodoxie avec l'aide du feu et du chevalet de torture.

Par choix personnel, mais aussi parce qu'au fond cela n'importe guère au lecteur, je suis partisan du masque, du personnage représentant un type d'homme, non un homme précis. Le type du bourreau suffisant, nanti, sûr de soi, aveuglément répressif, tel qu'il paraissait déjà dans *L'Inquisiteur*, dix ans plus tôt.

« Peu » et « Moins » ? Même définition moyenne : deux représentants des opprimés, de ceux qui n'ont accès ni aux richesses ni aux instruments de justice. Le *terminus a quo* de l'œuvre, la date la plus reculée qui peut lui être assignée est, de par le manuscrit même, 1543. C'est donc après la visite à Nérac des « libertins spirituels » que la pièce a été écrite. « Peu » (*pouc* dans le texte et en patois béarnais, *poc* en langue d'oc, en catalan, en toutes langues frontalières des États de Navarre), n'est-ce pas un à peu près pour « Pocques », le nom même d'un des « libertins » ? Nous savons le goût de ce temps pour les jeux de mots. Mais là encore, restons prudents devant ce qui paraît à peu près certain.

Farce ? Assurément. Trop et Prou portent l'habit des fous. Ils ont, sous leurs vastes cornettes, de longues oreilles d'âne, et tiennent en main la marotte des insensés. Peu et Moins, qui ne sont pas moins personnages de farce, ont des habits criards et des cornes au front. Vaste dispute encore sur ces cornes et ces longues oreilles, leur appartenance à telle ou telle symbolique.

Trop et Prou, les Puissants, parlent d'abondance, avec une autorité ridicule. Certes l'âne de la crèche, placé à la gauche de l'enfant Jésus, désigne les peuples païens, qui ont des oreilles et n'entendent pas. Le texte donne à ces appendices auriculaires un sens si clair qu'il n'est pas besoin d'aller si loin : les oreilles qui traînent sont celles des espions de l'Inquisition, à l'affût de toute hérésie.

De même, faisons des cornes de Peu et de Moins non le symbole ancien de la puissance d'un dieu païen (Amon-bélier), ou d'une équivoque sur le nom de *Bucer* [22]. Ce sont bonnes et solides défenses contre les Puissants, des cornes véritables, défiant les Nantis aux oreilles trop bien ouvertes.

Vivement menée, la comédie va. Les Puissants se pavanent, sûrs de leur droit comme l'était l'Inquisiteur. Les Pauvres ne cessent de se moquer d'eux et de leur clouer le bec. Ils expliquent l'usage de leurs cornes qui servent contre les œufs d'au-

---

22. *Bous-Keras*, « à-peu-près » grec, du nom allemand de Bucer = *Kukhorn* (corne de bœuf).

truche (d'Autriche!). Mais la position nouvelle de la reine contre les attaques de droite et de gauche, de Rome et de Genève, contre la nouvelle Terreur blanche qui a chassé ses amis, qui va causer la mort d'un Dolet alors en exil, la voici qui paraît déjà :

> *Peu :* *Nous ne sommes jamais marris* (v. 414)
> *Prou :* *Et s'on vous frappe ?*
> *Moins :* *Je m'en ris,*
>   *Car il me souvient de ma corne.*

Le pas est franchi. Les Peu et les Moins, les évangélistes traités de pantouflards par Calvin, les libertins contestataires bientôt honnis par le même sont des Ravis. Leur corne est là « contre le venin et la peste » de l'intolérance quelle qu'elle soit, d'où qu'elle vienne. Avant le captif des *Prisons*, Peu et Moins trouvent enfin la façon d'accommoder leur Rien en face de Dieu-Tout : le rire, la naïve confiance. Nous retrouvons la fable des enfants qui jouaient dans la neige, réchauffés par leur foi, devant l'Inquisiteur transi. Avant donc la mort de François Ier et le « Cycle du grand deuil », Marguerite, consciente de l'impuissance en ce monde des Peu et des Moins, leur donne contre la haine et la persécution la vertu d'enfance, l'arme du rire, les ailes du ravissement, qui les mettront sur la voie de la véritable liberté en Dieu.

Ainsi s'exprimait Étienne Dolet justement, se sachant promis à la mort, dans son bouleversant *Libera des prisonniers de la Conciergerie du Palais* :

> *Vivent les enfants sans souci !*

Puis mourut, brûlé et pendu, d'un cœur ferme, enfantin.

Quatre ans ont coulé depuis *Trop, Prou, Peu, Moins*. Marguerite, passée de Tusson à Pau, de Pau à Mont-de-Marsan, se trouve confrontée avec la volonté d'Henri II, qui a décidé de marier Jeanne à Antoine de Bourbon-Vendôme. Au couvent de Sainte-Claire, elle écrit et fait jouer avant de se rendre aux ordres du nouveau roi la *Comédie de Mont-de-Marsan*. Comédie, non farce, bien qu'elle soit datée sans équivoque du mardi gras 1548, le jour de « carême prenant ». Le meilleur de son œuvre théâtrale. La confirmation absolue de son aboutissement spirituel. La Ravie de l'amour de Dieu, bergère, y donne une étrange leçon à ses partenaires : la Mondaine, la Superstitieuse, mais aussi à la Sage.

La Mondaine, on s'en doute, est condamnée d'avance dans l'esprit de la reine. Elle ouvre le jeu clairement :

La Mondaine :

> *J'aime mon corps, demandez-moi pourquoi :* (v. 1)
> *Parce que beau et plaisant je le vois;*
> *Quant à mon âme, qui est dedans cachée*
> *Je ne la puis toucher d'œil ni de doigt*
> *(N'en avoir point, ou qu'invisible soit.)*

La Superstitieuse, c'est la dame qui pratique une religion toute encombrée de rites stupides, de croyances païennes reconverties en babil, en dévotion aux images :

La Superstitieuse :

> *Voyez ces neuf chandelles* (v. 71)
> *S(i) elles sont allumées*
> *Et que droit la fumée*
> *Vois monter au ciel d'elles*
> *Je sais que ma prière*
> *N'est pas mise en arrière.*

Voici cette amoureuse-de-son-corps et cette idolâtre-persuadée-d'être-pieuse qui se mettent à disputer de leurs mérites. Survient une Sage, qui leur propose de trancher le débat qu'elles exposeront.

La Mondaine :

> *Madame, je suis corporelle* (v. 207)
> *Aimant mon corps, tant naturelle*
> *Qu'à rien sauf à vivre ne pense,*
> *J'entends vivre joyeusement.*

La Sage, écoutant déclarer que ce corps est pour la Mondaine « Mon tout, mon Dieu, mon idole », s'en effarouche :

La Sage :

> *Voilà trop bestiale amour* (v. 216)
> *Si vous y faites long séjour*
> *Par cet amour deviendrez folle.*

Il sera plus difficile de convaincre la Superstitieuse qu'elle n'est pas bonne chrétienne. Car enfin elle va aux offices, jeûne, fait pénitence, et si elle juge mal la Mondaine, c'est pour l'aider à se corriger.

La Sage lui tient un discours que nous aurions jugé tout à fait margaritien dix ans plus tôt. La Superstitieuse est plus loin de Dieu dans son pharisaïsme que la Mondaine qui pèche comme une Madeleine, car :

La Sage :

> *Voyant Celui qui lui pardonne* (v. 471)
> *Elle l'aime d'une amour bonne*
> *Et d'une charité ardente*
> *Elle est plus près de Dieu toucher*
> *Que vous qui cuidez le chercher*
> *Par une fidélité lente.*

La Sage complète sa leçon d'évangélisme en recommandant la lecture des textes qui montrent toute vérité :

La Sage :

> *M'ami-e, lisez hardiment* (v. 549)
> *Le Vieil et Nouveau Testament*
> *Que vous a laissé votre père.*

C'est fini, pensons-nous, le modèle de sagesse est montré, la reine a fini sa morale. Mais alors surgit une étrange bergère qui va tout remettre en question. Elle ne parle pas, elle chante. Réapparition de la musique dans la comédie. Cela n'est pas nouveau chez la reine. Ce qui l'est, c'est le propos de la Bergère, chantant une riante tirade sur l'amour qui la tient et la ravit. Les trois autres dames, un peu interloquées, la saluent et l'interrogent. La Bergère ne cesse de chanter, de proclamer qu'elle aime, que cela lui suffit.

Après un dialogue animé, où la Bergère ne cesse de répéter que son Ami vaut mieux que richesse, science et sagesse, l'opinion des dames est faite : c'est une folle.

La Mondaine :

> *La sottise en est éprouvée* (v. 913)
> *Jamais plus sotte ne vit-on.*

A cette accusation, voici la Bergère qui réplique en chantant :

La Bergère :

> *Ho ho hi hi hon hon hon hon.*

Les trois dames ne comprennent pas que ce « tralala lala » puisse être le nouveau secret du bonheur : assez de mondanités et folies du corps, assez de bigoterie et superstitions, mais aussi de sagesse proclamée, bien-disante, bien-lisante. L'amour, hi hi, ho ho, la chanson, l'absence en Dieu aimé! Retirons-nous car il est tard, déclare la Sage. Restée seule, la Bergère ravie en l'amour de Dieu chante son dernier hymne de liberté, ou du moins le déclame en vers octosyllabiques légers, coupés et allégés encore de tétrasyllabes. Pauvres mondains, pauvres bigots, pauvres sages!

> *Et le sage on nomme fol* (v. 971)
> *Et qui est Pierre on nomme Paul :*
> *Ainsi chacun*
> *Parle son langage commun...*

Tandis que la Bergère ravie ne parle, ne pense, ne croit, ne vit que par et pour l'amour :

> *Hélas! j'ai peur* (v. 985)
> *De n'aimer point d'assez bon cœur*
> *Ou d'amour feinte : quelle horreur!*

Mais la peur cède à la certitude. La Bergère supplie l'amour de la consumer, « de l'assommer » pour revivre légère en lui. C'est retrouver presque mot pour mot la conclusion du tiers livre des *Prisons* :

Car ce grand Tout fait de Rien son chef-d'œuvre (III, 3194 et 3159).

Le Rien, le triste Rien obscur et perdu devant le Tout, dans le *Dialogue, Le Miroir*, les œuvres précédant 1543, devient heureux de sa « nichilité ».

La Bergère :

Et ta lumière (v. 1009)
Qui en moi sera tout entière
Comme toi me fera légère

Tu l'as fait et je t'en mercie
Voilà l'état de la bergère
Qui suivant d'amour la bannière
D'autre chose ne se soucie.

(Fin)

Ainsi Marguerite de Navarre, dans le « Cycle du grand deuil », quitte-t-elle larmes, soucis matériels, inquiétude, peur. Que le roi marie Jeanne à Bourbon-Vendôme! Que ce pleutre d'Albret continue ses fanfaronnades! Marguerite désormais s'établit dans la sérénité : elle aimera Dieu de toutes ses forces, et le reste lui sera donné par surcroît.

Cette attitude, qui est constante dans l'Église depuis ses premiers siècles, a toujours été sanctionnée par Rome. Les moines qui adoraient Dieu au mont Athos, dès le IIIe siècle, suscitèrent au XIVe cet *hésychasme* [23] qui secoua Constantinople : adorer en transes, avec conditionnement du corps comme dans certains modes de prière orientale. Rome sévit. Encore cent ans à attendre après Marguerite, et l'Espagnol Miguel de Molinos sera emprisonné pour cause de « quiétisme ».

En 1548, le mot est anachronique. Mais si nous parlons du

---

23. L'*hésychasme* (d'un mot grec signifiant « repos absolu ») était pratiqué dans certains couvents orientaux à l'imitation du mont Athos. Ses adeptes se fondaient en Dieu dans une immobilité presque cataleptique, regardant leur nombril. La mode en revint en 1341, grâce à Grégoire Palamas. Elle dura dix ans, eut des séquelles qui (grands effets) minèrent l'esprit combatif des Byzantins en face de l'Islam en armes.

mont Athos et de l'« hésychasme », c'est pour faire entendre que
seul le mot « quiétisme », non l'attitude, restait à inventer. Il ne
s'agira jamais d'une doctrine fixée, tant les principes du quiétisme
restent flous. Sans Madame Guyon et Fénelon auquel répond
Bossuet, le mot eût-il trouvé son heure française de célébrité [24]?
Quiétisme. Pourquoi pas? Pourquoi? Ce n'est pas reposer,
(*quiescere*) que souhaite la Bergère, mais être émerveillée en Dieu.
Quiétisme est donc faible pour désigner l'état de « bienheureté »
du Prisonnier sauvé, de la Bergère répondant « Ho ho hi hi » à la
Sagesse. Dans les crèches de bois peint édifiées à Noël, parmi les
santons, se trouve toujours le Ravi, le fol, le « sans-dessein »,
comme disent joliment les gens du Québec.

Le grand courant de la folie qui anime la littérature et la
peinture du XVIᵉ siècle, complémentaire des aventures du savoir et
des résistances au dogme romain, la folie selon Érasme, More, la
folie en sa nef alsacienne ou sur les toiles flamandes, de Bosch à
Brueghel, la voici pour finir chez Marguerite de Navarre. Sous sa
forme la plus douce, mais la plus complète : ravissement en Dieu.
Mariez ma fille, dites-moi la messe que vous voudrez, mon frère et
le monde m'ont quittée, j'aime Dieu. Et pour le reste : *hon hon, hi,
ho*, et je veux d'abord me garder joyeuse.

Après le désabusement, le ravissement. Celui-ci a produit *Les
Prisons*, la *Comédie de Mont-de-Marsan*. Il donnera l'indulgence
qu'il faut à l'auteur de *L'Heptaméron*.

La mort, et ensuite

En 1548 la dernière défaite sociale de la reine est consommée.
Sa fille ne portera pas l'un des grands noms de l'Europe. Dès le
printemps, le « Cycle du grand deuil » est terminé. Durant son
voyage à Lyon dans les bagages d'Henri II, Marguerite va trouver

---

24. Les *hésychastes* eussent été heureux d'apprendre que le *yoga*, la danse et
autres conditionnements corporels sont à la mode chez les religieuses contem-
platives, à la fin du XXᵉ siècle. Les moines du mont Athos, en revanche, se
fussent indignés du sens dévoyé qu'a pris le mot familier *nombrilisme* (égocen-
trisme béat).

un écho de ses découvertes littéraires de naguère. Elle regagne ses terres, qu'elle ne quittera pratiquement plus.

Les pièces de vers que nous lisons dans les *Dernières Poésies* sont-elles toutes postérieures à la mort du roi? Au dernier voyage à Lyon? Cela est loin d'être prouvé. Cela semble assuré pour la *Comédie du parfait amant*, thème et variations sur l'amour platonico-ficinien, très « distanciée », aurait-on dit vers 1950 : la poète vieillie a beau jeu de tenir pour rien la passion des corps amoureux. Au reste, rien qui mérite, en cette œuvre, d'autre exercice que celui de la curiosité. Dizains, épigrammes, amphigouriques dialogues sont aussi du second rayon, du tiroir d'en bas. Le grand ton se retrouve dans le superbe poème des *Adieux*, qui peut par vraisemblance ressortir à cette dernière période : la reine se souvient d'avoir aimé sur terre ce pauvre Albret :

Adieu l'amour dans mon cœur imprimée
Tant je pensais immortel le lien
Pour avoir trop votre amour estimée...

Indatable bien que tardive également, cette pièce très « vittorienne », *La Distinction du vrai amour par dizains* : presque deux douzaines de dizains qui font peu pour la gloire de notre poète. Rien n'y est dit de neuf, ni de façon neuve. Le souvenir des rhétoriciens colle à la trame :

Afin qu'amour non plus moi en moi vive
Je m'y consens, et quitte le surplus
D'amour charnel pour l'amitié naïve...

Marguerite déclinait-elle? Ou, le feu du grand deuil une fois éteint, ne savait-elle plus monter aux grands accents lyriques? En 1549, elle commence et avance l'*Art et usage du souverain miroir du chrétien*. L'œuvre ne sera pas terminée. Celui qui la fera imprimer indique avec raison que cette contemplation presque anatomique du Christ en croix, membre par membre, est un exercice de contrition parfaite devant la passion du Fils. Nous ne pouvons juger ce poème non élagué, non retouché, non fini, sinon pour nous persuader qu'il fait partie des *minora* de la reine.

Mineures également, les épîtres à Jeanne, auxquelles Jeanne

répond en vers à peine moins médiocres. Cette correspondance témoigne pourtant d'une douceur qui vint à Marguerite la dernière année de sa vie. Son frère perdu, son cœur décidé à Dieu seul, elle trouve à cette extrémité l'amour de sa fille. Cela appelle deux remarques importantes.

Il n'est pas besoin de faire appel à la psychanalyse pour associer les notions de mort-du-frère et liberté-du-Rien. Pendant tout le « Cycle du grand deuil », ayant lutté pour échapper à la tristesse animale qui saisit les « aimants » devant un lit de mort, Marguerite se sent libre. C'est que sa vie durant, elle n'a pas seulement été le Rien de Dieu-Tout, mais aussi le Presque-Rien de ce Presque-Tout : François Ier.

L'affranchissement final du Prisonnier, la *bienheureté* chantante de la Ravie eussent-ils été possibles, tant que le roi aimablement tyrannique asservissait sa sœur à ses moindres désirs ? Marguerite, si quelqu'un avait su lui dire qu'elle était de certaine façon soulagée par la mort de François, délivrée d'un carcan rivé à son cou dès l'enfance, eût explosé de colère et crié au mensonge. Heureux lecteurs, qui peuvent déchiffrer l'inconscient des poètes à travers leurs œuvres !

Désabusement, solitude entre Églises ennemies, bûchers, deuils, tout armait Marguerite pour la fuite dans le quiétisme : mais en premier lieu la disparition de ce monstre de frère à l'amour exigeant.

Seconde remarque, concernant l'amour retrouvé – ou reconduit – entre Marguerite et sa fille. Unies à Alençon au moment de la bataille pour la rupture avec Clèves, elles se trouvent ensuite non seulement séparées par la volonté du roi, mais par leurs rôles respectifs. Marguerite devient la marieuse cherchant un parti digne de sa maison, et Jeanne la mariable, désireuse de ne pas être « bradée » une seconde fois.

Ensuite, lors du voyage à Pau des Bourbon-Vendôme, au printemps 1549, la reine découvre une évidence qui l'étonne : Jeanne est amoureuse de son mari. Les deux femmes restent trois mois ensemble, tandis qu'Antoine de Bourbon se rend aux fêtes du couronnement d'Henri II. Amoureuse, donc prête à aimer le monde entier, Jeanne s'attendrit sur sa vieille mère. Lorsque Bourbon l'emmène sont échangées ces médiocres épîtres dont nous avons parlé : médiocres en tout, sauf dans le sentiment maternel et filial très doux qui les habite.

Le Rien de Marguerite, tout mis à l'épreuve par de cuisants rhumatismes – que d'acide urique chez les Valois! –, s'illumine encore. Ravi en Dieu, le voici libéré inconsciemment par la mort de l'aimé tyran, et comblé enfin par les effusions d'une fille retrouvée. Les épîtres qui en témoignent, associées à la statique *Comédie du parfait amant,* ne seront publiées qu'en 1926 par les soins de Pierre Jourda. Elles font suite aux *Dernières Poésies* révélées en 1896 par le pionnier Abel Lefranc. C'est assez dire que les analyses littéraires préalables péchaient par ignorance. Il fallut Lefranc, puis Jourda pour exhumer les œuvres postérieures à 1547, en authentifier l'appartenance à Marguerite. La maternité de *L'Heptaméron* même lui était contestée!

En avril 1549, quand la reine s'épanouit en un Dieu sans gendarmes et dans la compagnie de Jeanne, elle fête son cinquante-septième anniversaire. Arthritique, usée, elle va de place en place dans ses terres du Midi, après sa saison d'été à Cauterets.

En septembre, elle s'installe au château d'Odos en Bigorre, réparé récemment, et qui jouit d'une vue splendide sur la chaîne pyrénéenne. Elle apprend en novembre la mort du pape Paul III, en qui elle avait tant espéré, qui l'avait pour finir si bien déçue.

Lier la mort de Marguerite de Navarre à celle du pape, voilà qui plaît à l'échotier Brantôme : la reine est au jardin, et cherche des yeux au ciel la comète « qui paraissait alors sur la mort du pape, et elle-même le cuidait ainsi... et soudain la bouche lui vint un peu de travers... et puis mourut dans huit jours, après s'être résolue à la mort [25] ».

Selon une opinion aujourd'hui admise, elle mourut en réalité le samedi 21 décembre 1549, d'une inflammation des poumons gagnée au froid de la nuit dans son parc d'Odos.

Rien de plus catholiquement exemplaire que son agonie. Elle se confessa au moine Gilles Caillau, qui lui donna l'extrême-onction. Les trois dernières semaines de sa vie furent marquées

---

25. Brantôme, *Vie des dames illustres, françaises et étrangères,* VI.

par de vives souffrances physiques. Toute préparée au « doux dormir », eut-elle regret de quitter ce monde ? Nous ne savons rien de ses derniers propos, sinon les extravagances que lui prêtèrent par la suite les panégyristes.

La reine meurt seule. Son mari arrive trop tard pour un dernier adieu. Les obsèques seront célébrées le 10 février 1550 dans la cathédrale de Lescar.

C'est à Alençon pourtant que fut prononcé son éloge funèbre, par le bon Charles de Sainte-Marthe, qui lui devait tant, et pourtant l'aimait. Le discours qu'il tint, malgré les accents dithyrambiques d'usage, respire l'affection vraie. Après avoir enseigné la théologie à Poitiers, cet érudit avait été emprisonné pour luthéranisme. Délivré par la reine de Navarre, il enseignera l'hébreu à Lyon, mais restera dans la mouvance de Marguerite. Son discours d'Alençon, qu'il traduisit en latin, fut imprimé avec d'autres épitaphes en un petit volume.

Les mois passant, Sainte-Marthe s'indigne que seules trois jeunes Anglaises, les sœurs Seymour, aient écrit « la déploration » de la mort d'une telle reine. Les poètes français se réveillent alors. Il pleut des « tombeaux » et des « chants funèbres » :

Femmes, pleurez la mort de Marguerite
Faisant état d'avoir perdu la fleur
De votre sexe...

Le meilleur reste encore l'ode de Sainte-Marthe, poète qui ne fut pas sans quelque talent. Jusqu'en 1645, nous trouvons des plumes pour la regretter, surtout parmi les protestants. Même dans la mort, Marguerite de Navarre restera classée à la gauche de Rome.

Cessera-t-on de ne voir en elle que l'auteur de l'étonnant *Heptaméron* ? Détachées de leur contexte et presque de la main qui les écrivit, les nouvelles de la reine gardent une valeur sûre et intemporelle. Pour mieux pénétrer ces petites merveilles, rien ne vaut la connaissance de la poète à travers *Dialogues, Miroirs, Navire* et *Prisons* : elle les mettait si fort au-dessus de la piquante prose qui assure toujours sa gloire! Serons-nous bientôt plus nombreux à admirer l'œuvre et la poète en leur entier, sans méconnaître leurs défauts ?

Je me réjouis de voir, depuis plus de vingt ans, se multiplier les savantes éditions critiques de ces poèmes. Cela m'inquiète aussi un peu, tant leur exacte science garde de réserve, et tient à distance les simples amoureux de la poésie. Je ne puis m'empêcher, tout plein de respect pour leur érudition dépassionnée, d'évoquer une naïve anecdote peu prisée par les spécialistes. Quelqu'un demanda un jour à un médecin légiste réputé si certaine dame lui semblait vraiment jolie. Or le praticien distrait répondit : « Je vous le dirai après l'autopsie. »

CHAPITRE XV

L'Heptaméron
ou : « Je ris à mon ombre »

Une œuvre à n'y pas croire

De son étude sur Marguerite de Navarre, à laquelle chacun doit encore se référer, Pierre Jourda fait deux parts. La première traite de la vie et des œuvres de la reine : poésie, épîtres, théâtre. Le second volume est consacré presque en entier à *L'Heptaméron.* C'est dire que dans l'esprit de ce spécialiste, la prose des nouvelles de Marguerite valait qu'on lui consacrât une place aussi importante que celle de la totalité du reste. Ce « poète mineur », comme l'appelaient paisiblement les critiques qui ont fait loi en littérature, aurait-elle par mégarde écrit en prose un texte de premier rang ?

Voici quelques décennies à peine, *L'Heptaméron* figurait au catalogue des éditions Classiques Garnier dans la collection « Littérature grivoise ». En bonne compagnie, il est vrai : non seulement les polissonneries de La Fontaine, mais Rabelais, Pétrarque même, et jusqu'au *Cymbalum mundi* de Des Périers! Le grivois, comme dit notre jargon actuel, « ratissait large ». Il est permis d'y voir tout de même une nuance de péjoration. Que Rabelais soit grivois, c'est peu dire : mais la gaillardise n'est qu'un colorant de son génie, air connu. La valeur proprement littéraire de *L'Heptaméron* mit plus de temps à être appréciée assez haut pour lui rendre justice. Or, amusante rencontre, c'est dans la dernière publication de ce texte chez Garnier-Flammarion que nous voyons pencher tout à fait le plateau de la balance judiciaire.

Simone de Reyff donne une édition bien annotée, remarquable-
ment préfacée de *L'Heptaméron,* la meilleure jusqu'à ce jour, la
plus incitante pour les curieux [1]. Que lisons-nous en « quatrième
de couverture » ? L'avertissement déjà formulé par Jourda, proclamé ensuite par Lucien Febvre : « Ces contes ne sont pas de
pure gauloiserie. » Et pour finir : « *L'Heptaméron* est une des
grandes œuvres de la littérature française. » Il a fallu attendre la
seconde partie du xxᵉ siècle, passer le quatrième centenaire de ce
recueil de nouvelles pour en reconnaître non seulement la
qualité, mais l'importance en partie double : par rapport à la reine
de Navarre elle-même, mais par rapport aussi aux chefs-d'œuvre
brevetés de son temps [2].

Heptaméron, c'est ce qu'il se passe en sept journées (grec *hepta* :
sept, *héméra* : jour) [3]. Le titre n'est pas de la reine, mais ne va pas à
contresens de son propos. Dès le prologue de la première journée,
Marguerite fait prononcer à l'un de ses personnages l'éloge du
Décaméron (dix journées) de Boccace. Nous sommes fondés à
croire – elle l'annonce clairement au même endroit – qu'elle
souhaitait aller à cent nouvelles réparties en dix jours. La mort
seule limita son ambition : sept journées, soixante-douze nouvelles. Il n'est pas impossible qu'il en existe d'autres, non classées par
Marguerite, non découvertes encore par la cohorte des chercheurs.

Marguerite de Navarre veut donc écrire son *Décaméron* personnel. Mais le déclarer tout net, ce serait aller contre le goût du
mystère qui règne dans les lettres d'alors, surtout à Lyon
(anagrammes, allusions à déchiffrer). Il va de pair avec un goût
pour les pseudonymes que recommande la prudence aux « mal-
sentants ». Alcofribas Nasier, je veux dire François Rabelais, l'a
déjà prouvé.

---

1. G. F. Flammarion, 1982. Intéressante par son érudition, mais aussi par une
approche recommandable : adaptation en français moderne des graphismes
démodés, sans toucher au cœur de la langue de l'auteur. C'est ce que nous avons
tenté de faire dans nos citations de poésie.
2. Il y a peu de temps, *L'Heptaméron* figurait au programme de l'agrégation
des lettres. Sa dernière édition précitée l'arrache à un cénacle.
3. En réalité, la *Huitième Journée* est entamée, mais deux nouvelles seulement
y sont inscrites, ce qui la fait tenir pour non avenue en tant que journée
complète.

Le subterfuge ici se double d'un irrécusable recours. La reine eût sans doute signé l'œuvre terminée, sans craindre les foudres de la Contre-Réforme. La préface déclare en effet que l'entreprise d'imiter en cent nouvelles la démarche de Boccace, de produire un *Décaméron* français est décidée par le roi lui-même. C'est François Ier, son fils le dauphin, sa fille la jeune Marguerite, la dauphine Catherine qui vont écrire l'œuvre. En compagnie de « plusieurs dames de la cour », dont tante Marguerite de Navarre, cela va de soi.

Pourtant, cette réunion d'admirateurs de Boccace met un préalable bizarre à l'œuvre collective qui doit naître : elle restera l'affaire de gens de cour : dix personnes en tout, écrivant chacune dix nouvelles. A l'inverse de leur modèle italien, elles raconteront des histoires *vraies*. Mais ce n'est pas tout : aucun de ceux « qui avaient étudié et étaient gens de lettres » ne participera à l'écriture, « car Monseigneur le dauphin ne voulait pas que leur art y fût mêlé, et aussi de peur que la beauté de la rhétorique fît tort en quelque partie à la vérité de l'histoire », dit le prologue.

Il est bien évident, à la lumière des faits, que les nouvelles n'eussent pas été écrites si l'on s'en était tenu au collectif annoncé, et à la règle d'écriture proposée.

Le collectif d'abord. Il est à peu près certain que le prologue de la première nouvelle (et de l'ouvrage entier) fut écrit par Marguerite lors de sa saison à Cauterets, en septembre 1546. A cette époque, le roi est déjà très malade. Henri n'est devenu dauphin que l'année précédente, à la mort de son frère. Se sentait-il assez proche de sa tante pour s'associer à ses entreprises littéraires de longue haleine ? Nous savons qu'il y a du froid entre eux. La dauphine Catherine ? La lecture d'une seule de ses lettres en français suffit à nous démontrer son incapacité en la matière : orthographe laborieusement phonétique, style embarrassé d'une personne qui n'écrit pas dans sa propre langue. La jeune Marguerite ? Certes sa tante de Navarre l'a toujours aimée et choyée, la conseillait sans doute en ses lectures. Mais elle n'a pour lors que vingt-trois ans. Ce n'est guère, pour écrire un *Décaméron* français qui veut dire vrai sur la vie : que sait de la vie cette princesse couvée ?

Il apparaît donc que le roi est mis là pour servir de paratonnerre à l'œuvre, comme d'habitude. Le dauphin ? La reine lui donne les gants de s'intéresser aux ouvrages de l'esprit, et ainsi le flatte. La dauphine ? Révérence et amitié. La demoiselle Marguerite ? Signe d'encouragement à se mêler d'écrire. Le collectif annoncé n'est que parade, façade, faux-semblant. Marguerite écrira seule les nouvelles du futur *Décaméron.* Elle les mettra en ordre et continuité, leur donnant un cadre, des personnages, une unité de récit. Il est certain que la plupart d'entre elles, sauf leurs prologues respectifs, étaient déjà rédigées en ce fameux septembre 1546 où il se fit gros orage à Cauterets.

Venons-en maintenant à la règle d'écriture proposée. D'abord, contrairement à Boccace, on n'inventera aucune histoire. Ensuite, ce genre de littérature réaliste et prosaïque est trop particulier pour qu'on le confie aux littérateurs. Cela nous conduit à deux conséquences.

D'abord Marguerite de Navarre, qui sous le couvert d'un collectif va écrire – a déjà écrit – des nouvelles originales, doit changer – a changé – complètement de style. Non pas de façon superficielle, mais radicalement. Finis les élans du Rien vers le Tout, le passionné monologue « mystique ». Dans *Les Prisons* et la *Comédie de Mont-de-Marsan,* la reine démontrera l'étape finale de son chemin le long de l'évangélisme. Dans les cent nouvelles qui ne sont que soixante-douze, elle contera de façon drue et crue les aventures du Rien telles qu'elles sont vécues en son temps, en son milieu, selon la mentalité des gens de sa qualité, entre 1510 et 1549. Finie, dit-elle clairement en commençant, la révérence aux rhétoriqueurs, la vie seconde de la poète en transes. Il s'agit d'écrire au ras de la vie, comme Boccace le fit, sans déguiser les vices, taire les horreurs, masquer les défauts de laide jalousie, d'ambition basse, de vilaine avarice, de lubricité omniprésente qui sous-tendent à toute occasion les mauvaises actions humaines. Mais dire vrai, c'est brosser une étude ambitieuse, car non édulcorée, de la société du XVIe siècle. C'est, en cas de réussite, non seulement écrire un chef-d'œuvre original, mais éclairer une époque entière, quarante années importantes, à travers croyances et préjugés, d'un milieu particulier. Qui l'en eût crue capable ?

Seconde conséquence de ce projet déclaré, quand il sera mis en œuvre et, disons-le tout de suite, réussi : la reine de Navarre sera soit frustrée de la maternité de *L'Heptaméron,* soit considérée comme semblable, par ses vices cachés, à ceux qu'elle décrit rudement.

Ainsi, malgré la dédicace de l'ouvrage à Jeanne d'Albret, qui attribue à coup sûr l'œuvre à Marguerite, on commence dès la fin du siècle à la lui refuser. L'honnête reine, écrire de semblables « grivoiseries »? La Croix du Maine, le président de Thou refusent de le croire. Au XIXᵉ siècle, Charles Nodier à son tour couvre de son autorité d'archiviste les négateurs successifs, étalés jusqu'à 1840.

Nous devons attendre l'édition de *L'Heptaméron* par Leroux de Lincy en 1853[4], c'est-à-dire près de trois cents ans après la première et incorrecte publication par Boaistuau, pour que l'on rende à Marguerite de Navarre ce qui lui appartient.

Reste à résoudre un problème, qui touche au fond même de l'œuvre. Nous avons dit qu'elle fut tenue d'abord pour « grivoise », puis « importante, mais grivoise ». Y avait-il donc, comme le niera Lucien Febvre[5], deux Marguerites en une seule, un *Janus Bifrons* tournant un visage vers l'oraison épurée, l'autre vers les plus laides réalités de la vie ? L'une qui exaltait son Rien terrestre jusqu'au ravissement dans le Tout créateur, et répondait « *Hi, hi, ho, ho!* » aux discours de la sagesse ? L'autre qui regardait dans les lits s'activer la « bête à deux dos », et poursuivait de ses durs sarcasmes les moines cordeliers « bordeliers », pour citer deux fois Rabelais ?

Le travail de Pierre Jourda, et à sa lumière celui de ses successeurs ont dissipé l'équivoque. La Marguerite des *Prisons* et celle de *L'Heptaméron* n'en font qu'une, indivisible mais puissamment enrichie par son double langage. Febvre, qui n'était pas d'accord sur chaque détail avec Jourda, le démontre à l'évidence. Il y met une fougue inhabituelle chez lui, ce qui vaudra à sa mise

---

4. Il est vrai que Leroux de Lincy met à la suite de l'œuvre certains extraits des *Prisons,* qu'il attribue à Philander. Écrire d'une même plume *Les Prisons* et *L'Heptaméron* : impossible!

5. *Amour sacré, amour profane : autour de l'Heptaméron.* Étude fulgurante, indispensable, dont les conclusions sont aujourd'hui discutées en milieu universitaire.

au point (1944, rééditée 1971) d'être à son tour contestée en partie. Nous y reviendrons à la fin.

Pour le moment, contentons-nous, après avoir prononcé les vers parfois somptueux de Marguerite, accompagné ses combats, suivi ses souffrances et sa constante quête spirituelle sonore, de considérer l'énormité du pavé qu'elle jette dans notre mare. Nous croyions tout savoir d'elle, et n'en savions rien. Nous étions persuadés que *Les Prisons,* qui content en leur livre III la mort et l'élévation de ses aimés, constituaient en quelque sorte ses mémoires spirituels. Nous n'avions pas tort, mais devons maintenant nous persuader que *L'Heptaméron* représente un second volet des mémoires de la reine : ceux d'une femme saisie par son temps, les mœurs, les vices, les préjugés, les rapports homme-femme de son temps. Dès lors, que les nouvelles racontent des anecdotes véridiques, ou qu'elles aillent brochant sur le fonds gaillard médiéval, elles prennent cette dimension de témoignage devant l'Histoire qui distingue les œuvres vraiment singulières de la littérature.

Une autre attitude de facilité intervint, quand il fallut concilier la poète du sacré et la devisante du profané : « La duchesse devenue reine nous a caché ses mœurs intimes, absolument inavouables. Elle a couché avec son frère! », disent Michelet et Génin. « Avec Bonnivet, avec Bourbon, d'autres encore! », lit-on ailleurs entre les lignes. Les patients archéologues du XXᵉ siècle ont fait justice de ces calomnies. Marguerite ne fut ni une sainte ni une femme légère. Seulement une âme en quête dans un temps d'instabilité religieuse, une intelligence armée de bons yeux dans une époque et un milieu dont l'immense hypocrisie ne savait rien lui cacher. Cette naïve ne s'en laissait pas conter, sinon pour conter à son tour.

Réalisme des « devisants »

Dans les nouvelles de *L'Heptaméron,* le récit est formulé par dix devisants. Ils racontent les histoires, et les jugent ensuite au nom de leur morale de groupe, où se singularise pourtant leur personnalité bien marquée.

Les noms des devisants sont à l'évidence des pseudonymes. Pour les dames : *Oisille, Parlamente, Longarine, Ennasuite, Nomerfide.* Pour les hommes : *Hircan, Simontault, Saffredent, Géburon, Dagoucin.* Afin de les décrypter, les investigateurs sont allés bon train. Il semble que l'anagramme soit la clé d'*Hircan* (*Hanric* : ainsi prononçait-on *Henri* en Navarre). Il s'agirait d'Henri d'Albret. De même dans *Oisille* nous trouvons *Loise,* Louise de Savoie. En *Longarine,* la baillive de Caen, dont le mari fut seigneur de Longray. *Dagoucin* suggère Nicolas Dangu, évêque de Séez, puis de Mende. L'exercice est ailleurs plus difficile pour retirer le masque, et deviner le visage. Quant à *Parlamente,* son office de « secrétaire de rédaction » la désigne assez bien comme imitée de Marguerite elle-même. Ses propos le confirment tout au long de l'œuvre. N'est-elle pas au surplus l'épouse d'*Hircan* ?

Pourquoi ne chercher que par anagramme, alors que *Parlamente* ne s'y prête pas ? Pourquoi chercher, si l'on n'est que lecteur, non spécialiste ? Il est évident qu'*Hircan,* joyeux et brutal, emporté et jouisseur, montre des traits d'Henri d'Albret. Est-ce lui, n'est-ce pas lui ? Pourquoi le serait-ce ? La reine ne veut pas tracer le portrait exact de tel ou tel de ses parents ou familiers. Elle ne désire pas s'identifier à Parlamente. Elle ne souhaite pas nous présenter des personnages réels, mais des types, pour lesquels la voici choisissant des modèles. Quand nous voyons de grands conflits autour de l'identité de ces modèles-là, en quoi sommes-nous avancés dans la lecture de l'ouvrage ? Le décryptage est le travail utile de quelques-uns. S'il est un jour terminé sans conteste, nous nous en réjouirons en vue d'une lecture plus savante. Mais pour en rester au thème de l'arbre, qui nous a servi d'image conductrice dans l'œuvre poétique de Marguerite, est-il nécessaire à l'enchantement d'un promeneur de nommer les arbres d'une forêt pour y flâner avec délices ?

Si nous nous en tenons aux dates probables, la composition des nouvelles débute vers 1542, et se poursuit jusqu'à la mort de Marguerite. C'est donc une œuvre de la maturité. Nous sommes dès lors assurés que les leçons de ces histoires ne sont pas caprices passionnels, mais expérience testimoniale bien assise, contemporaine et différente de ses emportements spirituels.

Le *Décaméron* de Boccace sert d'exemple, comme il est dit. Le prologue de cette œuvre, écrite deux cents ans plus tôt (1349 à 1353), isole dix devisants dans une maison de campagne, non loin de Florence. Au-dehors, l'épidémie de peste de 1348 fait rage. Les devisants de Boccace racontent tour à tour des histoires tragiques, sentimentales ou scabreuses, complètement coupés du monde : sept hommes et trois femmes composent ce groupe [6].

L'Heptaméron, pour sa part, naît du fameux orage de Cauterets. Il en vint des pluies torrentielles, des inondations, des ponts emportés. Marguerite imagine en quelques pages ce qui pourrait suffire à composer tout un roman : les aventures des devisants pris dans le cataclysme. Les uns manquent se noyer en traversant les gaves devenus furieux, d'autres échappent à un ours, à des *bandouliers,* pillards de grand chemin. Chacun pense trouver sécurité dans l'abbaye de Notre-Dame de Sarrance. Les dix en effet y recevront le gîte et le couvert, mais resteront bloqués par les eaux. La construction du pont qui va les relier au monde avance de journée en journée. Elle eût bien pris dix jours, si la reine avait pu finir l'œuvre entière.

Je parlais de types à propos des devisants, plutôt que de personnages. Ce n'est pas qu'il s'agisse de stéréotypes à la manière des allégories. Plutôt de portraits dans lesquels on pousse des traits dominants : ainsi fera La Bruyère dans ses *Caractères.* Ménalque y garde sa personnalité, mais elle reste marquée par son défaut principal : la distraction. Ainsi, Hircan, paisible obsédé sexuel, sera-t-il l'archétype du « macho » fier de l'être et décidé à le rester. Avec une réserve : il représente la forme du « machisme » total chez un grand seigneur des années 1510-1550.

Les autres devisants, de la même manière, tout en figurant un type hymain défini par son âge et son caractère, le représenteront en son temps et certaine condition sociale donnée. Ainsi, plus encore que le *Décaméron* de Boccace ne nous renseignait sur les mœurs, croyances et fétiches du Trecento florentin, *L'Heptaméron* nous

---

6. Marguerite groupe cinq femmes et cinq hommes : balance égale, ce qui n'est pas sans signification. Cela, et l'établissement progressif dans le texte d'un féminin-singulier (ou d'un singulier-féminin) n'autorise pas à s'engager dans d'anachroniques élucubrations sur le « féminisme » de la reine, inconcevable en son temps.

met au cœur de la vie dans la haute société du XVIᵉ siècle, ses certitudes provisoires, les formes de son indulgence, l'originalité de ses tabous. C'est assez dire qu'outre pour vous et moi, lecteurs curieux, l'œuvre demeure de première importance pour les collectionneurs et collationneurs d'outillages mentaux.

L'originalité de *L'Heptaméron* par rapport au *Décaméron* apparaît déjà, malgré la composition, dans la présence de devisant que s'accorde Parlamente. C'est en cela, non dans l'exactitude des détails, que Marguerite s'identifie à ce personnage. Mais doit-on dire « s'identifie » au sens littéral ? L'attitude de l'auteur me paraît admirablement marquée par une image qui termine la nouvelle 54 de la sixième journée. Une femme est couchée dans son lit avec son mari. Près de chacun d'eux se trouve une servante les éclairant à la chandelle. Or la dame voit, en ombres chinoises sur le mur blanc, son mari embrasser la servante qui l'éclaire. Au lieu de s'en fâcher, elle rit. Thogas, le mari, s'en étonne. Large d'idées, la dame en éclate de rire. Son mari l'interroge sur cet éclat de gaieté. Elle répond : « Mon ami, je suis si sotte que je ris à mon ombre. »

« Je ris à mon ombre », telle est l'épigraphe que je proposerais *a posteriori* pour *L'Heptaméron*. En toutes ces histoires, nous verrons que la grande aventure spirituelle du *Rien* et du *Tout* n'est pas oubliée : Marguerite de Navarre cependant n'en fait plus son sujet. Cette touche-à-tout de l'érudition, qui ne connut Platon qu'à travers gloses chrétiennes et contresens volontaires ou non, la voici tout à coup, par la vertu d'une image, qui renouvelle la situation du mythe de la caverne sans avoir lu *La République* [7]. Sur le mur, elle regarde s'agiter des ombres humaines, sachant bien et disant qu'il s'agit d'apparences. Est-ce aller au fond du débat ? Non certes, mais en donner déjà à voir l'ombre, ce qui n'est pas si mal à travers un gros réalisme.

Hircan n'est pas Henri d'Albret, mais il porte, par anagramme, son nom exact. Parlamente, étant son épouse, aura des traits de Marguerite autocritiquée avec malice. Oisille, la sage ordonna-

---

7. Platon, *La République* (livre VII). Ce dialogue est d'ailleurs maladroitement cité dans le corps de l'œuvre (N. 8). Marguerite, pense-t-on, ne le connaissait que par ouï-dire, comme elle entendit des chants orphiques ou des « livres hermétiques » à travers Lefèvre d'Etaples, puis en Ficin.

trice des débuts de journée (messe, lecture, oraisons), ressemble à une Louise de Savoie idéalisée et déformée en son ombre. Les deux couples mariés, Ennasuite et Simontault, Nomerfide et Saffredent font un peu plus que de la figuration. Simontault aime en secret et en vain Parlamente, ce qui l'aigrit. Nomerfide, la plus jeune, est la plus portée vers la galanterie. Son époux Saffredent a des vues sur la sage et joyeuse veuve Longarine. Géburon? Un vieux sage rassis. Dagoucin? Un célibataire tourné vers l'amour ficinien.

Si l'histoire est calquée dans sa forme sur celle de Boccace, il y paraît bien d'autres influences de conteurs médiévaux. Bandello? Mais ses dures *Novele* sont de cinq ans postérieures à la mort de Marguerite. S'il y eut influence, ce fut d'elle à lui, par conversation ou lettres.

Le thème général de *L'Heptaméron* est officiellement l'amour en ses avatars :

1re journée :
    Les mauvais tours joués par les hommes aux femmes, et réciproquement.

2e journée :
    Aventures du bon vouloir de chacun.

3e journée :
    Des dames honnêtes en « amitié », et méchanceté des moines.

4e journée :
    Comment femmes et hommes préservent leur mariage.

5e journée :
    La vertu, la dépravation ou la naïveté des filles et des femmes.

6e journée :
    Tromperies entre hommes et femmes par avarice, vengeance, méchanceté.

7e journée :
    Ceux qui ont fait le contraire de leur volonté ou de leur devoir.

8ᵉ journée (incomplète) :
Les plus grandes et véritables folies (N. 71 et N. 72).

Tels sont du moins les menus annoncés par les prologues, et ainsi brièvement résumés.

Nous connaissons assez la manière habituelle de l'auteur pour ne pas nous étonner de voir les lignes choisies se briser, se disjoindre, rester fragiles. Cela nous surprend d'autant moins que le classement des nouvelles a dû intervenir après coup, lors de l'écriture des prologues. S'il faut chercher des constantes, c'est dans l'état d'esprit des devisants et dans les cibles sur lesquelles à tout moment ils jettent leurs flèches.

Par état d'esprit, n'entendons pas que tous pensent la même chose sur le sujet traité : l'amour. Considérons seulement que l'ensemble des devisants, appartenant à la classe des puissants du royaume, juge différemment selon sa vertu et ses faiblesses, mais toujours selon une mentalité de caste. Les devisants peuvent exalter toute vertu, mais cela reste fait dans l'optique de leur corps social.

Au reste, les protagonistes des nouvelles sont des princes, des rois, des gentilshommes, même un lord anglais (N. 57). S'il s'agit de gens du peuple, ce sont souvent des serviteurs de grands (N. 6, 28), un capitaine au long cours (N. 13). Le vague « quidam » Bornet (N. 8) est assez fortuné pour avoir une domesticité. Exceptions : le boucher (N. 34), le tapissier (N. 45), le valet d'apothicaire (N. 52), le sellier (N. 71). Exception majeure, la muletière martyre de son honneur (N. 2) : encore meurt-elle de la main de son valet. Quant aux dames, ce sont des personnes de noblesse qui fréquentent de hauts seigneurs. Par jeu, Marguerite apparaît çà et là sous son nom dans un second rôle. Ailleurs, ce seront des bourgeoises ayant pignon sur rue, rarement de simples femmes du peuple (N. 29).

Il s'agit donc bien d'un spicilège d'anecdotes recueillies par des « gens de qualité », qui portent témoignage de l'état d'esprit de leur classe sociale. Les enfants innocents de *L'Inquisiteur*, qui jouent dans la rue, ne paraîtront pas, encore que Dagoucin soit assez proche d'eux. Pas de bergères parmi ces nantis.

Faut-il une preuve ? Nous la trouvons dès le prologue de la

première journée. On y loue le Créateur qui, dans la noyade au milieu de gave, « se contentant des serviteurs, avait sauvé les maîtres et les maîtresses ». Le texte réitère cette naïve déclaration, louant Dieu derechef, car les serviteurs sont faciles à remplacer, non les gentilshommes. Malice, sous la plume de la reine, ou inconscience de princesse servie en tout ?

Évitons à ce propos le fâcheux anachronisme de la lutte des classes. Un homme, une femme en ce temps sont nés pour commander ou obéir, d'après le hasard de leur naissance. Ils demeurent à leur place sans questions, si ce n'est appels au Ciel pour leur salut. La morale imposée par les préceptes religieux reste la même pour tous dans l'inégalité sociale congénitale.

Cela écarte notablement le récit des sources que les chercheurs lui ont trouvées. Raconter des anecdotes vraies ? Une douzaine à peine sont clairement attestées par des faits historiques. Bon nombre se trouvent en fleur ou en graine, dans le fonds médiéval des fabliaux français ou germaniques, si ce n'est des contes italiens, et des *Cent Nouvelles nouvelles* qui les ont repris [8].

Les devisants constituent donc une compagnie de gens bien nés, qui vont disputer de l'amour pour meubler l'ennui d'un séjour forcé. Quelles sont les cibles sur lesquelles ils exerceront de concert leur malice ?

Nous avons tôt fait de comprendre qu'il s'agit de gens d'Église. Non les gros prébendiers, évêques ou abbés, cardinaux ou papes dont les mœurs enrageaient Luther. Les curés de campagne, mais surtout les moines mendiants cordeliers, autrement dit frères mineurs franciscains.

C'est là rallumer de vieilles colères contre les misérables qui se réclament sans vergogne du grand pauvre d'Assise. Toute une littérature du XIIIᵉ et du XIVᵉ siècle, reprenant des écrits antérieurs, assure les devisants contre ces prédateurs. Les cordeliers parcourent les provinces, pauvres certes, mais ne recherchant que deux proies : les femmes et la mangeaille. Hommes de Dieu ? Du diable, plutôt ! Et que dire du desservant de campagne ? Il ne

---

8. *Les Cent Nouvelles nouvelles* furent longtemps, bizarrement, attribuées à Louis XI. Elles virent en fait le jour auprès de Philippe le Bon, duc de Bourgogne. Antoine de la Sale est donné, avec réserves, pour leur rassembleur (1462). Fabliaux et contes du fonds médiéval en constituent le meilleur.

travaille pas aux champs, ce fainéant. Il a tout le temps de festoyer avec les villageoises (N. 29) quand ce n'est d'engrosser sa sœur (N. 33).

Les cordeliers et le bas clergé, dans *L'Heptaméron*, représentant la basse luxure (N. 5, 23, 29, 31, 33, 35, 41, 46, 48, 56, 72). Ailleurs, ils s'y couvrent de ridicule à la suite d'une équivoque (N. 34), ils sont châtiés par le fouet (N. 41), démembrés par punition (N. 48), brûlés vifs avec leur couvent transformé en lupanar (N. 31). Les récompense-t-on? C'est pour avoir dit qu'ils iront prospérant tant que les femmes seront folles (N. 44).

Tradition populaire, soit. Bonne et solide aversion de la reine contre les moines à la fois superstitieux et luxurieux. Toute sa vie durant, dès son premier mariage, tournée vers Dieu par sa première belle-mère, Marguerite d'Alençon [9], Marguerite s'est vouée à mettre de l'ordre dans les couvents de sa mouvance. Disons plutôt : « à les remettre dans l'esprit de leur ordre ». Cela, et son horreur de l'habit qui fait le moine, l'a amenée à utiliser dans *L'Heptaméron* les malheureux cordeliers comme repoussoir.

Jusqu'ici, rien ne distingue vraiment les *Sept Journées* de la reine de Navarre de ses modèles italiens ou « gaulois ». Y paraîtra l'horrible conception de l'amour selon le seigneur médiéval : toute femme est une proie à prendre, dût-on la violer, et tuer qui vous en empêche. Le bon Hircan, qui par ailleurs se vante de n'embrasser que sa femme, sonnera cette cloche-là, soutenu par les ricanements de Simontault.

Grivoiserie, certes. Scatologie même (N. 11, 52). Où est la poète de l'amour platonico-ficinien? Où est la ravie du Mont-de-Marsan?

Au cœur même du texte. Tandis que nous lisons les prologues et les discussions qui suivent les plus révoltantes nouvelles, l'amie de Vittoria Colonna paraît. L'amour, l'Amour rejettent les affreux exemples proposés, ou leur cocasserie scandaleuse. A travers les

---

9. Nous avons évoqué cette belle figure. L'Église en fit une bienheureuse. La crise mystique que subit sa bru, et que perpétua Briçonnet en elle, lui doit sans doute beaucoup.

historiettes salaces que se racontent paisiblement ces grands personnages nous arrivons non seulement à le deviner, mais à retrouver de plus en plus présente la Marguerite de *La Coche*.

L'amour profane, du corps à l'ange

Pour citer l'un des érudits sérieux qui refusèrent *L'Heptaméron* à Marguerite de Navarre, je choisirai l'un des derniers, et non le moindre : Charles Nodier. Considérons cet homme raffiné, à une époque où les excès du romantisme, pour être passés, n'ont pas moins donné de la Femme l'une de ses images les plus contre-faites : une sorte d'objet de vitrine, prêtresse et martyre de l'amour. Comment Nodier, tout ignorant des dernières poésies de Marguerite – les meilleures –, eût-il pensé que la sœur d'un grand roi, la poète aux grands accents religieux, pût être l'auteur d'un recueil de contes salaces ? Il avait des excuses, refusant de le croire.

Car ne nous laissons pas berner par ce que nous trouverons au fond, regardons d'abord la forme, ce qui apparaît à première lecture. La délicatesse des formulations parvient à éviter les propos lestes dans les situations les plus scabreuses. Marguerite, contrairement à ce que l'on a écrit, n'appelle jamais un chaz un chaz, et voile le sexe de ses effrontées. Les plus viles aventures du désir paraissent pourtant. Les mots crus ne sont pas mis au feu des à-peu-près. Un homme trompé par sa femme s'appelle un cocu, et l'on moque ses cornes. Bien pis, elle appelle étron un étron (N. 52) et montre les désagréments d'une dame qui a posé ses fesses sur un siège de cabinets tout embrené. En 1830, aucune héroïne de roman ne serait montrée « au lieu où l'on ne peut envoyer sa chambrière » (N. 11). La poète du *Miroir* – à peine nommait-elle son corps –, écrire ces saletés ? Nodier le nie !

Viols, attentats à la pudeur, femmes forcées et engrossées, permanence des jeux du lit, voilà ce qui s'étale dans le fonds populaire des contes, entre le Trecento et le XV⁰ siècle, en Italie, en France. Une très ancienne tradition gaillarde les suscite.

Faut-il remonter à l'*Ane d'or* d'Apulée [10] pour voir mêler à des enseignements religieux des histoires plus qu'osées? Pas de zoophilie dans *L'Heptaméron,* mais les plaisirs de la chair y tiennent beaucoup de place. Un œil superficiel ne les distingue pas de rudes fabliaux, des contes du Pogge, des hypocrites salacités de l'Arétin, ce faux jeton!

Nodier ni ses devanciers offusqués n'avaient accompli les deux autres lectures qui sont nécessaires pour aller au fond du dessein de *L'Heptaméron.* La première concerne une théorie sous-jacente de l'amour profane, la seconde revient à la préoccupation centrale de la reine, l'amour sacré [11]. Voyons d'abord l'Amour sous l'étalage de luxure.

Il nous faut pour cela bien chercher dans le corps des récits, où trop souvent triomphe la bassesse sur la pureté : il y a de belles et douces figures d'amantes. Non pas toujours esquissées, mais décrites avec art et recherche, telle Floride en ses démêlés avec Amadour, ce lubrique qui cachait son jeu [12], telle Poline en son indéracinable passion, qu'elle guérira au couvent [13].

Dans le commentaire qui suit cette 19e nouvelle (2e journée) les commentaires des devisants nous éclairent sur l'opinion de Parlamente, qui n'est pas Marguerite, mais son reflet littéraire : « J'appelle parfaits amants, dit-elle, ceux qui cherchent en ce qu'ils aiment quelque perfection, soit beauté, bonté ou bonne grâce, toujours tendant à la vertu, et qui ont le cœur si haut et si honnête qu'ils veulent, [sous peine de] mourir, mettre fin aux choses basses que l'honneur et la conscience réprouvent. »

La meilleure dame sera-t-elle celle qui repousse l'amour ainsi exalté? Non, à moins qu'elle ne soit religieuse (N. 22). Parlamente déclare nettement, dans le commentaire par les devisants de la 35e nouvelle : « Mesdames, je vous prie (de) croire qu'il n'est rien de plus sot ni plus aisé à tromper qu'une femme qui n'a jamais aimé. »

---

10. Ou *Métamorphoses,* imitées elles-mêmes de Lucien de Samosate dont l'*Histoire vraie,* roman satirique, éveilla probablement l'intérêt de Rabelais, tandis que son âne inspirait Apulée (IIᵉ s.) Lucien lui-même procéderait d'un mythique Lucius de Patras.
11. Cf. Lucien Febvre, *Amour sacré, amour profane.*
12. N. 10.
13. N. 19.

Nous pensons alors que l'exemple donné aux dames, par voie de conséquence, sera le mariage. Or, si à plusieurs reprises le mariage est donné pour remède exemplaire à la lubricité, comme fin normale des relations homme-femme, nous constatons avec surprise qu'il demeure aux yeux de l'auteur un simple mal nécessaire. Les commentaires des nouvelles nous en persuadent à maintes reprises.

D'abord le mariage est fragile, et les époux bien tentés. La meilleure solution reste de s'en accommoder, et de rire à son ombre (N. 54). Ou bien de se contenter du conjoint (N. 53). Mais enfin, le mariage demeure un lien imbrisable, utile pour créer enfants et famille, source d'ennuis qu'il faut subir, heureux de contreparties domestiques. Le mariage, dit Ennasuite, ôte aux hommes le soin de leur maison. Maris jaloux et cocus, femmes volages et trompées, voilà bonne matière pour les contes, peu de recours pour les commentaires laudatifs des devisants quand ils dînent « autant de viandes que de paroles ».

Où est donc le véritable amour ? Dans cette amitié amoureuse, cet élan du cœur, partagé ou non, qui refuse en tout cas l'acte de chair. Voici retrouvés les œuvres de Vittoria Colonna, les sonnets de Michel-Ange, l'amour soi-disant platonique qui fait suite à l'amour courtois. La vraie amante, c'est l'*Amie*. Aucun personnage n'illustre mieux ce propos, où nous retrouvons tout à fait la reine des œuvres poétiques, que la pure Françoise de la 42e nouvelle. Le prince qui l'aime, c'est le jeune François Ier : jeune car il sait à peine mener ses grands chevaux [14]. Françoise aime François, mais se refuse à lui. Le prince, qui a peur de sa mère Louise – les identités sont à peine voilées –, n'ose employer la force. Or, elle lui a même refusé un baiser quand par ruse il pénètre chez elle : « J'ai mon honneur si cher, dit-elle, que j'aimerais mieux mourir que le voir diminué. » Elle l'aime pourtant, et le fait entendre. Touché, le prince royal la tiendra toute sa vie en bonne estime. Il poussera sa bonté jusqu'à la marier. Le mariage n'est pas l'amour, mais un établissement social !

L'amour pur, non charnel, est donc mis au-dessus de l'union

---

14. *Destriers,* chevaux de guerre, plus forts et robustes que *palefrois* ou *haquenées.*

sacramentelle du mariage. Il conduit à Dieu (N. 19 et 70 en leurs épilogues). Il conduit aussi, et c'est là une théorie toute nouvelle, à des questions sur l'égalité des droits de l'homme et de la femme, du moins dans les relations amoureuses entre gens de bonne société. Cela est clairement exprimé à plusieurs reprises. Cela combat assez nettement pour qu'on le remarque la bestialité affichée du seigneur sûr de ses droits de maître sur le corps de ses sujettes.

Pour affirmer cette égalité, voici apparaître, dans le commentaire de la 8e nouvelle, le ferme propos du tendre Dagoucin. Il reprend la théorie de l'*Androgyne* d'Héroët, imitée du *Banquet* de Platon : chaque corps primitivement créé de façon androgyne a été coupé en deux, et les deux moitiés se cherchent à travers le monde pour reconstituer un seul corps par l'amour. Réaliste, Dagoucin admet qu'il est presque impossible de trouver la moitié de soi, entre tant de créatures, « cette moitié dont l'union est si égale que l'on ne diffère de l'autre ». Il faut donc chercher le meilleur possible, et s'arrêter où l'amour vous contraint, y demeurer ferme. Il propose même, dans son amour de l'Amour, une critique qui dépasse l'Androgyne : si l'on retrouve une moitié de soi identique à tout ce que l'on est, c'est soi que l'on aime à travers elle : or l'amour est dépassement.

Voici transcendées les galanteries d'alcôve, les moines paillards rejetés au rebut, et traités comme vils, par leurs commentaires, les contes les plus grivois. Il n'y a plus, à seconde lecture, cherchant l'opinion profonde de l'auteur sur l'amour entre créatures, d'hiatus entre la Marguerite de *La Coche* et celle de *L'Heptaméron*. Mais la cohésion ne s'arrête pas là. Une troisième lecture, étudiant chez les devisants les rapports entre l'homme et la femme en leurs vilenies d'une part, Dieu et la façon de l'honorer d'autre part, nous montrera que Marguerite ne renie rien de sa spiritualité. En la plus immorale des nouvelles, par prologues et conclusions, Dieu est là. *L'Heptaméron*, quoi qu'il en semble au premier abord, n'est pas une disparate dans l'œuvre de la reine : seulement un changement de registre inattendu, qui crée une immense surprise littéraire.

Ainsi, la hiérarchie pseudo-platonicienne de l'amour selon Marsile Ficin sera lisible dans les commentaires qui suivent les nouvelles. Ficin écrivait : « *Ergo a corpore in animam, ab hac in angelum, ab hoc in Deo ascendimus* [15] » « Nous nous élevons du corps à l'âme, de l'âme à l'ange, de l'ange à Dieu. »

Avant d'aller vers les sommets où conduit cette ascension, notons deux singularités apportées au « récit d'amour » par Marguerite de Navarre.

Suit-elle le bestial ? Il peut causer non seulement des péchés que l'on moque, mais des tragédies au plus haut niveau. Il en vient la nouvelle 12, qui conte l'assassinat d'Alexandre de Médicis, duc de Florence, par Lorenzaccio : le duc voulait par force la jeune sœur de son cousin, qui le tua [16]. Dans le récit, aucune notation politique, et pas de pittoresque : Marguerite n'y entend pas plus en prose qu'en vers. Mais nous sommes loin, dans cette narration soignée, bien conduite, efficace, de la « farce du meunier », du grand malheur comique des cocus, des moines ribauds.

Second point. La reine s'élève-t-elle à l'amour supérieur des « amies » ? Elle va pour cela continuer à utiliser la terminologie allégorique des rhétoriqueurs, le « chemin d'amour » déjà tracé par les troubadours. Ces constantes, ces signaux d'orientation, cet « amour-mode-d'emploi » montre ici sa trame usée. Marguerite en passe les bornes, en affine l'usage, en nuance la fin dernière. L'*amie* n'est pas la dame en sa tour montée. C'est un renouvellement dans l'esprit des termes.

Ainsi, par contes drus précédés et suivis de propos qui en tirent leçons ou refus, la dimension « profane » de *L'Heptaméron* prend corps. Marguerite a mis la barre à : « Tous publics ». Le lecteur réfléchi, pourtant, trouve déjà la braise sous la cendre, le diamant sous la boue des trivialités.

Amour sacré à demi-mot

La troisième lecture de *L'Heptaméron*, qui n'est pas la moins passionnante, consiste à chercher le Ciel dans ce grouillement de

15. Marsile Ficin, *Commentaire sur Le Banquet de Platon*, VI, 16.
16. Lorenzino de Médicis conta-t-il lui-même l'histoire à Marguerite ou à ses amis ? Il ne fut assassiné à Venise qu'en 1548.

concupiscences. Nous y avons déjà vu l'amour de l'Amour, et trouvé en Dagoucin un de ces amants parfaits qui vont plus loin que la Parfaite Amye. Cela nous encourage à scruter les prologues et les commentaires qui encadrent le récit des nouvelles. Là, désormais sans véritable surprise, nous découvrirons qu'il n'y a pas double langage, mais *disputatio* après l'*exemplum*, débat après un exemple, comme il était d'usage dans l'université scolastique.

Il est vrai que les nouvelles tiennent trop de place pour être prises pour simples faits à discuter. Ce sont des œuvres finies, psychologiquement fouillées, supérieures aux sommaires « mises en situation » des contes populaires. Ainsi les fables de La Fontaine devant les sèches moralités d'Ésope.

Où l'*exemplum* devient œuvre littéraire, la *disputatio* perd ses complexités. Sur l'amour et l'Amour, les avis divergent entre les devisants, du plus terre à terre (Hircan) au plus épuré (Dagoucin). Au contraire, quand il va s'agir de Dieu et de la façon dont il faut le servir, peu ou pas de discussions, mais un chœur à plusieurs voix.

« Laissons ces disputes aux théologiens! », dit Géburon (N. 25) quand Hircan regrette que Dieu n'aime pas les plaisirs humains. « Vous ne ferez pas un Dieu nouveau », ajoute le vieux sage. Ailleurs (N. 34), Simontault se met à dire en riant : « En partant d'une très grande folie, nous sommes tombés en la philosophie et théologie. Laissons ces disputes à ceux qui savent mieux [penser] [17] que nous. »

Par ces deux citations sans équivoque, nous voyons bien que le sexe dont disputeront les devisants ne sera jamais celui des anges. Allons plus loin. Lorsque dans le premier prologue la reine déclare que personne parmi les rédacteurs ne comptera parmi ceux qui ont étudié, je crois qu'il faut entendre non les gens de lettres, refusés aussi, mais les docteurs et les érudits. Du point de vue spirituel, les devisants sont ces ignorants de haute science que l'Évangile préfère aux bien instruits [18].

Dieu sera donc là sans intermédiaires autorisés, si on l'in-

---

17. Le texte dit *rêver*, mais au sens de « penser, songer » que ce verbe prenait alors. Il ne s'agit pas de traiter les discussions théologiques de « rêverie », mais de les exclure du débat. *Tomber* n'est pas forcément péjoratif. Ce n'est pas *choir*.
18. Cf. Luc et Marc, cités plus haut.

voque. Or il est invoqué dès le départ. Les demi-noyés, les victimes de l'ours ou des *bandouliers* se précipitent où ? Dans une abbaye, refuge idéal des chrétiens. Il est vrai que l'abbé reçoit tout de suite un coup de griffe : ces riches visiteurs vont faire bâtir un pont qui enrichira sa communauté.

Une abbaye, soit. Mais n'est-ce pas grand péché d'y tuer le temps en racontant des histoires crues et souvent laides ? Non pas, car le groupe des devisants reste à part, ne se mêle à la vie monastique que pour entendre la messe, les vêpres, et prendre ses repas. En dehors de cela, les dix voyageurs restent soumis aux ordres d'Oisille, sorte d'abbesse laïque qui ouvre et lève les séances, prononce les paroles les plus sages, dirige les devisants : ainsi, nous disent les textes, Marguerite de Navarre retirée au couvent de Tusson joua en certaines occasions ce rôle d'abbesse supplétive.

Il reste qu'il s'agit d'une abbaye, et que, même accordant aux nouvelles le palliatif de leurs commentaires, on discute d'amour humain chez les devisants, non de piété, hors des messes et lectures. S'agit-il donc de l'abbaye de Thélème ? Certes non, car « Fais ce que voudras » n'est pas écrit sur le linteau de la grand-porte. Les moines de Sarrance observent la règle, les devisants parlent entre eux, non sans respecter les pratiques officielles de la foi et y trouver satisfaction.

Le *distinguo* est annoncé dès le départ par Oisille en personne (prologue de la 1ʳᵉ journée). Les devisants optent de s'adonner au « plaisant exercice de la conversation », mais Oisille, avant de les approuver, déclare que son seul passe-temps a été la lecture des saints livres : tel est le soutien, la recette de sa verte vieillesse. Voilà qui lui donne la joie : les Évangiles, mais aussi la déclamation et le chant des « beaux psaumes et cantiques que le Saint-Esprit a composés au cœur de David et des autres auteurs ».

La couleur de la religion des devisants est annoncée par cette déclaration venue tout droit de Lefèvre et de Briçonnet, style compris [19]. Les psaumes sont-ils chantés dans la traduction de

19. La première à ma connaissance, Simone de Reyff dans l'édition de 1982, fait très justement remarquer (Prologue, note 1) que les professions de foi évangélique émaillant *L'Heptaméron* tranchent sur le style de l'œuvre par leur formulation un peu compassée, à la façon du Briçonnet de la *Correspondance*.

Marot? En tout cas, le livre, dès le début, est placé sous le signe de l'évangélisme, aussi souillée qu'en vogue la galère.

Une notation déjà nous avait, au départ, fait dresser l'oreille. Sauvés du cataclysme et des brigands, les devisants arrivent dans l'abbaye, assistent à la messe et vont « tous recevoir le Saint-Sacrement d'union, auquel tous les chrétiens sont unis en un ». Est-ce prononcer, comme Rome le veut, la présence réelle du Christ dans la consécration, ou limiter cette dernière à une union en un de tous les fidèles, parfaitement hérétique?

Toute source de bien est en Dieu (N. 21), et c'est Dieu qui donne à la muletière la force des martyrs (N. 2). Pourtant, sous peine d'aller un peu de travers, il faudra chercher les divines leçons dans les commentaires, la plupart du temps. Le sujet des nouvelles ne prête guère à la piété, sauf quand il s'agit de contes où par Dieu même triomphe la vertu : ainsi une religieuse, sœur d'Antoine Héroët, sauve son honneur des avances d'un prieur (N. 22).

La Foi, le Saint-Esprit purificateur, voici les remèdes qui paraissent après le complaisant étalage des maux. Nous ne pouvons rien, privés de la grâce, « rien n'est bon en nous sans elle » (N. 23). « Il n'est rien (de) si bestial que la personne destituée de l'esprit de Dieu » (N. 49). « Louez les grâces de Notre Seigneur Jésus-Christ, car toute vertu vient de lui » (N. 68); de Lui, « celui qui est le vrai parfait et digne d'être nommé Amour » (N. 19). Tout cela, pour Noël Bédier, eût répandu une odeur sulfureuse. Le salut par la grâce, Dieu en nous sans intermédiaire? Hérésies patentées! Et que dire de cette image : « L'homme plante, et Dieu fait pousser l'arbre »? Faut-il y voir une dispute sur le libre arbitre? Mais non, puisque les théologiens sont exclus des débats!

L'évangélisme, le souvenir de Luther, l'individualisme des libertins spirituels ont été pourchassés trait à trait par les fouilleurs de *L'Heptaméron* [20]. Reste à évoquer un thème omniprésent dans l'œuvre : la fourberie des mauvais prêcheurs, le scandale des mauvais bergers.

20. Il est à souhaiter qu'une édition critique complète de cette œuvre soit menée à bien : c'est une lacune qui n'est pas encore comblée dans la muraille d'érudition des seiziémistes.

A fleur de texte, la fustigation permanente des malheureux cordeliers semble déjà suffisante. A l'intérieur, les personnes des saints, Paul surtout et sa doctrine revue à Wittenberg, sont évoquées dans les commentaires contre l'usage que l'on en fait. « Il faut ne pas douter de la parole de Dieu, mais bien de celle des hommes » (N. 57). La condamnation du *cuyder* n'est pas absente : « Qui se cuide sage est fou devant Dieu » (N. 38). Mais voici paraître ceux qui avilissent les sacrements (N. 41) et blasphèment contre la parole : un « docteur en théologie, nommé Colimant [21] voulut persuader ses frères que l'Évangile n'était [pas] plus croyable que les *Commentaires de César* » (N. 44). Tels sont les mauvais bergers qui pour d'autres allument les bûchers.

Le ton monte encore dans le commentaire de la nouvelle 55. La pompe de l'Église romaine y est condamnée avec une force tout à fait digne des zwinglistes : « Je m'en suis maintes fois ébahie, dit Oisille, comment ils cuident apaiser Dieu par les choses que lui-même, étant sur terre, a réprouvées, comme grands bâtiments, dorures, fards et peintures... Saint Paul dit que nous sommes le temple de Dieu, où il veut habiter. » Et plus loin, *(ibid.)* cette attaque contre le mérite des œuvres : « Pourquoi, dit Géburon, ces Cordeliers et Mendiants nous chantent, à la mort, de faire beaucoup de biens à leurs monastères, nous assurant qu'ils nous mettront en paradis, que nous le voulions ou non ? » Cette tirade répondait par la réalité des faits à la profession très claire qu'Oisille venait de prononcer plus haut : « Dieu jugera non seulement selon les œuvres, mais la foi et charité qu'ils ont eue à lui [22]. »

La troisième lecture de *L'Heptaméron,* la plus profonde, nous montre bien à l'évidence que l'amour de Dieu non seulement y paraît, mais domine de toute sa hauteur la recherche des sommets de l'amour profane, qui dominent eux-mêmes la lettre des nouvelles.

---

21. Pourquoi ne pas envisager la plus graveleuse des étymologies (*Heptaméron* oblige) qui ferait sortir ce nom de *colis (caulis)* et *mentula,* désignant tout deux le pénis ?

22. Ce commentaire de la nouvelle 55 est si fortement teinté d'évangélisme, si peu déguisé dans son emportement « mal-sentant » que Claude Gruget, ancien secrétaire de la reine, le supprima dans la seconde édition en date de *L'Heptaméron* (1559).

Pourquoi les premiers lecteurs, presque jusqu'à nos jours, ne s'en sont-ils pas avisés? D'abord, parce que l'édition tronquée de 1559 fit loi jusqu'à celle de Leroux de Lincy, près de trois cents ans plus tard. Il y a plus. Dans le texte même qui demeurait, la morale bien souvent ne semble pas accordée aux grands principes de l'évangélisme, même si on les distingue sous la verdeur des contes.

L'exemple le plus évident de cette ambiguïté est celui qui a frappé Montaigne, qui trouvait par ailleurs *L'Heptaméron* « petit livre plaisant ». Il s'amuse [23] de la nouvelle 25, celle qui nous montre le jeune François Ier, à peine travesti, se rendre en ville pour faire l'amour à la femme de l'avocat Jacques Disome. Pour la rencontrer à l'insu de son mari, le jeune roi traverse l'église d'un monastère, et ne manque pas d'y faire scrupuleusement ses dévotions, avant et après l'adultère.

Montaigne rit donc de cette « hypocrisie », ne sachant pas que le mot n'est pas approprié à la double conduite de François. Febvre expose très clairement [24] la dualité des comportements « bestialité-dévotion » : à cette époque, la foi et ses manifestations allaient de soi, de la naissance à la mort, sans que l'on ne pût faire autre chose que changer les pratiques, de « bien-pensant » à « mal-sentant ». Quant au péché, il allait son train, les créatures étant pécheresses. Ce n'est donc pas seulement par le fait du prince, supérieur à tous, que François se croit autorisé à prier avant et après un adultère délibéré. Il le fait parce que ces deux actes, pécher et honorer Dieu en ses églises, sont parfaitement distincts et conciliables en son esprit.

Le fait que Montaigne s'en amuse déjà nous montre, outre sa perspicacité singulière, un fait trop peu souligné : l'époque tourne. En une génération, la mentalité a changé. Le durcissement des protestants, contré par une redéfinition pure et dure des catholiques, fait naître de part et d'autre des impératifs formels. Plus de place pour les positions tolérantes par rapport aux Commandements. Alors interviennent les pêcheurs des deux camps, qui cherchent toute voie de compromis paisibles.

---

23. *Essais*, Des prières, I, 56.
24. *Amour sacré, amour profane : autour de l'*Heptaméron.

Laissons de côté Lefèvre d'Étaples, qui ne fut jamais un moraliste. Mais entre Erasme, mort en 1536, et Montaigne, né en 1533, je crois qu'il y a place pour une étude passionnante, non des dogmes, mais des « appartenants » : la naissance et le développement du syndrome d'hypocrisie dans les diverses obédiences chrétiennes. Il aura une belle existence, et s'épanouira jusqu'à nos jours en symptômes divers.

Place de L'Heptaméron

Nous sommes, quoi qu'il en soit, assurés désormais de plusieurs faits cachés à nos grands-parents : Marguerite de Navarre a bien écrit elle-même L'Heptaméron. Dans ce texte licencieux, par les prologues et discussions qui amènent ou suivent les nouvelles, nous trouvons la reine en ses deux états simultanés. Littéraire, tel qu'il culmine en 1541 dans La Coche. Spirituel, tel qu'il s'épanouit dans Les Prisons ou la Comédie de Mont-de-Marsan. Je n'ai parlé que brièvement des sources de L'Heptaméron, mentionnant comme tout le monde le fonds populaire ancien de la France, de l'Italie, même de l'Europe du Nord – le fonds Brueghel, si l'on peut dire.

Il est un autre fort soutien que Marguerite de Navarre pouvait utiliser, quand elle décida de mettre en forme et en tout cohérent un ramas d'anecdotes authentiques et de polissonneries exemplaires. Quel est donc cet auteur de son temps qui, avec un génie supérieur au sien, réussit cette gageure : mêler le rire le plus gras et l'observation la plus fine, la « grande bouffe » et les plus « modernes » incitations morales, la scatologie et l'eschatologie ? Qui, sa vie durant, dut chercher des masques et des points de fuite pour se garder des ultras, et y parvint deux fois grâce à Marguerite elle-même ! Qui, sinon l'immense Rabelais en personne ? Il est acquis que Rabelais influence Montaigne, Molière, toutes les grandes voix sauvages jusqu'à Céline. Pourquoi ne pas envisager son influence sur la Marguerite de L'Heptaméron ? En 1534, Pantagruel est dans la même charrette que Le Miroir. La reine ignora-t-elle ce maître texte ? Onze ans plus tard, c'est sur son intervention que le Tiers Livre obtient le privilège qui lui permet d'être imprimé. Rabelais le dédie à la reine, et le lui envoie avec des vers, en 1546 : l'année même où, à Cauterets, elle rédige le prologue des nouvelles, et sans doute nombre de commentaires des Journées.

Personne ne proteste quand on évoque Balthazar Castiglione en parlant de l'œuvre : son influence est lisible dans les portraits. Or Castiglione n'est mort qu'en 1529 : c'est un contemporain de Marguerite, lui aussi. Que Bandello imite la reine dans ses *Novele,* il l'avoue plus qu'à demi [25]. Pourquoi dès lors éliminer Rabelais? Marguerite prétend-elle à une originalité absolue? Certes non, quand elle pille sans se cacher le *Livre du Chevalier* de La Tour-Landry et la « châtelaine de Vergi », quand elle rend expressément hommage à *La Belle Dame sans merci.* Personne en revanche ne songe que Marguerite, lectrice de Rabelais, se divertissant et s'instruisant aux gaudrioles et aux prophéties d'un texte capital dans l'histoire de nos lettres, ait pu se dire : « Pourquoi ne pas essayer ce masque-là? »

Ce qu'il y a de certain, c'est qu'aucun emprunt n'est fait directement, aucune similitude visibles, aucun plagiat déclaré. Mais l'œuvre entier de Rabelais ressortit au côté « folie » du XVIᵉ siècle, qu'il est impossible ou malhonnête d'ignorer. Il monte à de grandes nouveautés de pensée, de langue, de style par le pari de l'extravagance, sans oublier la sordidité. Sa réussite est telle que le pudique Chateaubriand le mettra au pinacle. Et si Marguerite y avait pris le courage d'écrire le pis de son *Rien,* tandis qu'elle dépasse la Sage et s'émerveille dans le *Tout?*

Je sais que ces lignes seront brûlées dans la moderne cité fermée des « seiziémistes », où vous ni moi n'avons accès. Je les écris comme un point d'interrogation qui vaut la peine d'être ajouté à ceux qui fragilisent les certitudes des scrutateurs de *L'Heptaméron.*

Cela dit, oublions ce qui ne serait pas une source directe, mais une sorte d'aval. Notons pour finir que, malgré son atmosphère et son cadre pris à Boccace, ses emprunts volontaires ou incons-

---

25. Il y eut, je le répète après Jourda et d'autres, interpénétration de thèmes entre Bandello et Marguerite de Navarre. Le ton et le son des *Novele* diffère pourtant tout à fait de *L'Heptaméron.*

cients, *L'Heptaméron* reste une œuvre littéraire cohérente, élégante, singulière. Le passage du trivial au registre de l'amour pur, de l'humain au divin y est soutenu par une belle unité de style. La reine n'est pas, en prose, un auteur négligeable, cela se sait déjà, tandis qu'on lui refuse encore le titre de poète d'importance.

Les défauts? Toujours sa propension à s'écarter d'un sujet pour y revenir après arabesques de digression. Son incapacité à décrire ce qu'elle voit, la terre et les saisons, ou dans une compagnie ce que les gens de cinéma appellent « ambiance », le son de la vie au-delà des mots exprimés.

Tel, en ses trois lectures qui pour finir n'en font qu'une, l'ouvrage à laquelle la reine travaillait encore au moment de sa mort, l'ouvrage qu'elle classait peut-être elle-même parmi ses *minora* fait plus pour sa permanence littéraire, jusqu'à ce jour, que ses textes les plus et les mieux inspirés. Nous avons bu à l'école le lait empoisonné de la critique littéraire bien oubliée, toujours vaguement révérée, qui fit les lois de l'admiration jusqu'à 1930. Osons-nous dire que *Le Banquet* de Platon a des accents de farce, lorsqu'on y voit paraître un Alcibiade pris de vin? Osons-nous écrire sans crainte vague que *Le Misanthrope* est une tragédie?

De même que l'Histoire a pris un grand virage pour subordonner les faits à leur contexte, de même l'histoire de la littérature doit être récrite de A jusqu'à Z, brisés ses vieux tiroirs, bouleversés ses préjugés, reconsidérés ses *minores* et ses *majores* par rapport aux états successifs des langues et des civilisations. C'est en cela que le château fort des « seiziémistes », que je brocardais tout à l'heure, mérite d'être admiré, solitaire en notre temps où la Culture n'est qu'un vieux drapeau sur des ruines vaguement vénérées.

Épilogue

Seigneur, le cerf est de vous près
Mais vous êtes mauvais chasseur.

Chansons spirituelles.

Quand meurt Marguerite de Navarre, dès que le dernier « tombeau », le dernier panégyrique est prononcé, la voici qui entre désarmée dans l'histoire des lettres françaises. Une injustice et un contresens, aggravés par les horreurs successives de la mode, vont présider à l'érection de sa statue : disons de sa statuette, tant il est vrai que, jusqu'à ces dernières décennies, on tenait sa personne pour presque rien et son œuvre pour pas grand-chose.

Soudain, l'Histoire qu'ont écrite les événements paraît bien triviale à ceux que passionnent les aventures de l'homme. A l'étude de l'état des faits succède celle, infiniment plus riche, de l'état des lieux. A « Marignan-1515 » se substitue, évoquant la naissance, la vie et la mort des cultures, l'histoire des mentalités. Sitôt que le XVIe siècle ne se résume plus à ces deux mots qui l'ont englué – renaissance, transition – le quadrillage du terrain rend plus importante Marguerite de Navarre.

Trois aspects : intérieur, affiché et « mondain » se trouvent du coup éclairés par des études biographiques et critiques, ses œuvres fouillées par de savantes mains. Le public n'en gardera pas moins, jusqu'à nos jours, une image faussée par l'injustice et le contresens que je mentionnais plus haut.

L'injustice, nous en avons déjà parlé en approchant les textes majeurs de sa poésie. Rebutants par leur sujet – l'illumination intérieure d'une âme chrétienne – ils pavanaient des défauts difficiles à supporter – logorrhée, éparpillement des thèmes – et montraient, surtout avant 1540, plus d'exaltation que de perfection. L'admiration que j'essaie de faire partager pour cette flamme, étrange en notre temps, doit aller d'abord aux accents lyriques singuliers, aux emportements communicatifs. La présence constante des défauts ralentit peu à peu l'enthousiasme : pour suivre de bout en bout le texte de Marguerite, on doit aimer les mots, accepter leurs excès, leur abus, leur suremploi. C'est assez dire qu'il faut encore accorder à la poésie rhétoricienne finissante les qualités que lui déniera la Pléiade.

La charge de la Brigade de Dorat contre les formes anciennes du poème français se justifie par une lassitude, un besoin de casser les moules uniformément utilisés. Ce genre de révolte n'est pas rare dans l'histoire des littératures. Il les « rajeunit ». Voici Du Bellay qui a « mis un bonnet rouge au vieux dictionnaire », renvoyé au cabinet des Antiques ses proches prédécesseurs. Qui dès lors se souviendra que c'est Marot en personne qui rapporta d'Italie le premier sonnet français ? Nous qui venons pour louer Marguerite, non pour l'enterrer, souvenons-nous qu'elle appartient sans déchoir à une noble et ancienne lignée de poètes qui va bientôt perdre la bataille du XVIᵉ siècle, sans pour cela perdre une guerre toujours incertaine au XXᵉ.

A travers ce refus délibéré des formes poétiques consacrées mais essoufflées, notons la louable impatience de la Pléiade à s'affirmer, à écrire les vers autrement. Cet « autrement », aménagé, fera fortune jusqu'au romantisme, qui en inventera un autre. Aucune révolution littéraire n'est viable si elle ne rejette systématiquement le passé entier, lui opposant des œuvres présentées – à tort ou à raison – comme radicales nouveautés. Les vieux chauves des fauteuils d'orchestre conspués par les amis d'Hugo à la « première » d'*Hernani*, ces imbéciles rétrogrades, qu'aimaient-ils ? Racine, peut-être. Il faudra du temps aux passionnés pour chérir à la fois *Phèdre* et *Ruy Blas* : deux chefs-d'œuvre de deux mentalités littéraires différentes, tardivement complémentaires.

Injustice encore, le fait de confondre Marguerite et son œuvre, de la limiter à ses écrits. J'ai trop lu, parfois sous de bonnes plumes, que le rôle politique de la reine avait été nul. Or cette poète fut tout au long de sa vie un personnage politique d'importance : à l'arrière-plan, il est vrai.

Certes, François règne en maître. Mais quand on lit, par exemple au long des annales de Jourda, la vie de Marguerite au jour le jour, que trouve-t-on ? Des rendez-vous avec les ambassadeurs d'Angleterre, d'Italie, du pape, de l'empereur même, hors des périodes de guerre. La fréquence de ces entrevues est telle que le lecteur finit par en sourire. Marguerite se marie, accouche, part en guerre. Mais avant ? Mais après ? Avant et après, parbleu, elle reçoit des ambassadeurs !

Y a-t-il matière à sourire, ou tout au contraire faut-il en tirer leçon ? Il est vrai que François dirige seul la France, appuyé négligemment sur ses ministres. Il est vrai aussi que sa sœur restera presque toujours son « diplomate de rechange » : celle qui parle avec esprit, montre une bonne connaissance du terrain international, et peut « intoxiquer » bien des hommes imbus de leur supériorité virile. Faut-il juger unique l'action de Marguerite en Espagne, lorsqu'elle y fut en 1525 l'envoyée plénipotentiaire de la France ? Après Pavie, Louise de Savoie n'a plus qu'une fille pour jouer son jeu et sauver son fils. Marguerite joue le jeu. Plus tard, moins apparente et d'autant plus efficace, elle restera pour François l'alliée secrète, l'investigatrice, celle qui sait faire bavarder les étrangers entre deux conversations littéraires ou théologiques.

La première injustice, c'était de reprocher à cet auteur original d'être en retard sur l'avenir. La seconde consiste à penser, contre une évidence à peine voilée, que cette fine mouche fut seulement la « mignonne » du roi, une étourdie aux idées avancées qu'il fallait gronder de temps en temps. Peut-on imaginer qu'un monarque absolu, c'est-à-dire absolument isolé, ait négligé l'appui de la seule personne au monde sur laquelle il pût compter ? En contrepartie de ses services politiques, François pardonne à Marguerite un mari comploteur, des amis qui sentent le soufre.

Voilà pour l'injustice. Il en est une dernière, bien grave, qui consiste à déclarer rebutantes cette langue difficile, cette mentalité pas toujours très claire, jamais définissable en durée ni en *credo* explicité.

Il est vrai que la langue de Marguerite de Navarre est non seulement ancienne, mais obscure parfois. Il est vrai encore que ses exaltations vers le *Tout* sont plus perceptibles par les tenants de toute foi en Dieu que par les agnostiques ou les athées radicaux, s'il en existe. Pourtant est-il impossible de pressentir Gilgamesh quand on n'entend pas la langue d'Akkad ? Certains poètes actuels essaient même de nous persuader que le sens de la poésie n'a pas de valeur. Je ne touche à l'extrême de l'« insignifiance » que pour rejeter cet argument : « Je n'ai pas de Tout, je ne suis pas Rien, Marguerite de Navarre ne me concerne pas. » Rien à répondre à cela, sinon : « Je ne crois pas en Zeus, Achille n'a pas existé, Troie était un village miteux, mais l'*Iliade* reste au nœud de mon cœur. » *De gustibus...*

Venons-en au contresens. Il nous amène, au bout de quatre siècles, une Marguerite de Navarre « auteur engagé ». A la voir appelée à hue et à dia par chaque famille chrétienne (oh, le doux nom de famille!), on se met à douter de l'avoir bien lue, bien évoquée par ses actes et ses paroles. Que Marguerite ait agi de façon contradictoire à divers âges de sa vie, en occasions différentes, pas de doute. Qu'elle ait eu le devoir et le soin de cacher quelquefois ses opinions par raison d'État, nous l'avons remarqué. Qu'elle ait ailleurs déclaré des options et surtout des fréquentations « mal-sentantes », cela n'est pas niable.

Marguerite de Navarre jusque vers 1930, écrivions-nous, était tenue pour presque rien, et son œuvre pour pas grand-chose. Pourtant, un grand combat était déjà engagé, entre chrétiens, pour l'annexer à une confession particulière. Depuis Jourda les textes de la reine, l'un après l'autre, viennent à la lumière de la critique en profondeur. La « bataille de l'appartenance » ne cesse pas pour autant. Dès le début des années 1940, elle agaçait si fort Lucien Febvre qu'il la dénonça dans un passage qui fit froncer plus d'un sourcil, et qui me plaît si fort que je le cite en entier [1] :

« Marguerite catholique, Marguerite protestante, Marguerite

---

1. Lucien Febvre : *Amour sacré, amour profane : autour de* L'Heptaméron.

luthérienne, Marguerite calviniste, Marguerite mystique, Marguerite spirituelle, Marguerite sceptique sinon libertine : toutes ces étiquettes dénuées d'intérêt pour l'homme qui sait la vie, ou bien engendrent d'abominables anachronismes de pensée, ou bien prétendent enfermer en deux mots toute la vie et toute l'œuvre, infiniment variées, d'une femme qui vécut cinquante ans de la vie la plus pleine et la plus riche; ou bien encore visent à l'enfermer dans un état d'esprit qui put être le sien pendant un an ou deux – mais elle ne saurait l'avoir gardé intact et sans changement de la trentaine à la cinquantaine, de Marignan à Saint-Quentin, de Marot à Ronsard. »

Je ne puis cacher ma satisfaction personnelle à voir ainsi proclamée la permission d'être multiple, fût-ce en un temps où les lois de la religion, la hauteur d'une position traçaient des limites sévères à l'exercice de la liberté. Libre, Marguerite assignée à la messe, au devoir conjugal, maternel, sororal surtout? Libre, Marguerite proche de Marot, de Scève, de ces gens qui riment à plat épîtres et virelais? Libre en tout cas vis-à-vis de Ronsard, à propos duquel je conteste Febvre. Les *Odes*, le premier Ronsard de poids, ne commencent à paraître qu'en 1550. La reine est morte.

Si nous employons une étiquette que le texte précédent ne conteste pas, si nous déclarons Marguerite chrétienne – croyant en la divinité du Christ – nous en aurons assez dit pour permettre à un lecteur non byzantin d'aborder cette œuvre avec plaisir et profit, l'œil refait à neuf par la curiosité, sans préalable d'injustice ou de contresens : une grande poète chrétienne, une prosatrice dont le talent épure le fonds trivial d'anecdotes et de faits divers qu'elle ordonne dans *L'Heptaméron*.

Est-ce la cerner tout à fait que de la déclarer chrétienne et poète, porte-parole officieuse de son frère et épouse d'un roitelet maladroit? Il serait dérisoire de l'imaginer. Car enfin il pourrait exister une façon tout à fait différente de décrire Marguerite de Navarre. Une façon selon laquelle ses actions politiques, ses œuvres, tout sauf sa foi en Dieu passerait à la seconde place : ce serait un portrait de la grande propriétaire terrienne, de la gestionnaire adroite de grands biens, de la châtelaine d'Alençon, de Pau et de Nérac. Le récit dirait tout de sa vie quotidienne, de ses intérêts bien ménagés, de son mécénat financièrement important. Fonds perdus, ce mécénat? Non certes : il lui attire l'amitié, intéressée ou non, de nombreux écrivains et clercs qui la flattent et la vantent en Europe.

Pour cette singulière étude qui reste à faire – et que je laisse de bon cœur à un inspecteur des finances – l'abondante correspondance de la reine servirait de base, ainsi que les actes archivés en Normandie et dans le Sud-Ouest. Réunies en deux fois par François Génin (1841 et 1842), ces lettres de Marguerite furent complétées par des apports nouveaux, répertoriées et classées chronologiquement par Pierre Jourda [2]. Nous en avons tiré bien peu de choses, car elles intéressent davantage la vie quotidienne de la reine que ses aspirations et son inspiration. Exception a été faite, bien entendu, de l'échange avec Briçonnet, qui tire Marguerite au ciel.

Sa correspondance spirituelle et politique, nous y avons fait référence comme il se doit. Le principal de ses nombreuses lettres consiste en propos d'affaires, ordres donnés, remerciements et révérence, recommandation de protégés, conseils ou réprimandes d'une femme qui garde les pieds sur terre, même tout éprise de Dieu.

L'Heptaméron suffit à nous persuader de sa clairvoyance en matière de passions et de désordres : tantôt élevée vers le Tout, tantôt riant à l'ombre de son Rien. Le mélange de ces deux attitudes a beaucoup fait pour que l'on déclare Marguerite « mystérieuse », compte tenu de son goût utile du secret. Un regard sans profondeur confond souvent le mystère et la complexité. A bout de route, Marguerite nous semble plus complexe que mystérieuse, plus religieuse que mystique : telle la démontrent ses œuvres.

Peut-on dans ce cas parler de « démystification » des étiquettes qui la concernent? Disons seulement que son époque projette sur elle des reflets divers. Marguerite de Navarre fait partie de la seconde des deux générations qui ont changé, dans l'Europe du Sud, les habitudes de pensée, d'écriture, de prière, la place des trésors.

2. F. Génin, P. Jourda (cf. biblio.).

Pensée? La génération précédente, qui culmine avec Érasme et Lefèvre d'Étaples, tire leçon d'un siècle d'humanisme en ouvrant la Bible à qui ne parle hébreu, grec ni latin.

Prière? Cet accès aux textes sacrés bouleversera l'Église. Bientôt, pour certains, Rome ne sera plus dans Rome, mais à Wittenberg, à Strasbourg, à Genève. Pour reconquérir la chrétienté, les successeurs de Paul III devront mettre des habits neufs à leurs vieilles sentences, et réformer jusqu'à leurs méthodes. C'est la fin de la théocratie guerrière qui durait depuis les croisades, le début de la théocratie spirituelle, guère moins périlleuse pour la papauté.

Prière? Mais considérons tout chrétien de bonne foi quand s'élèvent de toutes parts des voix contestatrices, quand les murailles du thomisme contrefait, de l'augustinisme récupéré cèdent sous tous les béliers. Comment un esprit ardent à chercher Dieu, ennemi des ronrons pieux, ne se fût-il laissé tenter à maintes reprises par des certitudes provisoires?

L'écriture? La fracture n'est pas venue. 1550 est la date limite des tentations anciennes. Rabelais a fracassé la prose. La Pléiade va donner des lois « nouvelles » à la poésie dans la seconde moitié du siècle.

Évolution, révolution, tel fut le climat de la génération de Marguerite de Navarre en matière de religion, lettres, beaux-arts, et même de finances internationales.

Beaux-arts? Nous savons que Marguerite y goûte seulement le petit appareil des orfèvres et des joailliers. Mais enfin, Raphaël est mort en 1520. L'immense Michel-Ange mentait, disant : « Il me doit tout. » Raphaël, mort à trente-sept ans, constitue le chaînon le plus important entre le Quattrocento et le classicisme qui naît. Michel-Ange est un homme seul en son temps, comme les génies de son époque, seul comme Rabelais, comme Érasme, comme Lefèvre. Seul comme d'autres moins armés pour convaincre l'avenir, tels Maurice Scève et Louise Labé, tels Marguerite de Navarre et même le grand Marot.

Finances? François Ier a bonne mine, qui veut à tout prix Milan à cause de sa banque! L'or désormais passe d'Espagne jusqu'aux coffres des Fugger d'Augsbourg. Les caravelles de l'aventure, qui partaient vers un nouveau monde l'année où naissait Marguerite, font place aux galions qui importent l'Eldorado dans la péninsule Ibérique.

1492-1549 : ce sont les dates entre lesquelles vécut la reine de Navarre. Les dates aussi qui marquent la fin d'une certaine façon de vivre, d'entreprendre, de considérer les valeurs admises, de les remettre en question. Tout bascule dans l'équivoque, tout bouscule les certitudes, sans qu'un ordre nouveau s'établisse réellement dans les cours, les Églises, les écritoires et les modes. La reine se trouve du mauvais côté du renouveau. Cela donne peu de force à ses efforts pour faire neuf. Cela la condamne à d'étranges interprétations par les historiens romantiques ou dogmatiques, espèces qui cohabitèrent pacifiquement jusque vers 1880. Ainsi la verrons-nous étrangement déformée par l'affection déraisonnable que lui voua Michelet au nom de la libre pensée.

Disons, pour ne pas rassurer les lecteurs, que les chercheurs modernes ne donnent pas de Marguerite un portrait totalement satisfaisant. Son œuvre est construire en *opus incertum*, chaque pierre souvent étrangement liée à ses voisines. Or, chaque texte, chaque acte, chaque engagement de la reine doit pour un critique sérieux, obéir à une logique de fond, caractérisant la personnalité de l'auteur.

Sa personnalité, hélas! est marquée par le déséquilibre même des années 1520-1550. Elle apparaît incertaine, mouvante, animée de convulsions successives. Pour aborder ses textes, le curieux doit savoir qu'il n'existe pas de « Marguerite, mode d'emploi ». Armé des deux vertus de patience et de constance, chacun peut découvrir des chemins personnels dans la lecture profonde de ce paysage torturé, puis serein.

Les uns s'y ennuieront, d'autres se lasseront. D'autres enfin céderont à un charme qui demeure à travers les brumes de l'oubli, la barrière du langage, la froideur des analyses successives.

Les « Marguerites » de la Marguerite sont des fleurs folles dans le jardin bien entretenu des lettres françaises. Certains les préfèrent aux roses par esprit de contradiction. Mais contredire, n'était-ce pas le glorieux péché de ce grand siècle-là?

Januq, le 19 novembre 1986.

Bibliographie

Ce livre n'étant pas écrit pour des spécialistes, je limiterai la bibliographie aux ouvrages disponibles dans le commerce, ou dans les bonnes bibliothèques publiques. Pour ceux qui seront tentés de pousser plus loin leur quête, je signalerai par un B les ouvrages comportant une bibliographie plus étoffée.

A une ou deux exceptions près, je ne cite pas les articles de revue relatifs à Marguerite de Navarre et son environnement. Ils constituent pourtant, par strates successives, le meilleur appoint des études consacrées à cette époque. La *Revue du Seizième siècle* [1] et la *Revue des études rabelaisiennes* [2] ont été rééditées récemment. Cela ne les met pas à la portée de toutes les bourses, mais assure leur présence dans les bibliothèques publiques bien munies : elles ne sont pas rares en France. J'omets également de mentionner les thèses et articles publiés à l'étranger, quand ils n'ont pas été traduits en français. Certains d'entre eux, surtout dans le domaine des idées religieuses et sur le terrain de *L'Heptaméron*, sont indispensables aux érudits. Suivez le B !

Dans le même esprit de simplification, je renvoie aux savantes B ceux qui désirent consulter les manuscrits de la princesse ou de la reine. Les graphologues y perdront leur temps : elle dictait à des secrétaires. Aucun travail sérieux, à ma connaissance, n'a établi *en totalité* la part de correspondance *écrite de sa propre main.*

Les notations * indiquent à quel point telle ou telle étude éclaire l'œuvre de Marguerite de Navarre.

ŒUVRES DE MARGUERITE DE NAVARRE ACTUELLEMENT EN LIBRAIRIE

1. ŒUVRE POÉTIQUE

Textes

Les Marguerites de la Marguerite des princesses
   édition de Félix Frank, 1873, avec introduction, glossaire et notes, 4 volumes, contenant :

1. Réédition Slatkine, Genève, 19 volumes.
2. Réédition Slatkine, 10 volumes. Noter aussi (*ibidem*) la réédition de 24 titres de la Bibliothèque d'Humanisme et de Renaissance.

Tome I : Le Miroir de l'âme pécheresse. Le Discord de l'esprit et de la chair.
L'Oraison de l'âme fidèle. L'Oraison à Notre Seigneur Jésus-Christ.
Tome II : Comédie de la Nativité de Jésus-Christ. Comédie de l'adoration des trois
rois. Comédie des Innocents. Comédie du désert.
Tome III : Le Triomphe de l'agneau. Complainte pour un détenu prisonnier.
Chansons spirituelles (incomplètes). *Histoire des satyres et des nymphes de*
Diane. Epîtres.
Tome IV : Comédie des quatre dames et des quatre gentilzhommes. Farce de Trop,
Prou, Peu, Moins. La Coche. Pièces diverses.
   L'ensemble des quatre volumes a été réédité en un seul par Slatkine reprints,
Genève, 1970 **.

Éditions critiques (Texte, présentation et commentaire littéraire et linguistique)
La Navire, Robert Marichal, Paris, Champion, 1956. B. ** L'une des meilleures
   approches contemporaines non seulement de *La Navire,* mais de la reine
   elle-même.
La Coche, Robert Marichal, Droz-Minard, Paris, Genève, 1971. * Étude en tout
   point remarquable du pseudo-platonisme de Marguerite.
Chansons spirituelles, Georges Dottin, Droz-Minard, 1971. B. *
Les Prisons, Simone Glasson, Droz, 1978. B. ** Étude à la fois minutieuse et
   ouverte de ce texte difficile. Hypothèses intéressantes, trouvailles et incitations.
Le Miroir de l'âme pécheresse, Renja Salminen, Suomalainen Tildeakatemia,
   1979. *
L'Oraison à NSJC, Renja Salminen, *ibid.,* 1981. *
Dialogue en forme de vision nocturne, Renja Salminen, *ibid.,* 1985. B. *
   Les trois études successives de R. Salminen envisagent surtout l'aspect
linguistique des poèmes de Marguerite. Elles sont en cela très éclairantes,
établissant des textes dépouillés des dernières erreurs et omissions. Elles ont aussi
le mérite de replacer les œuvres dans le contexte historique et spirituel qui les
enserre.

2. THÉÂTRE PROFANE

Marguerite de Navarre, théâtre profane, édition critique de Verdun-Louis
   Saulnier, Droz-Minard, Paris-Genève, rééd. 1978; contenant : *Le Malade,*
   L'Inquisiteur, la *Comédie des quatre femmes, Trop, Prou, Peu, Moins,* la *Comédie*
   sur le trépas du roi, la *Comédie de Mont-de-Marsan,* la *Comédie du parfait*
   amant. **
   Cet ouvrage est actuellement le mieux éclairé, le plus éclairant sur le
théâtre de la reine. Dans l'introduction et les notes, concernant chaque œuvre,
V. L. Saulnier se montre à la fois érudit et convaincant.

3. L'HEPTAMÉRON

L'Heptaméron, Introduction, notes, glossaire, chronologie. Simone de Reyff-
   Glasson, Paris, Flammarion GF, 1982. B. **
   Cette édition, la plus récente, est aussi la mieux présentée. Spécialiste, mais ici
excellente vulgarisatrice, l'auteur donne (enfin!) une version qui supprime les
archaïsmes de langage. L'introduction savante et alerte nous jette passionnés
dans un texte passionnant.

4. CORRESPONDANCE

Pierre JOURDA, *Répertoire analytique et chronologique de la correspondance de Marguerite de Navarre*, Paris, Champion, 1930. ★
  Souhaitons la réédition de ce livre difficile à trouver, qui constituait la thèse complémentaire de doctorat du grand « défricheur » de Marguerite de Navarre.

Christine MARTINEAU, Michel VESSIÈRE, Henry HELLER, *Guillaume Briçonnet et Marguerite d'Angoulême. Correspondance (1521-1524)*, éd. critique, Bibliothèque d'Humanisme et de Renaissance, t. 32.3.1970, Droz, Genève, 1975, 2 vol. B. ★★
  Indispensable, malgré ses difficultés, pour qui veut pénétrer les sources de l'évangélisme de la reine.

OUVRAGES DE MARGUERITE À CONSULTER EN BIBLIOTHÈQUE

1. DERNIÈRES POÉSIES

Dernières Poésies, Abel Lefranc, Paris, Colin, 1896. ★★★
  Ce volume qui fit sensation n'a pas été réédité en sa forme première. Outre des *Chansons spirituelles* inédites, les *Adieux*, la *Distinction du Vrai Amour par Dizains*, des *Épîtres*, on y trouve les éléments majeurs du *Cycle du grand deuil*, repris dans les éditions critiques de R. Marichal, V. L. Saulnier, etc.

2. CORRESPONDANCE

Correspondance, lettres de Marguerite de Navarre, réunies par François Génin, 2 vol., Paris, 1841 et 1842. ★
Lettres de Marguerite de Navarre, Raymond Ritter, Paris, Champion, 1927.
Pierre JOURDA, *op. cit.* ★

BIBLIOGRAPHIES, ÉTUDES CRITIQUES

1. PREMIER FONDS

Pierre JOURDA, *Marguerite d'Angoulême, duchesse d'Alençon, reine de Navarre*, Paris, Champion, 1930, 2 vol., rééd. Bodega d'Erasmo, Turin, 1968, 2 vol. ★★★
  C'est l'ouvrage de base, qui fut « provisoirement définitif ». Il demeure le fonds commun dans lequel puise chaque étude nouvelle. Chacun y fait ses appoints. Des trouvailles incessantes infirment certaines hypothèses de Jourda. Quoi qu'il en soit, cette œuvre reste la première avec laquelle il faut compter. B : Sa bibliographie détaillée renvoie à des textes souvent inconnus, toujours dignes d'un lent détour. Aucun critique sérieux n'a nié ce qu'il devait aux travaux de Pierre Jourda : dix ans de recherches fructueuses.
Augustin RENAUDET, « Critique de l'œuvre de Pierre Jourda », in *Revue du XVIᵉ siècle*, t. 18, 1931. ★★
  Ce long article parut « à chaud », après la sensation causée par la publication du livre de Jourda. Avec beaucoup d'érudition et un peu de perfidie universitaire, le grand Renaudet loue son jeune collègue, note quelques-unes de ses erreurs, met dans son bouquet d'hommages d'intéressantes épines.

Lucien FEBVRE, *Autour de l'Heptaméron – Amour sacré, amour profane*, Paris, Gallimard, 1944 et 1971. **
Un livre explosif, passionnant, utile préalable à toute lecture de l'« après-Jourda ». Actuellement contesté, demeure un régal.

2. BIOGRAPHIES

Comtesse d'HAUSSONVILLE, *Marguerite de Valois, reine de Navarre*, Paris, Michel Lévy, 1870.
Mary DARMSTETTER, *La Reine de Navarre, Marguerite d'Angoulême* (traduction), Paris, Calmann-Lévy, 1900.
Nicole TOUSSAINT DU WAST, *Marguerite de Navarre, perle des Valois*, Paris, Max Fourny, 1976.
Marie CERATI, *Marguerite de Navarre*, Paris, Sorbier, 1981.
Consulter également l'article *Marguerite de Navarre* dans :
BRANTÔME, *Vie des dames illustres françaises et étrangères*, Paris, Classiques Garnier, préface de Louis Moland, s. d. *

3. ÉTUDES ET DOCUMENTS

Nicole CAZAURAN, *L'Heptaméron de Marguerite de Navarre*, Paris, SEDES-CDU, 1976. *
Jean DAGENS, *Le Miroir des simples âmes et Marguerite de Navarre*, Paris, PUF, 1963.
H. DE LA FERRIÈRE, *Marguerite d'Angoulême, sœur de François Iᵉʳ, son livre de dépenses de 1540 à 1549. Étude sur ses dernières années*, Paris, 1862, réédité 1891.
Abel LEFRANC, *Marguerite de Navarre et le platonisme de la Renaissance*, Paris, Champion, 1914.
R. de MAULDE LA CLAVIÈRE, *Louise de Savoie et François Iᵉʳ, trente ans de jeunesse (1485-1515)*, Paris, Perrin, 1895.
Raymond RITTER, *Les Solitudes de Marguerite de Navarre*, Paris, Champion, 1953.
E.V. TELLE, *L'Œuvre de Marguerite de Navarre et la querelle des Dames*, rééd. Slatkine, 1972.

LA FAMILLE

Jean JACQUART, *François Iᵉʳ*, Paris, Fayard, 1981. B. **
André CASTELOT, *François Iᵉʳ*, Paris, Perrin, 1983. *
Ivan CLOULAS, *Henri II*, Paris, Fayard, 1985. B. ** (énorme bibliographie).
– *Catherine de Médicis*, Paris, Fayard, 1979. B. **
Paule HENRI-BORDEAUX, *Louise de Savoie, régente et roi de France*, Paris, 1954.
Charles d'ORLÉANS, *Poésies*, Paris, Champion, 1966, 2 vol. *

LE TERRAIN

Deux ouvrages de base :
Jean DELUMEAU, *Les Civilisations de la Renaissance*, Paris, Arthaud, 1967. **
Robert MANDROU, *Introduction à la France moderne, essai de psychologie historique (1500-1640)*, Paris, Albin Michel, 1961 et 1974. ***

Consulter également :

G. BUFO, *Nicolas de Cuse*, Paris, Seghers, 1964.

Du BELLAY (Guillaume et Martin), *Mémoires*, 4 vol., Société de l'Histoire de France, 1908-1919.

L. BOURGEOIS, *Quand la Cour de France vivait à Lyon*, Paris, Fayard, 1980.

E. PICOT, *Les Français italianisants au XVIᵉ siècle*, Paris, Champion, 1906, 2 vol.

TOUSSERAT-RADEL, *Correspondance politique de Guillaume Pellicier, ambassadeur à Venise*, Paris, Alcan, 1899, 2 vol.

L. GUIRAUD, *Le Procès de Guillaume Pellicier*, Paris, Picard, 1907. *

L'AMBIANCE

Denys l'ARÉOPAGITE, *Œuvres*, Paris, Aubier-Montaigne, 1943.

Adolphe CHENEVIÈRE, *Bonaventure des Périers, sa vie, ses poésies*, Paris, Plon, 1880.

ERASME, *Éloge de la folie*, Paris, Garnier, 1936. **

Pernette du GUILLET, *Rymes*, Victor E. Graham, Droz-Minard, Paris-Genève, 1968. *

Antoine HÉROËT, *La Parfaite Amye et œuvres poétiques*, Droz, Genève, 1943.

Louise LABÉ, *Œuvres*, E. Giudici, Droz, Genève, 1981.

– *Œuvres complètes*, avec une étude originale et des notes, par Karine Berriot, Paris, Seuil, 1985. B. **

Clément MAROT, *Œuvres complètes*, 2 vol., Paris, Garnier. **

P. JOURDA, *Clément Marot, l'homme et l'œuvre*, Paris, Boivin, 1950. **

V.L. SAULNIER, *Les Chansons de Clément Marot*, Fischbacher, 1950. *

Raymond MARCEL, *Marsile Ficin (1433-1499)*, Paris, Belles-Lettres, 1958.

J. VIANEY, *Le Pétrarquisme en France*, Montpellier, Coulet, 1900. *

Henri GUY, *Histoire de la poésie française au XVIᵉ siècle*, Paris, Champion, 2 vol., 1910 et 1926.

A.M. SCHMIDT, *Poètes français du XVIᵉ siècle*, Paris, Gallimard, Pléiade, 1953. *

A. PAUPHILET, *Poètes et romanciers du Moyen âge, ibid.*, 1952. *

Curiosités :

Etienne DOLET, *Manière de bien traduire une langue en une autre*, Slatkine, 1972.

Alfred JEANROY, *Guillaume IX d'Aquitaine*, Paris, Champion, 1972.

LA RELIGION

Entre des dizaines de possibilités (voir les B et leurs épigones) :

CATHOLICISME

Nouvelle Histoire de l'Église, dirigée par H. TÜCHLE, C.A. ROUMAN et Jacques LE BRION, t. III, *Réforme et Contre-Réforme*, Paris, Seuil, 1968. B **

Marcel PACAUT, *Histoire de la papauté jusqu'au Concile de Trente*, Paris, Fayard, 1976.

PROTESTANTISME

Histoire des protestants en France, collectif, Privat, Toulouse, 1977. B. Surtout article de R. MANDROU : « Pourquoi se réformer ? »

Le livre le plus éclairant sur cette époque reste :
Lucien FEBVRE, *Le Problème de l'incroyance au XVIe siècle. La religion de Rabelais*, Paris, 1942 et Albin Michel, 1968. B. ★★★

Consulter aussi :
Jean CALVIN, *Institution de la religion chrétienne*, rééd. Slatkine, 1978.
G. BEDOUELLE, *Lefèvre d'Étaples et l'intelligence des écritures*, Droz, Genève, 1976.
LEFÈVRE D'ÉTAPLES, *Épîtres et évangiles pour les 52 semaines de l'an*, fac-similé Droz, Genève, 1964.
– *Le Nouveau Testament*, fac-similé, Classiques de la Renaissance en France, 1970.
W.G. MOORE, *La Réforme allemande et la littérature française*, Strasbourg, Fac. des lettres, fascicule 32, 1930.
Augustin RENAUDET, *Préréforme et Humanisme à Paris pendant les premières guerres d'Italie (1494-1517)*, Paris, Champion, 1916. ★

LANGUE

G. GOUGENHEIM, *Grammaire de la langue française au XVIe siècle*, Lyon, IAC, 1951.
E. HUGHET, *Dictionnaire de la langue française au XVIe siècle*, 6 vol., Paris, Champion, 1925-1966. ★★

Index

JODELLE : 195.
JOURDA, Pierre : 10, 11, 97, 102, 104, 146, 147, 169, 266, 285, 294, 304, 307, 308, 311, 331, 335, 336, 338.
JULES II : 52, 53, 68, 72.
JUSTINIEN : 67.
JUVÉNAL : 39.

LABÉ, Louise : 186, 188, 191, 274, 283, 339.
LA BORDERIE, Bertrand de : 241, 243.
LA BRUYÈRE : 315.
LA CROIX DU MAINE : 311.
LA FAYETTE, Mme de : 220.
LA FONTAINE : 209, 307, 325.
LA HAYE, Maclou de : 187.
LA MARCK, Guillaume de, duc de Clèves et de Juliers : 218-221, 232, 238, 250, 284, 302.
LA MARCK, Robert de : 126.
LANNOY, Charles de : 111, 112, 115, 116, 127, 131.
LARRIVEY (GIUNTO) : 195.
LA SALE, Antoine de : 318.
LASCARIS, Jean : 35, 40.
LA TRÉMOILLE : 115.
LAUTREC, vicomte de : 76, 77, 113.
LAVEDAN : 220.
LE BOUGUE, Henri : 264.
LECLERC : 161.
LECOMTE, Jeanne : 24.
LEFÈVRE D'ÉTAPLES, Jacques : 12, 59, 61, 68, 70-72, 74, 75, 77-80, 94, 104, 130, 135-138, 152, 157, 170, 247, 291, 315, 330, 339.
LEFRANC, Abel : 10, 147, 265, 269, 280, 283, 285, 304.
LE FRANC, Martin : 22.
LEMAIRE DE BELGES, Jean : 102.
LÉON X : 36, 46, 53, 55, 61, 65, 76, 77, 83, 157.
LÉONARD DE VINCI : 38, 69, 264.
LEROUX DE LINCY : 311, 329.
LESAGE : 203.
LESPARE, seigneur de : 76.
LEYVA : 131.
LIZET : 57.
LOUIS II : 126.
LOUIS IX (saint) : 149, 156.
LOUIS XI : 17, 19, 24, 25, 27, 29, 51, 65, 121, 149, 318.
LOUIS XII : 19, 21, 25-31, 35, 39, 44-47, 50-54, 72, 131, 149, 180, 192, 229.

LOUIS XIV : 29.
LOUISE DE SAVOIE : 17, 23-31, 37-39, 41, 42, 44-47, 77, 79, 89, 112, 117, 118, 124, 132, 134, 141, 142, 173, 222, 290, 313, 316, 322, 335.
LUCIEN DE SAMOSATE : 321.
LUCIUS III : 255.
LUTHER : 18, 60, 66, 67, 73, 75, 79, 82, 83, 91, 94, 96, 100, 104, 106, 135, 136, 138, 164, 261, 271, 318, 327.

MADELEINE DE FRANCE : 178, 210.
MAGELLAN : 186.
MALHERBE : 186.
MALLARMÉ, Stéphane : 10, 37, 278.
MANUCE, Aldo : 34, 53.
MANUEL Ier LE FORTUNÉ : 121, 122.
MANUEL PALÉOLOGUE : 35.
MARCADÉ, Eustache : 192.
MARCOURT, Antoine : 163.
MARGUERITE D'ALENÇON, duchesse de Lorraine : 43, 58, 60, 319.
MARGUERITE, duchesse de Berry : 243, 252, 309.
MARGUERITE D'AUTRICHE : 116, 134, 142.
MARICHAL, Robert : 10, 90, 224, 265, 270.
MARIE-ANTOINETTE : 197.
MARIE DE PORTUGAL : 219.
MARIE D'YORK : 46, 47, 192.
MAROT, Clément : 108, 57, 82, 88, 89, 129, 130, 139, 159, 160, 162, 165, 166, 174, 176, 184-188, 190, 191, 199, 202, 206, 207, 209, 211, 212, 221, 228, 235, 241, 247, 254, 265, 268, 274, 283, 327, 334, 337.
MAROT, Jean : 57, 88.
MAROT, Michel : 88.
MARTELLI, Nicolo : 209.
MARTIN V : 111.
MAULDE LA CLAVIÈRE, R. de : 39.
MAXIMILIEN : 30, 51-53, 64, 65.
MAZURIER, Martial : 72.
MÉDICIS (LES) : 34, 36, 246.
MÉDICIS, Alexandre de : 155, 178, 324.
MÉDICIS, Cosme de : 34.
MÉDICIS, Laurent de (le Magnifique) : 17, 34, 35, 40.
MÉDICIS, Lorenzino (Lorenzaccio) : 178, 324.
MÉLANCHTHON, Philippe : 75, 94, 162-166, 172.
MESCHINOT, Jean : 22, 89, 90.

Table des matières

Cet ouvrage a été réalisé par la
SOCIÉTÉ NOUVELLE FIRMIN-DIDOT
Mesnil-sur-l'Estrée
pour le compte des Éditions Fayard
en octobre 1997

Imprimé en France
Dépôt légal : octobre 1997
N° d'édition : 5458 - N° d'impression : 40421
ISBN : 2-213-01939-8
35-61-7711-03/1